DRYMIAU AMSER

# DRYMIAU AMSER

GWILYM MEREDYDD JONES



GWASG GOMER
1987

*Argraffiad Cyntaf—Awst 1987*

ISBN 0 86383 329 2



Dymuna'r cyhoeddwyr gydnabod cymorth a chyfarwyddyd Adrannau'r Cyngor Llyfrau Cymraeg a noddir gan Gyngor Celfyddydau Cymru.



*Argraffwyd gan J. D. Lewis a'i Feibion Cyf.,*
*Gwasg Gomer, Llandysul, Dyfed*

# Y TYMHORAU

GWANWYN

## 1928

*Mawrth 21*

Mynd i gae John Hughes i hel dant y llew er mwyn i mi ga'l bwyd i Fflop. A dipyn o laswellt a hwnnw'n oer a gwlyb yn fy nwylo. Fi'n licio mynd allan i'r caeau a cherdded yn rhowtiau'r drol er mwyn i mi ga'l crest o fwd a baw ar fy sgidie. Ma Fflop yn licio dail tafol hefyd a dalan poethion, ond bod rheini yn llosgi 'mysedd i. Mam yn arthio arna i pan ddes i nôl i'r tŷ. Hogle bara'n crasu yn y popty bach yn codi dŵr i 'nannedd i, a gneud i mi anghofio bod gen i ddannodd yn 'y nant blaen. Deud wrth Mam bod sgidie Holdfast yn dal dŵr am bod fi wedi rhoi col-tar arnyn nhw.

*Mawrth 22*

Mam yn deud bod gwanwyn wedi dŵad ac os o'dd 'ne ddalan poethion i Fflop mi fase 'ne rai i ni, hefyd. Deud wrth Mam fod gen i ishio aros yn tŷ i ddarllen *Swiss Family Robinson*. Mam yn deud bod o rhy anodd i mi a bod dalan poethion wedi ffrio mewn menyn yn shew llawer neisiach. Mynd i Cae Delyn i hel dalan poethion, a dwi'n licio watshio adar yn caru a gneud nythod. Sbio ar fronfraith yn plethu nyth 'run fath â Jac Stabal Fawr yn gneud rhaff. Ofn hel y dalan poethion am bod y gwlith arnyn nhw yn sgleinio 'run fath â jiwels ar gadwen Mrs. Yrfin Ffilbi, Plas Onnen, pan fydd hi'n rhoi te Dolig i blant 'rysgol. Sandwiches samon yn grimp, ond fydda i'n licio pan neith hi blygu i lawr i siarad hefo fi ac ogle sent fel lafindar Nain Crib Ceiliog ar 'i brest hi. 'Run peth ma hi'n ddeud wrth bawb: *Are you enjoio the party, dear boy*? fel tase genni hi farblen yn 'i thaflod. Rydw i wedi anghofio rhoi infyrted comas fel y deudodd Miss Jones Standard Two wrthon ni, ond ddaru fi gofio deud '*Thank you over me*,' wrth Mrs. Ffilbi. '*You have good mannyrs,*' medde hi.

*Mawrth 23*

Ddaru mi ga'l blas ar ddalan poethion a wy Mam i de ddoe. Roedd hi'n gynnes gynnes yn gegin tŷ ni a Mam yn gwisgo'i brat plod fydd hi'n wisgo yn Sgoldy Capel pan fydd hi'n gneud te Cwarfod Misol i gwinidogion. Ma'n nhw'n byta fel 'ffyle, medde hi, yn enwedig Samiwel Job, Siloam, sy'n cythru fel tase 'ne ddim ond sgerbwd 'sgodyn ar ôl. Ma Mam wedi mynd yn dew iawn, ac yn blino, medde hi, a mi nath gacen radell i de ar ôl y dalan poethion. Fydda i'n licio'r ogle sy'n tŷ ni, ar ôl i Mam dynnu'r bleins, a coed tân yn tasgu fel ffeiarworcs ar y mat clwt, a'r lamp baraffîn yn cymysgu ogle hefo dillad tamp yn sychu ar yr hors ddillad, a'r oel Moris Ifans o'dd Mam wedi'i rwbio ar 'y nghefen i. A ma 'ne ogle neis ar Mam hefyd, ogle sebon gwyrdd a blawd a *thermogen wool* a blacin grât, a camffor bôls pan fydd hi'n gwisgo dillad dydd Sul. Ma gwallt Mam 'run lliw â caneri Bessie Foelgron, ac yn sgleinio yng ngole'r lamp 'run fath â'r olwyn aur sy ar ben angel ar wal festri Ysgol Sul. Dwi'n teimlo'n ffeind ac yn hapus hefo Mam yn rŵm bach ni, a'r grisie hefo llyfre canu ar bob gris i fyny i llofft ni. Cysgu yn gwely bach a rhoi dillad isa ar y fasged wellt wrth y gwely, a Tada a Mam yn cysgu yn gwely mawr. Weithie mi fydd 'ne 'slum yn hedeg fel ysbryd rownd y llofft pan fydd ogle gwair yn dŵad drwy ffenest llofft. Ar ôl diffodd y gannwyll, mi fydd Tada yn tuchan lot yn gwely a sbrings yn gwichian 'run fath â llygod mawr yn sgubor Felin Rhyd Gam. Pan fydda i'n gofyn pam bod Tada'n tuchan, Mam yn deud paid â ponsho, Elwyn, cer i gysgu, ma gen dy dad losg eira cas. Mi fydd Mam yn giglan fel pioden wedyn a Tada yn pi-pi yn po dan gwely. Dwi'n sâff yn tŷ ni ond weithie os bydda i yn mynd i nôl llymed o laeth enwyn ganol nos, ma gen i ofn y carw sy'n y llun ar wal y dresar, a weithie mi fydda i'n ca'l breuddwyd bod 'ne ddyn du yn cysgu yn y fasged wellt.

*Mawrth 24*

Caenen o eira wedi syrthio neithiwr ond Mam yn blagardio pan oeddwn i ishio mynd allan i neud peli eira, a deud y byswn i yn ca'l piwmonia. Ond dwi'n gwbod taswn i'n plagio, y base Mam yn gadel i mi fynd. Deud wrtha i am roi syrcyn tewach, hwnnw hefo twll, fedre hi ddim fforddio prynu un arall. Mam yn deud o hyd na feder hi ddim fforddio pethe, a Tada a Mam yn ffraeo am bod 'ne ddim pres, a bod 'i chelc bach hi wedi mynd i gyd. Dene pryd bydda i yn rhedeg allan at Fflop. Ma gen i ofn Tada pan fydd o'n gwylltio'n gaclwm. Ma gen Fflop glustie hirion, a mi fydda i yn licio rhoi o bach iddi hi pan fydd hi'n byta letus, 'run fath â Huw Llechan yn cnoi baco. Smocio baco Caer ma Tada, a Mam yn nadu a deud na fedar o ddim fforddio hwnnw chwaith ar gyflog saer i'r hen sleboch Bob Prydderch, hefo'i siop shafins o gut gwaith. Dene pan fydda i yn cogio chware'r harmoniym er mwyn iddyn nhw beidio ffraeo. Mam yn fy ordro i siop Post i nôl cnegwarth o furum a 'wrach y bydde hi yn gadel i mi fynd i chware yn yr eira. Miss Wmffres Post yn rhoi licris bôls i fi a Neli Tŷ Canol am gario neges i Mam. Gneud dyn eira hefo Neli a Mei a Cled, a Neli yn rhoi pluen ostrich het 'i mam ar 'i ben o, a cha'l wialen fedw am neud. Bob Dei, hen grymffast ydi o, yn dŵad a chwalu'n dyn eira ni, cic yn tîn y diaw', medde fo a chwalu'r dyn eira yn shwtrws. Neli yn rhoi pluen ostrich i mi, fi ydi'i chariad hi, medde hi. O'dd gen i ishio rhoi sws iddi hi, ond ro'dd gen i ofn, ma genod yn slei, medde Iolo wrtha i. Ca'l brôn ar fara haidd i swper a Mam yn deud 'mod i'n ddigon hen bellach i ddarllen y Beibl yn 'i lle hi cyn mynd i gysgu. Darllen porthi'r pum mil, a cha'l poen yn 'y mol, a Tada yn dal i smocio fel corn simdde, medde Mam, wrth wthio cetyn Tada i'r bwced lo wrth y ffendar. Darllen *Deian a Loli*.

*Mawrth 25*

Styffîg yn tŷ ni, bore heddiw. Tada yn rhoi waldied i mi ar ôl i mi sathru coes y cetyn a'r pen tarw ar y fowlen. Mam yn rhy wantach i fynd i'r capel, medde hi, a Tada yn gyndyn i ddŵad. Tada'n fflamio pan ddeudodd Mam 'i bod hi wedi anghofio startshio coler dydd Sul Tada, a fynte'n iste wrth gornel sêt fawr i godi canu. Mi fydda i yn licio watshio Tada yn codi canu, achos ma'i ddannedd gosod o yn bownsio a chlecian yn 'i geg o fel gêm o goncars. Wedyn Mam yn deud y drefn 'mod i wedi hambygio côt Wil 'y nghefnder, côt mynd i capel ydi honno, ar ôl iste ym merfa Wil ar y buarth yn Hendre Bella. Dwi ddim ishio'i gwisgo hi eto, mae'r llewys yn rhy fyr, a thwll yn y penelin. Mam yn hanner crio wrth ddeud na fedar hi ddim fforddio dim byd gwell—'den ni ddim yn medru fforddio dim byd yn tŷ ni. Mi ffeindiais i bishin tair ym mhoced côt Wil a mi ges fferins yn siop Meri Pincwshin. Tada yn fflamio amser cinio am bod 'ne ddim leg o lam, a Mam yn deud tase Tada yn smocio llai o'r rwtsh Caer 'ne, mi fase hi yn medru fforddio rhwbeth gwell nag asen goch. Tase fo ddim mor wên deg yn wrjio catied i hulpyn fel Wil Wagnar fase'r hwch ddim yn mynd trwy'r siop. Gas gen i Tada pan fydd o'n ypsetio Mam, mi fydd o'n edrych hefo llygid mochyn arni. Biti na fase Mam a fi yn byw hefo'n gilydd am byth byth, a Fflop yn ca'l byw mewn cratsh yn y tŷ hefo ni.

Bob Dei yn mynd â fi i'r Ysgol Sul, a deud wrtha i bod Mam yn edrych fel buwch gyflo, ac yn chwerthin fel mwnci. Ma Mam yn rhy neis i ddeud pethe felly a mi ro's i gic iawn iddo fo. Tydw i ddim yn meindio bod nhw yn galw Tada yn Ifan Ffuret. Mam yn deud bod ganddo fo wyneb slei o dan 'i fwstash. Miss Philips Teras yn deud stori yn y dosbarth am y ddynes Deleila, hen sopen, tase'n weddus deud, medde hi, yn torri gwallt clamp o gawr Samson, nes bod o yn wan fel brechdan, a Cled yn deud ma gwan fel rhech o'dd hi'n feddwl. Mi a'th gwyneb Miss Philips fel crib ceiliog Jên Ifans Cotej, a deud bod Cled yn hen hogyn powld. O'n i ishio gofyn fase Tada yn mynd yn wan tase Mam yn torri'i fwstas o, wedyn mi faswn i yn medru'i gloi o yn cut glo a gadel iddo fo lwgu, a wedyn taflu'i sgerbwd o i'r afon, 'run fath â bydd Mam yn tywlu sgerbwd ffowlyn ar ôl cinio Dolig. Mi fase Mam yn medru fforddio pethe wedyn, a mi faswn i yn ca'l beic o glwb chwecheiniog Jini Jones. Sbio ar iâr ddŵr â phig goch yn gneud nyth ar Llyn Crwn ac yn hwylio fel stemar 'run fath â honno ar y Marine Lake yn Rhyl.

*Mawrth 26*
Dwi'n sâl bob bore dydd Llun, ma gen i ofn mynd i'r ysgol. Ma Miss Williams yn gofyn cwestiyne anodd a sbio arna i fel sguthan, a ma genni hi drwyn cam. Mam yn deud ma'i sbectol hi sy'n gam. Dwi'n methu cofio *four times* têbl a mi fydd Miss yn gweiddi: *Use your head, Elwyn Pugh*!' Gneud i 'ngwyneb i gochi 'run fath â thân o dan y popty crasu, a chroesi 'nghoese cyn i mi wlychu fy nhrywsus rib. A ma plant yn gneud sbort am bod 'ne ogle finiger ar 'y mhen i ar ôl i Mam socian 'y mhen i hefo cadach i neud yn siŵr bod yne ddim llau, 'run fath â phlant budur Llwyn Celyn, a ma plant hefo gwallt coch 'run fath â fi, medde Mam, yn tynnu llau fel moth at gannwyll. Ma finiger yn waeth na senna pods bob nos Wener i glirio bywels, er bod sêt tŷ bach ni yng nghornel yr ardd yn oer fel rhew. Biti na fase Rithmytic yn Gymraeg, ond ma Mr. Morris yn deud na chawn ni ddim rhannu pethe fath â marblis rhwng plant *Standard Three*, dim ond *divide sixteen coconuts between eleven boys*. Dwi ddim yn gwbod pam bod genod *Standard Three* ddim yn ca'l coconyts, a fydda i yn pi-pi yn 'y nhrywsus achos dwi ddim yn gwbod be i neud hefo *remainder*. Os bydd gen Mam datws drosodd ar ôl cinio mi fydd yn eu lluchio nhw i'r ieir, ond tydi ieir ni ddim yn licio coconyts.

Heddiw ro'dd Mr. Morris ishio i ni wrando ar stori Nant Frwynog, sy'n rhedeg o Llyn y Felin, yn *English Poetry*, a'i glustie fo 'run fath â chorn clywed dyn siop yr eiornmyngar. *I come from hônts of coot and hyrn, I make a sudden sali*, a dyma fi'n dechre crynu bod Mr. Morris yn mynd i ofyn i mi be o'dd Sali yn neud yn 'rafon a hithe yn iste wrth ochor Gwenno. Dyma fi'n gofyn plîs ga i owt, a dyma fi'n trio pi-pi dros y wal rhwng lle bechgyn a lafatri genod. Ifor yn ca'l cansen gan Mistar am alw Iolo yn fwnci pric. Ma Iolo yn byw yn y Mans. Gweld Sam a Darbi, Gaer, yn troi, ar y ffordd adre o'r ysgol a licio gweld y mwg o'u trwyne nhw a'r gêr yn jinglan a'r pridd yn frown 'run fath â chrystyn pwdin reis wedi llosgi. Chware hefo bowl a bachyn ar lawnt capel, a Mam yn gneud caws wedi'i rostio i de. Tada ishio nionyn wedi'i rostio yn llygad y tân. Mam yn deud y drefn pan ddaru'r nionyn losgi yn golsyn a drewi dros y lle a Tada yn chwythu'r ogle i ffwr' hefo'r fegin. A fi yn dechre crio, achos ma ogle caws wedi'i rostio 'run fath â hogle nefoedd i mi a dwi ishio mynd yno ar ôl i mi farw. Ma pawb yn canu yno, medde Miss Philips, ond tydw i ddim ishio Tada yno, chwaith.

*Mawrth 27*

Sbio i fyny i'r nefoedd wrth fynd i'r ysgol a gweld gwylanod yn chware cic-cic rhwng y cymylau 'run fath â angylion, ond bod angylion ddim yn sgrechian 'run fath â gwylanod. Weithie ma gen i ofn sbio, rhag ofn bod 'ne sbrydion yn ca'l reid ar y cymylau. Mi weles i ysbryd wsnos dwaetha. Mam wedi 'ngyrru fi i'r siop i brynu cyrens a phaced o Viota ar ôl cinio a gofyn i Emrys Ffowcs 'i roi o i lawr ar y llyfr tan wsnos nesa. Emrys Ffowcs yn rhoi'r cyrens, a neges i Mam y ceith hi Viota ar ôl iddi dalu am y sego a'r cnwlle gath hi cyn Dolig. Ac ro'n i'n pasio mynwent 'reglwys pan weles i ddyn tal yn cerdded o dŷ'r person heb ddim gwallt a chrys nos llaes brown at 'i draed o, a mynd trwy lidiart y fynwent heb 'i hagor hi. 'Run fath â mynach yn y llyfr stori yn 'rysgol, a ffon hir yn 'i law a channwyll ole mewn lamp ar 'i phig hi. Mi gerddodd drwy'r cerrig beddi a sleifio i mewn i'r eglwys heb agor y drws, a mi sefes yn stond a chwys oer fel plorod drosta i. Ro'dd gen i ofn mwy nag ofn ca'l cansen gan Mistar, a mi ddaru mi bi-pi am ben y cyrens. A mi glywes sŵn canu fel cnul claddu yn 'reglwys, a sŵn drymio, a dyma fi'n meddwl am y dyn du dwi'n breuddwydio amdano fo yn y fasged gwellt. Ro'n i ishio anghofio neges Mam, a mi es i chwilio am chwistlod yn y gwrych wrth y Comin, ond rhaid 'u bod nhw heb ddeffro ar ôl gaea. Mam yn deud 'i bod hi ac Anti Sali wedi gweld ysbryd estalwm pan ddaru corff Magi Hendre Bach eu pasio nhw wrth y penwar, noson seiat, hanner awr ar ôl iddi farw, a'i bod hi wedi gwenu arnyn nhw. A Mam yn ypset am y Viota, a deud ma hen sturmant caled ydi'r siopwr a fynte'n flaenor a hithe heb ddwy geiniog goch i rwbio yn 'i gilydd, a tase Tada yn styrio mwy yn y cut 'ne i orffen rhesel i stabal Cilgwyn mi fydden ni'n well yn byd. Mam yn nadu a finne yn deud y baswn i yn torri pricie at y bore a nôl dŵr o'r ffynnon, ac ro'n i ishio mynd i chware *foxhounds* ar llechwedd.

Mi ges *six out of ten* yn mental heddiw. Wannwyl, mi o'dd Mam yn falch ac yn rhoi anwes i mi, ac ogle sebon golchi ar 'i dwylo hi, a'r rheini'n feddal fel blymonj, am 'i bod hi wedi bod yn golchi i Mrs. Owens Dallas a Bob gwas y Wernddu a Miss Daisy Scott sy wedi bod yn Mericia. Mi fydd Mam yn rhoi chwecheiniog yn y Blwch Cenhadol i Iesu Grist ga'l mynd at blant bach Sulhet, sy 'run fath â mynydd Berwyn, hefo tai to gwellt. Dwi'n meddwl base Iesu Grist yn licio i Mam ga'l Viota hefo'r pishin chwech.

*Mawrth 28*

Methu cysgu neithiwr achos o'n i'n meddwl tybed o'dd y dyn du yn y fasged wellt o dan gwely. Rargol, o'dd gen i ofn, ond ro'n i bron â marw ishio 'i weld o. Ar ôl i mi dyfu'n fawr, rydw i am fynd i Affrica hefo Mam. Fydd gen i ddim ofn dim byd pan fydda i yn fawr, a mwstash 'run fath â Tada. Ma 'mol i'n crynu pan fydda i yn meddwl am bobol ddu a chlywed sŵn drym yn 'y nghlustie reit amal. Mi godes o 'ngwely, a 'nhraed i fel rhew ar y linoliym, achos o'n i am bipian yn y fasged wellt i weld oedd o ynddi. Ches i ddim digon o blwc, a mi rois i legins a sgidie hoelion Tada ar ben y fasged rhag ofn iddo fo drio dŵad allan yn y nos. A Tada yn 'y neffro i'n gynnar a finne'n clywed Mam yn cwyno a Tada yn deud wrtha i am redeg i Tŷ Nyrs, bod amser Mam wedi cyrredd. Mi ges i fraw pan weles i wyneb Mam fel y galchen, a mynd lawr grisie a gweld tân lludw yn grât. Rhaid bod Mam yn sâl, a'r pricie yn dal ar y pentan. Pan o'n i'n fach mi fydde Mam yn fy rhoi ar ei glin amser gwely er mwyn i mi ga'l llwyed o de slecyn rhag imi hel gwynt, medde hi. Ac mi ro'dd hi'n braf wrth y tân a Tada yn pendwmpian a'i draed ar y pentan a llosgi twll yn 'i sane. Preis Llefrith yn gofyn i be o'n i'n codi cyn cŵn Caer a finne'n deud bod Mam yn sâl

iawn a cyfog arni. O'dd siwt y nyrs yn edrych fel coler dydd Sul Tada ar ôl i Mam 'i startshio hi, a mi ddaru ni'n dau redeg i tŷ ni. Wedyn mi a'th Tada a fi am dro am bod Mam ishio llonydd, medde fo, ac ro'dd hi'n gwneud sŵn 'run fath â chi cipar yn udo. Fe ofynnes i i Tada pam roedd hi'n sgrechian hefyd, a Tada'n deud bydd gen ti chwaer bach erbyn amser cinio. Mi gafodd Tada gic go iawn gen i am nad oedd gen i ddim ishio chwaer, dim ond byw hefo Mam a weithie hefo Tada. A ddaru'r nyrs ddim deud bod babi yn y bag brown o'dd ganddi hi, a pham bod Mam yn sgrechian, medde fi wrth Tada. A mi ddaru Tada gymryd 'i amser i danio'i getyn a deud, wyt ti jest yn wyth oed, mi ddoi di i ddallt, a mi fydd dy fam wrth 'i bodd. Ac o'n i ishio gwbod pam bod Mam wedi ordro babi geneth a pham 'i bod hi'n crio os o'dd hi wrth 'i bodd. Mi wyllties i pan ddeudodd Tada wrtha i am beidio holi, a to'n i ddim i wlychu 'nhrywsus a gadel ogle piso ar 'y nwylo. Gwyneb coch oedd gen i, am bod Tada yn deud y gwir, ond ro'dd ogle saim gŵydd rownd 'y ngwddw i yn waeth, pan o'dd gen i ddolur. A'th Tada â fi adre a mi roedd Nyrs a Lisi Dafis ac Elin Pandy yn rhedeg i fyny ac i lawr y grisie, a sosban o ddŵr poeth ar y pentan a'r tegell yn stemio a dillad gwlybion ar y gader wellt. Ddaru Elin Pandy wincio ar Tada a mi a'th i'r llofft, a mi es i allan i'r ardd rhag imi glywed Mam yn crio eto. A mi sathres i gynffon Smwt y gath nes 'i bod hi'n sgrechian, rhag i Mam ypsetio ma dim ond hi o'dd yn cwyno. Toc ddaru Tada alw fi i fyny a mi o'dd Mam yn sbio arna i hefo llygid gole a dyma hi'n gwenu 'run fath â'r haul ar nobyn pres ffrâm gwely Tada a Mam. Doeddwn i ddim yn gwbod be i ddeud pan weles i beth fel gwsberen wedi gwsno yn gorfedd mewn crys nos ar frest Mam. Ar ôl cinio dwi am fynd i ofyn i Emrys Ffowcs am baced o Viota yn bresant i Mam achos dwi ddim ishio iddi anghofio 'mod i wedi bod yn byw yn tŷ ni am fwy na'r babi newydd.

*Mawrth 29*

Mam yn sâl drwy'r nos a'r babi yn crio. Tada yn gwthio i 'ngwely fi a finne ofn syrthio dros erchwyn y gwely a brifo dyn du yn y fasged wellt. Tada yn gneud te wermod lwyd i Mam, a finne yn swatio o dan y gynfas am bod ene gysgodion hyll ar y wal lle ma llun Crist yr Andes, am bod fflamie lamp baraffîn yn gneud cwafars. A mi ges i fraw pan ddeudodd Mam pan oedd lleuad llawn yn sbecian drwy'r cyrten, y base'n rhaid i Lisi Dafis wagu'r fasged wellt heddiw, i'r babi ga'l cysgu ynddi yn y dydd. Ddaru mi neidio o'r gwely ac iste ar y fasged wellt a deud wrth Mam, na, bod Bwana yn byw yn y fasged wellt. Ro'dd Mistar Ifans Ardwyn wedi rhoi llyfr i mi am hel pres yn y blwch cenhadol, a Bwana o'dd enw'r bachgen bach ro'dd cenhadwr wedi mynd â Beibl iddo fo, er mwyn iddo fo ga'l digon o fwyd a mynd i'r nefoedd. Dwi ddim yn dallt pam bod Mam yn methu fforddio pethe yn tŷ ni, achos mae gennon ni ddau Feibl câs-caled, a rhyw lyfr Tomos Charles ma Mam yn deud sy gystal â Beibl. Ddaru mi ofyn i Mam estalwm pam, a mi ddeudodd hi ma Rhagluniaeth oedd o, er dwi ddim yn gwybod lle ma fo'n byw. Tydi o ddim wedi bod yn tŷ ni ond mi faswn i'n licio iddo fo ddŵad i ddeud wrtha i am Bwana. Ond ma Defi Caib a Rhaw yn deud ma tric ydi o i bobol gwyn ga'l mynd i Affrica i neud i'r blacs slafio iddyn nhw. Ro'dd Mam yn gweld 'mod i am grio a mi ddeudodd gawn ni weld, shsh, dwi ishio rhoi didi i'r babi bach. Ddaru mi gysgu wedyn. A ddaru mi enjoio 'rysgol hefyd. Mi ges i *six out of six* am neud rithmytic *how much change*, a Miss yn rhoi escylent ar syms bwc. A amser cinio mi fues i a Rol a Twm yn chware pêl gapie a Neli yn deud ma fi o'dd y gore. Ar ôl pleiteim pnawn ro'n i wrth 'y modd pan ddeudodd Miss ma *reading books out* o'dd y *lesson*. Ddaru mi chwilio am y llyfr câs-coch *Peoples of the World*, hwnnw dwi'n licio ore, ond ro'dd Gwil Cochyn wedi'i ddwyn o o 'mlaen i, ond mi ddaru mi newid am *Teulu Bach Nantoer*. Dwi wrth 'y modd yn sbio ar jiraff a llew ac eliffant a caneri 'run fath â caneri Bessie. A llunie pobol dduon yn dawnsio hefo picell ac yn byw mewn tŷ crwn 'run fath â budde, a phaffio hefo pobol ddu er'ill sy'n dwyn gwartheg. A ma 'ne un dyn mawr yn gwenu arna i bob tro ar *page* 50 hefo gwefle fath â caseg. Dwi'n 'i licio fo, a pan oedd neb yn sbio mi ro's i gusan iddo fo ond ddaru Olwen weld a deud ma sisi oeddwn i. Faswn i wedi rhoi pinsh iddi ond bod gen i ofn ca'l cweir gen 'i brawd mawr. Ar y ffordd adre, ddaru mi ffeindio nyth dryw mewn hen dun llaeth yn y gwrych, cris croes. Dwi ddim am ddeud wrth neb.

*Mawrth 30*

Dwi wedi gwylltio yn gaclwm heddiw am bod Bwana wedi mynd. Ro'dd Lisi Dafis wedi gwagu'r fasged wellt a mi ro'dd y babi bach yn cysgu ynddi. Ddaru mi weiddi ar Lisi Dafis ond ddaru hi ddim ateb, dim ond poeri ar yr haearn smwddio poeth. Mi fydd gen ti feddwl y byd o Linor, dy chwaer fach, medde hi, a finne ishio mynd i ddeud wrth y dyn du ar *page* 50 bod Bwana wedi mynd. Doedd 'ne ddim *reading* yn 'rysgol heddiw am bod Mr. Morris yn mynd â ni am *nature walk* i fyny Rallt Fawr, dros y boncyn, drwy coed Fron ac ar hyd llyn penebylied i weld y gwanwyn. Ew, o'n i'n falch, er bod Tada yn deud ma'r un peth â mynd am dro ydi *nature walk*. Hw'rach y baswn i'n gweld jiraff ne lew rownd hen sbugor degwm, ond roedd Mr. Morris am i ni ffeindio crachod lludw a malwod a phry clustiog o dan y cerrig, wedi deffro ar ôl y gaea, a wyau llyffaint yn y llyn, a phob wan jac i fynd â bwnsh o flode a dail yn ôl i'r ysgol. Ar ôl amser chware, ddaru ni roi'r blode mewn potie jam ar dop y piano a Mr. Morris yn yn dysgu ni i ganu *Spring Song* ond Miss yn deud ma mynd hefo Deio i Dywyn o'dd y gore. Ddaru mi guddio'r blode a mynd â nhw adre i Mam, a ro'dd Mam yn iste o flaen y tân ac wedi rhoi 'i thraed ar y ffendar. A mi ro'dd babi ni yn y fasged wellt ar stôl wrth y popty. Ar ôl rhoi'r blode i Mam, ddaru mi sbio i mewn i'r fasged pan o'dd Mam yn rhoi'r blode i Lisi Dafis, a gwthio dail tafol i geg y babi er mwyn iddo fo fynd i ffwrdd am byth. Mi a'th Mam i sterics a Lisi Dafis yn deud oes 'ne gythrel bach yn yr Elwyn 'ma deudwch, ynte ydi o yn ddifeddwl 'run fath â'i dad? Ddaru mi sgrialu i fyny'r grisie, er bod Mam yn deud wrtha i am neud sbils ar gyfer cetyn Tada, a rhwygo'r *Seren* yn ddarne ar gyfer y tŷ bach. Tybed ydi Bwana yn y llofft, medde fi, a mi edryches yn y bambocs a'r gist ac yn y dresin têbl. A wedyn mi edryches drwy'r swp o bethe oedd yn y fasged wellt a mi golles 'y ngwynt reit sydyn. Rydw i'n dal i grynu ar ôl gafel yn y gadwen neisia weles i 'rioed. Ma 'ne glwstwr o gadweni a lot o liwie yn sgleinio fel tegell copr Mam a ma'n nhw i gyd yn sownd yn 'i gilydd ac yn gneud un gadwen dew. Lliwie glas a pinc a gwyrdd a choch a melyn wedi constro ac yn edrych fel coron. Ac ma'r gadwen 'run fath â choler ceffyl bach ac yn sownd wrth groen twrch daear. Rydw i wedi cyfri deg o gadweni, a seren fechan yn dynn wrth bob un. Dwi'n siŵr bod Bwana wedi gadel y gadwen i mi a mi rydw i'n mynd i'w chuddio hi dan y matres nes daw Bwana yn ôl. A reit sydyn, ma 'ne ogle rhyfedd dros y llofft fel linsîd oil Tada, perfedd ar ôl lladd mochyn, a mwd, a sŵn drymie yn llond 'y mhen i. Ddaru mi neud sbils i Tada.

*Mawrth 31*

Ma Fflop a Smwt yn gwbod am y gadwen, ddaru mi ddeud wrthyn nhw bore. Dwi'n licio dydd Sadwrn, does dim ishio molchi ar ôl brecwast a does gen i ddim poen yn 'y mol cyn mynd i'r ysgol a dwi'n glanhau cratsh Fflop. Hw'rach na i guddio'r gadwen yn y gwellt yng nghut Fflop. Ma'r gadwen yn gneud i mi fod am fynd i Affrica hefo Mam ar ôl i mi dyfu, ond dwi ddim am ddeud wrth Mam rŵan. Dwi wedi digio wrth Mam, am bod y babi yn 'i breichie hi drwy'r dydd a finne yn gorfod nôl dŵr o'r pot pridd, dŵr glân i olchi clytie babi bob munud. Wsnos dwaetha dim ond Mam a fi o'dd yn tŷ, a heddiw ma'r gwnidog wedi bod a deud mor neis ydi ca'l babi yn y gwanwyn a bod gwên y nefoedd arno fo, ond ma hi'n tresio glawio. A mi dda'th Miss Jenkins hefo chwarter o de Mantunna a Jane hefo llwy bach a Mrs. Nicholas Foel View hefo hanner dwsin o wye weiandots ffresh bore heddiw a mi es i i'r ffor' fawr i dorri cynffonne ŵyn bach i Mam. A mi ddeudodd Mam wrth Tada pan o'dd o'n shafio y bydde'r lle 'ma yn mynd rhwng y cŵn a'r brain os nad o'dd o am neud mwy o waith i helpu magu'r babi 'ma. Toc mi a'th Tada allan i balu'r ardd ond tydi o ddim yn helpio Mam. Ma Mam yn ddigalon heddiw, dwi'n gwbod, achos ma hi'n deud bob munud mi dyffeia i o i 'sgoi aros yn y tŷ i helpio. Ddaru mi roi diod o laeth enwyn i Mam hefo bara ceirch pan o'dd hi'n snwffian crio. *Well done* ti, 'ngwas bach i, medde hi, mi fedrwn ni fforddio dillad newydd i ti ryw ddiwrnod. A dene hi'n codi reit sydyn a phwyso ar yr harmoniym a deud mi fydde hi'n nefoedd bach tase gen i arian parod i dy yrru di i siop 'Remrys Ffowcs 'ne am baced o Viota, a tase gynnon ni ddrws cefn i'r tŷ 'ma. Ro'n i bron marw ishio deud wrthi am y gadwen, ond ddaru mi ddim.

## 1936

*Ebrill 1*

Criw o hogie *Form 5* yn gneud Ffŵl Ebrill o Davies Maths bore heddiw. Tric da oedd o, hefyd! Fel arfer rydw i yn mwynhau'r hwyl, ond rydw i'n ormod o gachgi i fod yn un o'r criw. Mae stafell yr *Head* yn ddraenen yn f'ochr i, mi wna i rywbeth i gadw allan o drwbl a chael fy ngalw i'w stafell o. Cysgod y gansen yn rhan o fy ofnau hyd heddiw. Yn 'i fag ysgol roedd Phil wedi cuddio deryn to wedi marw, ac fe redodd y criw edefyn o aden y deryn i fyny i'r dist, dros ddau o'r distiau eraill ac i lawr i ddesg Eddie Station House cyn gosod y deryn ar ddesg yr athrawon. Fe wyddem bod Davies yn hoff iawn o adar ac yn casáu unrhyw greulondeb. Pawb â'i drwyn yn ei lyfr pan gerddodd Davies i mewn yn dalog ddigon. Dydi disgyblaeth Davies ddim yn rhy dda a mae o'n ennill ein ffafr drwy ddweud, *'Good morning, gentlemen,'* ond yr oedd yna dipyn o sbeit yn ei lais. Un o Wolverhampton ydi Davies.

*'Page 45, please, we'll revise Pythagoras. He'll be pleased to know that, even if you are not.'*

Yr oedd ein chwerthiniad ninnau yn un digon ufudd. Tec yn deud yn fygythiol dan ei wynt,

'Pam na siaradith y diawl yn Gymraeg?'

Mae'n debyg bod cwestiwn Tec yn un digon teg. Mae o wedi bod yn athro yn yr ysgol ers deng mlynedd. Giglan a wnaethom a chynhyrfu ychydig ar Davies.

*'Pugh, will you give the reasons for—'* a'r eiliad honno, crynodd y deryn to. Rhythodd yn filain arnom a holltodd y sialc rhwng ei fysedd. Pwl arall o gryndod.

*'Who could be so cruel as to bring an injured sparrow—'* Boddwyd y gweddill o'i gyhuddiad gan ein chwerthin direol. A heb eto weld yr edefyn, collodd ei dymer a chamodd ymlaen i roi clewtan dda i Leslie Richards. Les oedd yn y sêt flaen, a hyrddiwyd ei sbectol yn dipiau i ganol tas o lyfrau Maths.

'Ffŵl Ebrill! *April Fool!*' yn haleliwia gogoneddus.

Mi gododd Leslie yn araf, hogyn mawr a sgwydde fel siafftiau trol. Yr oedd o am daro'n ôl. Ond hel y darnau wnaeth o, a cherdded allan o'r stafell, er mawr siom i ni. Cipiodd Davies y deryn to, a dyna pryd y sylweddolodd o mai tric oedd y cwbl. Dilynodd y trywydd i ddesg Eddie, tynnodd ef allan o'i ddesg gerfydd ei glust a llusgodd ef ar ôl Les i stafell yr *Head*. Dipyn o biffian.

'Duw, El, roeddet ti'n blydi lwcus! Roedd gen ti ofn drwy dy dîn y bydde raid i ti ateb!' Llais fel rhegen yr ŷd sydd gan Malg Post. Mi wridais at fôn fy nghlustiau. Roedd Malg yn gweld drwydda i, ac mi roedd hynny yn brifo. Aeth y tric mor fflat â chrempog.

*Ebrill 2*

Colli'r bỳs bore heddiw, ond toeddwn i ddim yn rhy siomedig. *Double Latin* peth cynta ar fore dydd Mawrth ac mae ceisio osgoi llygad Rowlands cyn iddo saethu drwy ei ddannedd '*Translate, boy*!' yn fy rhoi ar bigau'r drain. Ac os mai fi sy dan ei lach o, mi fydda i'n cagio mewn dychryn. Rydw i'n gwybod bod Rowlands wrth ei fodd yn ffureta am y rheini yn y dosbarth sy'n cael anhawster gyda *declensions*, ac mae o yn gwybod fod y gwersi yn *double Dutch* i mi. Fel'na, mae o'n swnio'n waeth fyth! Rywsut, Dei a Bob a Morris a finne sy bob amser yn 'i chael hi ganddo fo, rydw i'n meddwl yn bod ni, hogie'r pentrefi, yn fwy hurt na hogie'r dre. Mi fydda i'n methu cysgu wrth feddwl am y peth, a siomi Mam pan ffeindith hi nad oes 'ne ddim *hopes* i mi basio Matric.

'*Pugh, come here, boy*!' medde fo y diwrnod roeddwn i wedi gneud llanast o gyfieithu rhyw ddarn o Virgil.

Llusgais fy hun at y ddesg, ac ugain pâr o lygaid yn fy ngwthio 'mlaen yn obeithiol. Bron nad oeddwn i'n clywed ugain o wningod yn cnoi bôn *fountain pens*. Cododd y llyfr rhwng ei fys a'i fawd fel tase fo'n gadach llestri gwlyb, a thynnodd fi'n glòs at y llyfr drwy dynnu fy nghlust.

*'I gather that this miserable object is your homework book?'* Chwifiodd y llyfr o amgylch fel giard y trên plant yn chwifio fflag.

*'Yes, sir,'* a chroesi 'nghoese cyn i'r gwlybaniaeth ddangos.

*'Stand up straight! You peasants are like a lot of huddled hens on a wet day.'*

Synhwyrais ychydig o ystwyrian mewn cydymdeimlad yn gymysg â phiffian slei hogie'r dre. Doedd o ddim llawer o gysur ar y funud y byddai yna ffeit y tu ôl i'r Crown cyn i'r bỳs pedwar fynd.

*'Is this your idea of a translation?'*

*'I did my best.'*

*'Sir.'*

*'Sir.'*

*'Did you consult the cows during this period of learning?'*

*'I do my homework in the bedroom, sir.'*

*'He works in his bedroom,'* gan rochian chwerthin yn sbeitlyd. *'No wonder you look so untidy, I suppose you sleep in them as well.'*

'*No, sir,*' a 'mhennau gliniau yn clecian.

*'What language do you speak at home?'*

'Cymraeg, syr.'

*'You mean Welsh, I suppose. No wonder you can't translate. What are you going to do when you leave this Grammar School?'*

*'Teacher, sir.'*

*'Ho! ho! hear that boys, HE wants to be a teacher—and here's a sample of our teacher's work,'* a gollyngodd y llyfr o'i law. Teimlwn y dagrau yn cronni a'm gwefusau yn crychu ond yn fy mherfedd teimlwn galedwch rhyw styfnigrwydd cwbl ddieithr i mi yn corddi.

*'Pick it up!'* gan gyrlio ei fys bach i gyfeiriad y llyfr.

Llyncais y blas melyn, anadlais yn ddwfn a chedwais fy nhir. Llithrodd ton o edmygedd, peth newydd i mi, dros y dosbarth, a phesychodd Rowlands yn ansicr.

*'So,'* wrth lanhau ei sbectol gyda chadach poced pygddu i achub amser, *'and what will you teach, Mr. Pugh?'*

'Cymraeg, syr.' Gwyddwn yn dda y medrai siarad Cymraeg.

*'Verry int-err-esting,'* a'r blewiach yn ei ffroenau yn rhidyllu ei anadlu trwm. *'An aspiring* athro Cymraeg *who cannot even translate a simple piece of Virgil into English.'* Cododd ei aeliau mewn syndod ffug.

'Does dim raid i mi wrth *English Lit.* na *Latin* i ddysgu Cymraeg.'

*'Sir.'*

'Syr.'

Canodd y gloch. Dechreuodd yr hogie ddrymio'r desgiau yn ysgafn gyda'u bysedd ond clywed curo tabyrddau pellennig a wnawn i.

Chwipiodd Rowlands y gown ddu yn dynn amdano a brysiodd allan. Aeth yn ffair mewn eiliad ac, am y tro cyntaf yn fy mywyd, profais edmygedd.

'Hen bryd rhoi Rolly yn 'i le—diaw', mi roist gic iawn yn 'i dîn o—coblyn o strôc, was—'

Ma'n debyg 'y mod i'n gwenu fel giât wrth gofio am y strâch, fel ro'n i'n sefyll a 'mhwys ar y llidiart ar ôl colli'r bŷs. Siawns na chawn i lifft gan rywun, ne hwyrach reidio piliwn hefo Jac Sunbeam. Adre yr es i, dow-dow. Gwylio Wmffre yn 'sgaru tail yn Cae Delyn, Hugh Lladd Mochyn yn troi'r dalar ar un o gaeau Small Holdin', a chwerthin wrth wylio dwy bioden yn mynd trwy eu ciamocs wrth gyplu. Roeddwn i'n gobeithio y bydde Mam yn sylwi 'mod i wedi tyfu modfedd neu ddwy ar draul fy atgof, ond roedd hi'n rhy brysur yn pobi. Mam druan.

*Ebrill 3*

O leia tyden ni ddim yn dibynnu ar Viota y dyddie yma. Er, bob tro y bydda i'n pasio'r siop a gweld y gacen binc yn y ffrils gwynion ar y cas, fe ddaw ryw don o ddicter drosof wrth gofio siom Mam pan wrthododd Ffowcs baced iddi am nad oedd dim arian parod gennym. Dyna pam yr oedd dod i lawr y grisie y bore 'ma mor bleserus, y gegin yn gynnes o ogle crasu a'r crystyn yn crensian nes codi dŵr i 'nannedd i. Ac ma gynnon ni ddrws cefn heddiw. Mi gofia i byth eiriau Mam wedi i Bob a

Tada ddadlwytho'r dodrefn oddi ar wagen goed Felin Lifio a'u cario i mewn i'r gegin a'r parlwr yma. Roedd Mam yn sefyll a'i phwys ar yr harmoniym, blwch derw ei thrysorau prin yn un llaw a phadell bobi yn llawn o sane gwlân yn y llaw arall, ac am ei phen yr het felôr a'r bluen ostrich yr arferai ei gwisgo ar y trip Ysgol Sul. Yr oedd gwelwder blinedig arferol ei hwyneb yn binc a'i hosgo yn fwrlwm o ryddhad.

'Fase Ifan Roberts y diwygiwr 'i hun ddim yn medru rhoi mwy o lawenydd yn 'y nghalon i na medru fforddio i dalu rhent y lle 'ma.'

A'r peth cynta wnaeth hi oedd hongian lluniau Ifan Roberts a Lloyd George ochr yn ochr ar wal y parlwr. Pwysicach o lawer i mi oedd cael llofft i mi fy hun yn edrych allan dros y gweunydd. Linor fy chwaer saith oed sy'n cysgu hefo Tada a Mam. Mae medru fforddio yn Efengyl i Mam, ac ar ôl byw ar 'wyllys da Yncl Ifan yn y Bwthyn am flynyddoedd, mae'r ffaith y medar hi alw heibio Mr. Jones Bodheulog i dalu'r rhent o bedwar swllt bob dydd Iau, yn ddefod bleserus iawn. Mi fydd yn pincio cyn mynd ac yn gwisgo'r menig cid sy yn ei llun priodas.

'Wnest ti dy *homework* neithiwr, Elwyn?' gwaedda Mam o'r cwt lle mae hi'n bwydo'r ieir.

'Do 'n duwcs, test yn *geography* heddiw, ddaru mi swotio neithiwr,' drwy lond ceg o friwsion.

'Test ar be? Tsic, tsic! Dowch.'

*'Chapter three* a *four, Cyclones* a *Southern hemisphere.'*

Mae Mam yn cerdded i'r gegin yn ei ffedog fras a dau wy yn ei llaw.

'Duwedd annwyl, be 'di'r rheini?' wrth sychu'r wyau yn ei ffedog, a'u gosod yn y mowld blymonj ar lintel y ffenest.

'Mi golla i'r bŷs, Mam.' Cipio fy mag a'r brechdanau caws a'i heglu hi at y groesffordd. Fel roedd lwc, doedd Gerry Geog ddim yn yr ysgol a rhoddwyd ni yng ngofal Mr. Hale, *Art Master*. Rhoddwyd i ni benrhyddid gyda phapur a phensil. Gwaith wrth fy modd. Ar y ffordd adref, aeth Glyn a minne i chwilio am genau-goeg yn yr hen ffynnon a chael hwyl wrth eu gwylio yn cripian i fyny ac i lawr ein breichiau. Crocodeils oedden nhw i mi. Fûm i 'rioed yn hoff o ffwtbol.

*Ebrill 4*

Cael fy neffro yn fore gan belydrau'r haul yn batrymau drwy'r cyrten lês. Codi a mynd allan a gadael fy mhatrwm fy hun yng ngwlith Cae Bach. Yr oedd y gog yn galw drwy'r tarth a miloedd o adar yn cyfarch eu cymheiriaid ar y nyth. Carlamodd cwningen yn herciog i ddiogelwch y llwyn a chefais hyd i wningen arall a'i choes mewn magl, ei gwich yn ddychryn i'w theulu oedd yn eistedd yn glustiau hirion ar y boncyn. Mae'r hen ofnau yn llercian o hyd. Gwthio fy nwylo drwy fy ngwallt cringoch ac i blygion poced fy nhrywsus yn fy ansicrwydd beth i'w wneud. Yr oedd dychryn y wningen yn treiddio i 'nheimladau i yn union fel y byddai ansicrwydd methu fforddio Mam yn creu ofnau newydd bob dydd ynof finnau. A chynyddai'r ofnau yn domen pan ddatgelid fy nghyfrinach gan bobl eraill.

'Mi ddiodd'ith yr hogyn 'ma yn ddistaw i'r eitha cyn deud dim.' Mam.

'Gwaedu i mewn ma fo, Lowri Pugh.' Megan Llwyn, drwy'i thrwyn.

'Ddeudith o na bw na be wrth robin goch.' Yncl Prys yn ddiamynedd.

'Ti ofn drwy dy blydi tîn, El, was.' Twm Tom. Ffrind i mi.

'Nyrfys, Mrs. Pugh bach, hogyn ar 'i brifiant, gwanwyn bywyd 'ntê?' Y geiriau yn rowlio'n barchus drwy ei goler gron o.

Rydw i'n ddigon o ffŵl i wrando arnyn nhw fel tiwn gron a chosbi fy hun drwy fyta fy ewinedd at y gwaed.

Rhyw ysfa afiach ar y funud i brofi fy hun drwy dagu y cr'adur gwichlyd yma â 'nwylo. Ond does gen i ddim digon o blwc i gydio ym mlew pigog, gwenwynllyd ei gwar a'i gollwng. Fe wnes, toc. Disgynnais yn swp ar fwsog gwlyb, yn crynu fel deilen ac yn tagu wrth gadw'r cyfog i lawr. Rydw i bron yn un ar bymtheg oed. Uffern be na i?

*Ebrill 5*

Rhyw frech ar Linor. Mam rhwng dau feddwl a gawn i fynd i'r ysgol. Mae posib 'i ga'l o oddi wrthi, medde hi, ac mae hynny cyn waethed â mynd i'r ysgol hefo pen lleuog. Aros adre nes i'r Doctor Phibbs alw. Llifio coed tân a phalu dipyn ar yr ardd. Dal mor ddidaro a digychwyn ag erioed ma 'Nhad (Mam sy'n deud). Gerfydd gwallt 'i ben yr eith o i'r ardd, ac mewn rhyw wythnos ar ôl plannu pys a ffa, mae o ar 'i linie yn crafu'r pridd fel cath, yn chwilio am yr egin. A chatied, a'i bwys ar y penwar, yn sgwrsio hefo hwn a'r llall bob hanner awr. Oni bai am Mam, rhygnu arni yn lle Bob Prydderch y bydde fo hyd heddiw. Heb yn wybod i Tada aeth Mam ar y bŷs Crosville i Landŵr i gael gair hefo rhywun o'r Cownsil. Mewn dipyn wedyn, mi gafodd Tada job fel saer ar y Cownsil, yn mynd o gwmpas y wlad i wneud gwaith saer ar ffermydd y Cownsil am fwy o gyflog. Roedd yn rhaid cael beic a lamp garbeid i 'Nhad wedyn. Rydw i'n edmygu Mam am fynnu symud i dŷ gwell, a rŵan mae hi'n medru fforddio prynu *shoes* i mi a ffrog felfed iddi ei hun. Digon shabi ydi'r parlwr, yn ôl Mam, tydi o ddim ddigon neis i gymryd pregethwrs i ginio Sul, a mae springs y soffa yn y gegin yn gadael gwrymiau cochion ar ben ôl pobol sy'n galw. Ond os ydi tŷ ni yn ddigon da i Mam ac Yncl Defi a ffrind Mam o Coventry, fel y dywedes i wrth Mam, fe ddylai fod yn ddigon da i bregethwrs. Mae 'Nhad yn dal allan eu bod nhw'n haeddu dipyn o steil, ond ateb Mam ydi,

'Tasech chi yn rhoi côt o baent ar ddrws y parlwr a'r ddwy silff rydw i wedi begio arnoch chi eu rhoi nhw i fyny ers pan symud'son ni, ddeunaw mis yn ôl, faswn inne yn gosod allan y tsieni gore a lliain bwrdd les Nain Glanrhyd ac mi gâi o steil!'

Ond twt, tynnu'n braf ar 'i getyn mae 'Nhad. Mae plesio Mam yn magu hyder yndda i hefyd—am ryw hyd. Mi alwodd Doctor a deud na chawn i fynd i'r ysgol am rai dyddie. Benthyg gwn a chatris Sam Tŷ Crwn a sleifio i'r Coed Mawr i saethu brain. Chwech o gatris, dwy frân a chenlli o grawcian cecrus. Mor hawdd ydi bod yn ddewr hefo gwn. A dyma fi yn llawn o euogrwydd heno, lladd y diniwed.

*Ebrill 6*

Rydw i'n sylweddoli bod grym arferiad yn rhan o batrwm ein cymdeithas glòs ni yn yr ardal yma. Dyma fi yn fy arddegau ac yn prysur gael fy mowldio i'r patrwm. Codi'n fore, ysgol neu beidio, syrcyn glân bob nos Sadwrn, seiat bob nos Iau, tynnu'r gwrthban gaea ar y cynta o Fai, ffureta dydd ar ôl Dolig, derbyn y *Drysorfa Fawr* a neb yn 'i darllen hi, plastar mwstard at boen cefn a rhoi tân yn simdde cyn dechrau glanhau'r gwanwyn. Wrth ailddarllen rydw i'n sylwi ma manion yden nhw, ond ma'n nhw'n bwysig i'r ardal yma, ac yn destun sgwrs ar lawnt y capel ar ôl oedfa. Eto, erbyn meddwl, mi fuo Mam yn gyndyn iawn o ddefnyddio'r drws cefn ar ôl yr holl freuddwydio amdano fo. Dal i ysgwyd y lliain bwrdd a thaflu briwsion i'r adar drwy'r drws ffrynt am hir. Ond yn y pwt gardd yn y cefn y ma hi ar y funud, yn syth fel brwynen, ei gwallt mewn bynsen ar ei gwar a rhyw sioncrwydd newydd yn 'i hosgo hi. Yn ddiweddar mi gydiodd mewn rhyw arferiad newydd o sgwrsio o'r tu allan gyda ni yn y tŷ, fel petai hi'n robin goch yn diffinio ymylon ei blwy. Haul gwanwyn gwanllyd yn meddalu esgyrn ei hwyneb ac yn cynnau rhyw frwdfrydedd newydd yn ei llygaid gleision. Fel y deudodd gwraig Henfaes wrth y pistyll,

'Cartre newydd yn well na dôs o ffisig ichi, rydech chi wedi sbriwsio drwyddoch, Mrs. Pugh.'

'O ydi, yn gaffaeliad mawr, yn enwedig y drws cefn. Does dim rhaid i bawb weld rŵan pan ryden ni'n mynd i'r tŷ bach!' a chwerthiniad ysgafn. A mi rodddwn inne'n teimlo'n rêl boi wrth glywed Mam yn chwerthin.

Roedd Mam yn gweiddi o'r ardd wrth i mi glymu careiau fy sgidie.

'Be?'

'Ma'r rhiwbob 'ma'n dangos 'u trwyne, ond does dim diolch i dy dad am hynny,' wrth godi ymyl hen fwced.

'Meddwl baswn i'n plannu rhes o datws pinc, Mam.'

'Cer at Yncl Dei am fwceded o datws hadyd, siawns na fedrwn ni fforddio prynu fforch newydd yn Bowen Ironmonger 'leni.'

Roedd y dinc hyderus newydd yn ei llais fel haul drwy ffenest liw yr eglwys, yn taflu gwawl o fodlonrwydd dros bopeth.

Pwysais yn ddioglyd ar bostyn y drws cefn i ddotio at awgrym o flagur a oedd ym mhlygion yr onnen. *Soak* ac nid *splash* amdani, felly!

'Well i ni brynu ebill ddeudwll hefyd, mi fase'n haneru gwaith Tada.'

Boddwyd cân tresglen gan chwerthiniad hwyliog Mam wrth iddi ddisgyn ar erchwyn hen ferfa ddi-olwyn i fwynhau'r jôc. Camais ar draws y rhesi, gafaelais yn ei dwylo a chofleidiais hi'n gynnes wrth ei chodi.

'Roeddech chi'n haeddu'r drws cefn 'ma, coeliwch chi fi, Mam.'

'Cer odd'ma'r llembo!' a'r embaras yn ein closio at ein gilydd.

Mi wn i rŵan na fedr sbeit Rowlands na neb arall gorddi mwy o ofnau gwirion ynof, a mi geith Mam ei Matric.

Ar ôl cinio a thipyn o loetran wrth groesi Erw Foliog i wylio ŵyn cynnar yn mynd dros ben llestri wrth herio serthedd pridd tyrchod daear, prynais bump Wdbein yn Siop Ucha. Yn y berllan, eisteddais ar foncyff derwen a thanio Wdbein â matsen o focs Swan Tada. Gwyliais y fagïen yn cripian ar hyd y sigarét wrth i mi lenwi sgyfaint llwglyd. Llowciais y mwg nes codi pen'sgafnder ym mrwdfrydedd fy smôc gynta. A phob tagfa gyfoglyd yn 'sbyddu fy ofnau. Teimlad braf ydi prifio. Wrth gamfa Llyn Caws Llyffant bûm yn sâl swp.

*Ebrill 7*

Llawn cystal 'mod i wedi codi'n fore heddiw eto! Clywed 'Nhad yn fflamio am 'i fod o wedi cysgu'n hwyr a bod 'ne bynctiar yn olwyn flaen y beic. Ei drwsio iddo fo. Tydi o ddim yn arfer gweithio ar y Sadwrn ond talcen beudy'r Wernog wedi syrthio i'r ffordd. Plismon y dre yn dŵad â neges i 'Nhad o'r Cownsil iddo fo fynd i symud y perig. Cyndyn oedd 'Nhad i fynd, mae o'n mwynhau diogi ar y Sadwrn, hogi llifiau a chynion erbyn y

Llun, smocio o gwmpas y cut mochyn, a Mam yn dwrdio na cheith hi byth y ddwy silff yn y parlwr. Roedd yn rhaid imi chwerthin bore heddiw wrth weld 'Nhad yn mynnu cael ei smôc cyn mynd i'r Wernog a Mam yn bachu ar y cyfle i'w atgoffa fo y bydden ni yn medru fforddio cadw mochyn, 'tae o yn gneud mwy o *overtime*.

Wir, mae Mam yn mynd yn fwy o fistres arnon ni'n dau bob dydd! Cario allan i'r grosar am swllt. Y fasged ar flaen y beic yn orlawn a'r blwmin beic yn drymach na'r llwyth. Wrth fustachu beicio ar hyd ffordd rowtiog i fyny at Plas Meilir, taro carreg a chwalu'r cwbl yn gowdel o ganhwyllau a becin powder ac india corn a blymonj a senna pods. Fedrwn i ddim peidio chwerthin wrth feddwl sut roeddwn i'n mynd i esbonio i Mrs. Ferguson y Plas be oedd wedi digwydd. Dynes sidêt iawn ydi hi, a fedar hi ddim edrych ar neb ond i lawr 'i thrwyn. Wil Chwechyfer ddeudodd y tu allan i'r Efail ryw ddiwrnod pan oedd y gof yn pedoli merlyn, 'Diaw', ma hi hyd yn oed yn hidlo rhech drwy hidlen de, w'sti!'

Ond chware teg iddi, mae hi'n anfon darn o borc i Mam adeg lladd mochyn. I wneud pethe'n waeth, mi roedd 'ne hanner dwsin o sbôcs wedi byclo, a'r tiwb fel perfedd mochyn. Ar gyrion y llanast, mi sylwes ar baced o Viota. Gosodais y paced yn ofalus ar dwr o gerrig mân cyn ei sodlu i'r ddaear gan 'sgyrnygu rhwng 'y nannedd, 'Cymer hwnne, Ffowcsyn y cythrel, am wrthod Mam erstalwm!' Ew, mi ges i flas ar regi. A doedd Ffowcs ddim yn brin o regfeydd pan gafodd o'r manylion.

*Ebrill 8*

Mam yn mynnu 'mod i'n mynd â Linor i'r oedfa ar waetha'r ffaith i mi ddal bod gen i waith swotio. Pregethwr trwm ydi Mr. Elias a mi fydd 'Nhad, fel codwr canu, yn treio'i blesio fo drwy ddewis tonau trymion. Gwraig dew radlon ydi Miss Simon yr organyddes, ac mae ei gwylio yn ymdrechu i gadw dwy law a dwy droed o fewn terfynau'r harmoniym, a chadw i fyny gydag arweiniad 'Nhad, yn lleddfu tipyn ar drymder yr oedfa. At hynny, llusgo chwarae y mae hi, ei phen ôl yn siglo'n frasterog ar y stôl drithroed. Prin ei sgwrs ydi 'Nhad, ond bob Sul wrth y bwrdd cinio mae o'n honni yn fygythiol y bydd o'n rhoi pin yn nhîn Miss Simon cyn bo hir. Yna, wedi iddo grafu'r croen ar ymylon y ddysgl bwdin reis, mae o'n cilio i'r parlwr i ddewis mwy o donau trymion at oedfa'r nos.

Er ei bod yn chwaer i mi, rhaid i mi gydnabod mai hogan fach ddel, fywiog ydi Linor, wrth ei bodd yn rhedeg a rafio, ac yn gwybod yn union pryd i wneud ceg gam os am gael sylw gan Mam.

'Rêl tomboi fydd hi, gei di weld, El. Am wn i nad oeddwn inne yn debyg iddi pan o'n i'n hogan,' a'i chwerthiniad yn ei dwyn yn ôl i ddyddiau sgipio a *kissy ring*. Anaml y bydd Mam yn sôn am ei phlentyndod yn ardal y chwarel, yr ochr arall i'r mynydd. Fuom ni 'rioed yno, ac yr ydw i erbyn hyn yn ymwybodol o ryw ddirgelwch na fydd neb yn barod i sôn amdano.

Yr unig bleser i mi yn yr oedfa heddiw oedd clywed Linor yn deud ei hadnod mor glir. Yr un pryd, yn gwneud i mi wrido wrth gofio am fy swildod a'm hofnau yn ystod y ddau emyn cyntaf, wrth aros am yr alwad boenus i'r plant ddod ymlaen i ddeud 'u 'dnode, i'r seddau o gwmpas yr harmoniym. Mi fydd Linor yn chwerthin nes bydd dagrau yn rhedeg i lawr 'i bochau hi pan sonia i am y tro yr eisteddais yng nghanol y genethod ar y dde i'r harmoniym yn lle hefo'r hogie ar y chwith. Yr oedd Mam wedi cymryd yn ei phen mai da o beth fyddai i mi ddysgu rhyw gyfres od o adnodau yn sôn am offrwm y tywysogion yn llyfr Numeri. Doedd gen i mo'r syniad lleiaf am y stori a bu ceisio cofio enwau'r tywysogion o wythnos i wythnos yn fy nghadw'n effro o nos Iau hyd fore Sul. Erbyn y degfed Sul, pan ddaeth tro Ahieser, Ammisadai a meibion Dan i offrymu, roedd hi wedi mynd i'r wal arna i. Dallwyd fi gan gadwynau o lythrennau a chefais fy hun rhwng Dilys a Nans. Yr oeddwn yn rhy ofnus i dynnu sylw ataf fy hun drwy symud i'r gorlan arall, yn rhy nerfus i roi trefn ar y tywysogion anystywallt ac yn eiliadau fy mudandod, syfrdanwyd y merched gan siffrwd dŵr yn cronni ar y llawr. Yr oedd Mam yn ddig iawn, nid yn gymaint am i mi anghofio, ond am fy mod wedi gwlychu trywsus a gawswn ar ôl Ieu, fy nghefnder, am na allai Mam fforddio prynu un. Canlyniad hyn oedd na chlywodd aelodau Siloam am offrwm y tywysogion ar yr unfed dydd ar ddeg na'r deuddegfed. Anghofia i byth! Ond y peth brafia ydi medru sôn am y digwyddiad heb greu rhyw ofn newydd.

Mynd am dro cyn te i'r weirglodd i chwilio am nythod cornchwiglen er mwyn i Linor gael gwylio'r iâr yn ein denu oddi wrth ei nyth drwy gymryd arni na allai hedfan. Huwcyn Erw Eos yn galw ar ôl swper a chael hwyl wrth wrando arno yn sôn am y troeon trwstan a gafodd fel cipar afon. Teimlo fy mod i'n sâff ymysg pobol glòs yr ardal yma.

*Ebrill 9*

Aros yn y tŷ drwy'r bore, nes daw'r doctor.

Cau fy hun yn y llofft er mwyn i mi gael tawelwch i swotio ar gyfer yr arholiadau. Siŵr o gael cwestiwn ar y *Crimean War,* ond wrth droi'r dalennau, dechrau darllen am General Gordon yn Khartoum. Mae unrhyw beth sy'n ymwneud ag Affrica yn fy nenu. Cofiais am y gadwen, a thynnais hi allan o'i chuddfan yn llawes chwith fy nghôt gaeaf (er mai un ddigon tenau ydi hi). Caf bleser arbennig wrth redeg fy mysedd dros y gadwen. Bydd blaenau fy mysedd yn bigiadau mân, ac mae rhyw ysfa od ynof i'w gwasgu yn fy nwylo. Yr un teimlad ag a gaf wrth ailgyfarfod ffrindiau ysgol ar ôl gwyliau haf. Ei rhedeg yn ysgafn dros groen fy moch. Mam yn dod i mewn i'r llofft.

'Be yn y byd ydi'r dranglins ene sy gen ti?'

'Hen gadwen. Roedd hi yng ngwaelod y fasged wellt, 'stalwm.'

'Be aflwydd wyt ti'n neud yn 'i llyfu hi, tafl hi i—'

'O ble da'th hi, Mam?' Gweu y lliwiau am fy mysedd.

'Wn i ddim, wir. Ma gen i ryw go' i dy daid, tad Mam, sôn i ryw hen ewyrth iddo fo o Sir Fôn ddod â hi adre o'r môr. Yn ôl yr hanes, dipyn o garictor oedd yr Hen Ewyrth Jaco, fel y bydde dy daid yn sôn amdano fo. Creadur gwyllt, ac yn llymeitian yn o drwm yn y Black Schooner. Ma gen i led gof amdano fo. Roedd gennon ni blant ei ofn o—roedd ganddo fo lygad croes, milain, a gwrym hyll ar draws ei foch. Wagnar fuo fo am gyfnod yn Llyn Meilart, ond fedrai o wneud dim â'r ceffylau yno—yn ôl Jos Hughes—mi roedd ene rhyw ysbryd drwg yn 'i lygaid o yn ffyrnigo'r wedd. Yn fuan wedyn, mi dorrwyd i mewn i Blas y Syr, ac fe ddiflannodd Ewyrth Jaco. "Gwynt iach ar 'i ôl o," oedd barn yr ardal. Chlywyd na siw na miw amdano fo am flynyddoedd. A rhyw ddiwrnod, mi gofia'r diwrnod yn iawn, fe ddychwelodd.'

Aeth Mam ati i ysgwyd y blancedi fel tase hi'n ceisio cael gwared o'i hatgofion o Ewyrth Jaco.

'Ble buo fo, Mam?' Yn fy nghalon, fe wyddwn yn iawn.

'Affrica, medde fo. Mi sleifiodd i'r ardal yn ddigon talog. Ei wyneb o fel lledr, wir dduwc, roedd o cyn ddued â'r blacs yr oedd o'n sôn cymaint amdanyn nhw. Mi allet feddwl ei fod o wedi gneud ei ffortiwn tua'r Affrica ene, er mae'n amheus gen i oedd ganddo fo ddwy geiniog i'w rhwbio yn erbyn ei gilydd. Wedi sgrwbio dec rhyw stemar fawr am fisoedd nes cyrraedd Affrica, byw ar rỳm a bisgedi caled yn llawn o bryfed, MEDDE FO.'

Rydw i ar bigau'r drain i glywed mwy, mi wn i bod y stori yn wir, er bod Mam mor amheus.

'Mam, oedd o'n deud 'i fod o wedi cyfarfod David Livingstone, a'i fod o wedi bod yn gweithio ym mherfedd y wlad yn adeiladu relwe o Nairobi yn Kenya?'

'Ie, dyna'r math o lol a—ond sut yn y byd y gwyddost ti am yr hanes? Brolgi oedd Dewyrth Jaco, a neb yn ei goelio, er y bydde fo wrth ei fodd yn palu celwyddau hyd oriau mân y bore, er—'

'Na, roedd o'n deud y gwir, Mam. Peidiwch â gofyn sut y gwn i, wn i ddim fy hun.' Roedd yna olwg od yn llygaid Mam.

'Ie, brolio, brolio. Ei fod o wedi bod yn ddoctor mewn rhyw bentref, a bod ganddo fo bedair o wragedd. Synnwn i ddim nad oedd o i fyny i bob math o fistimanars. "Rydw i'n mynd yn ôl rhyw ddiwrnod i weld y teulu," oedd ei stori o yn ei ddiod.'

'Ddeudodd o hynny, Mam?'

'Do, a ma gen i led gof amdano fo yn gwthio'r hen gadwen fudr ene i'm llaw, ac yn deud wrtha i, "Cymer hon, Lowri, os nad a' i yn ôl mi gei di fynd, ma ene bartner i'r gadwen yno." Lol wirion. Rho hi i mi. Falle bod yr hen groen 'ne yn llawn o bryfed,' ac estynnodd ei llaw allan.

Cododd fy ngwrychyn a theimlais fel pe bai haid o wenyn yn corddi o gwmpas fy mhen. Stwffiais y gadwen i 'mhoced.

'Na, fi piau hon. Rydw i am 'i chadw hi.' A theimlo ias o wres llethol yn saethu i lawr 'y nghoese. 'Run fath â gwres anwesol *thermogen wool* pan o'n i'n hogyn!

'Lol, Elwyn! Hogyn yn 'i oed a'i amser yn codlo hefo cadwen a—'

'Na, Mam, ma hon yn wahanol,' wrth ei thynnu o'm poced a'i gosod ar y *washstand*, 'fel tase hi'n perthyn i mi.'

Syllodd Mam ar fy hurtni. Dyna'r eiliad y daethom ein dau yn ymwybodol bod y gleiniau lliwgar yn crynu'n ysgafn ac yn ymledu yn batrwm fel enfys dros ymylon y croen ar y cefn. Yr oeddym ein dau wedi ein sodro i'r llawr. Yn ei braw, gwthiodd Mam ei dwrn i'w cheg, ei hwyneb fel y galchen. Gwyliais inne'n dawel ac eiddgar. Fe wyddwn fod mwy i ddod. Y drymio ysgafn fel diferion o law ar babell sioe gŵn a ddaeth gyntaf, yna pwff o awel boeth a gododd y gadwen oddi ar y *washstand* a'i chwythu i'm hafflau. Chwythwyd y gwres allan drwy'r ffenest gan ochenaid ddofn drist a anwyd ymhell bell i ffwrdd.

'Be yn y byd. . .?' ond heb aros am ateb, llithrodd Mam i lawr y grisiau. Fe wyddwn i. Roedd Bwana wedi dod yn ôl. Lapiais y gadwen yn ofalus mewn cadach poced coch, a'i gwthio hi i dwll bychan yn y matres.

Doedd gen i ddim ofn. Fe fyddai swyn y gadwen yn gefn i mi. 'Nhad ddeudodd wrth Mam un noson pan wrthodes i fynd i'r tŷ bach ar fy mhen fy hun, 'Hen bryd i'r hogyn 'ma fagu dipyn o blwc.' Un da oedd o i ddeud hynny, hefyd. Does dim raid i neb boeni rŵan.

Edrych allan drwy'r ffenest a chael cip ar Smwt yn cythru i frigau uchaf yr onnen yn Cae Bach. Rydw i'n teimlo braidd yn smỳg.

*Ebrill 10*

Ysgol heddiw. *Double Latin* hefyd. Am wn i nad oeddwn i'n siomedig na fase Rowlands wedi gofyn cwestiwn i mi. Pan ddaeth y *break* yr oeddwn yn un o'r criw a aeth tu cefn i'r lab am bwl. Un Wdbein rhwng pump. Ddeudodd neb yr un gair. Doedd dim angen. Awr ginio, sleifio allan a mynd ar sgawt i gyfeiriad ysgol y merched. Chymerai neb unrhyw sylw o rafio yr *Head* yn *Assembly*. Ar ôl canu *'Who would true valour see, give me a Wdbein'*,—dwyn *fountain pens* o bocedi brestiau ein gilydd tra byddai un o'r athrawon yn darllen o'r Beibl. Yna byddai'r *Head* yn llafarganu'r weddi wythnosol a offrymid, cyn symud ar garlam i'r fendith '. . . *this day and for evermore, Ayemen, hands down, two boys were caned by me yesterday for fighting outside Snowdon View during lunchbreak, Mrs. Froom—the lady who lives there—was very upset that Grammar School boys should act like animals, Central school is a different matter, lost property—one TORN blazer, blue Platignum, black left pump, pocket knife and who said these could be brought to school, they can be claimed from Mr. Spooner at breaktime and I have yet again to remind you that Miss Girton Hughes will not have you boys gaping at her young ladies through the railings during lunch hour, crisp packets are being left outside the gates and she does not run a zoo, in future this will be a caning offence, God bless you all, over to you Mr. Mitford.'* Fe gerddai allan yn esgobol i ddiogelwch ei stydi, i ymddangos drannoeth gyda'r un llith. Ac yn ddyddiol fe brynem baced o Smiths yn Siop Gornel cyn tyrru at y rhelings i wamalu yn feiddgar yng nghlyw y merched am goesau a nicars a thîn fel afal a bronne, tits i'r rhai mwyaf haerllug, a gofyn be am neud points heno. Dyna pryd y gwelais Dilys.

*Ebrill 11*

'Mawrth a ladd, Ebrill a fling' ydi un o ffefrynnau Mam, a bron na fu i mi droi tu min ati'r bore 'ma. Mam fydd yn cynnau'r tân bob bore, ac ar ôl crafu'r lludw a hidlo'r slecs i hen bot dŵr a chrac ynddo fo, mae Mam yn brysio allan drwy'r drws cefn i doi y domen ym mhen draw'r ardd â'r lludw. Brysio yn ôl i'r tŷ i fanylu am y tywydd.—Mi fydda i'n gwenu wrth feddwl am Mam fel cloc tywydd mewn het.

'Gwynt deifiol o'r dwyrain, bore 'ma, Elwyn, a'r dillad ar y lein wedi rhewi'n gorn.' Croen ei hwyneb yn dryloyw dynn dros ei chernau. Eto, ddoe roedd gwyrddlesni ysgafn y caeau fel cwrlid sidan. Hyn yn dod â ni at ail sylw Mam, 'Tywydd 'ma mor ddi-hid â phen ôl babi.'

Tynnu ei het cyn cwrcwd i rwbio'r glesni o flaenau ei bysedd o flaen y tân. Sylwi ar yr un glesni yn llifo ei gwefusau. Mae'r oerni wedi rhoi rhyw geinder eiddil i'w hwyneb, tebyg i set lestri te gorau Nain yn y cwpwrdd cornel.

'Gwisga'r mits coch sy'n y seidbord,' gyda'i phendantrwydd arferol wrth ofalu am gadw'n gynnes.

''Rargol, fedra i ddim mynd i'r ysgol mewn mits cochion, pethe genod ydi'r rheini.'

'Wyt ti am bronceitis eto?'

Mae rhesymu Mam wrth sôn am afiechydon yn niwlog iawn, weithiau, ond wnes i ddim chwerthin.

'Na, tydw i ddim yn mynd i'w gwisgo nhw,' yn annaturiol o bendant i mi.

Sythodd o'i chwman a chipiodd y mits o'r drôr.

'Mam, rydw i'n un ar bymtheg oed, rydw i'n iach a rydw i'n cael ambell i smôc ar y slei, a wisga i mo'r mits dros 'y nghrogi!'

Gwthiodd Mam y mits yn ôl i'r drôr ac ymrodd ati i osod y tân gyda ffwdan swnllyd.

Rydw i wedi bod yn teimlo'n euog drwy'r dydd. Ond haws wynebu llach fy mam na sbeit yr hogie, bellach.

*Art* drwy'r pnawn, gwers wrth fy modd. Ar y B.B. sgriblodd yr athro, *Design a piece of decorative jewellery*, a rhannwyd pensil a phapur i bawb. *No rulers no rubbers no copying* oedd yr unig symbyliad artistig a awgrymwyd i ni. Gan mai yr unig *jewellery* yng nghartrefi y rhan fwyaf ohonom oedd modrwy mam, *cameo brooch* ac ambell i nic-nac o'r Marine Lake ar drip Ysgol

Sul, nid oedd llawer o frwdfrydedd ymysg y bechgyn. Bûm inne'n cnoi bôn fy mhensil am rai munudau, ond yn ddiarwybod imi, cefais fy hun yn tynnu llun y gadwen amryliw a guddiai yn nhwll y fatres. Gwibiai fy mhensil yn llithrig dros wyneb y papur ac o fewn rhyw bum munud yr oedd y cynllun yn gyflawn. Syllais ar y papur. Yr oedd pob tro a fflach gain yn y torchau yn hollol gywir.

*'Mmmm, a little more shading—your own design?'*

'Nage, syr.' Canlyniad fy mhenderfyniad y dyddiau dwaetha i ateb yn Gymraeg, os yn bosib. Cerddodd at ddesg Rol.

Fel y gweithiwn gyda'm pensil i arliwio'r cynllun yn gyfrwys, teimlais ryw ynni rhyfedd fel sioc batri moto-beic yn llifo i lawr fy mraich dde. Yr oedd rhywun yn llywio'r bensil heb unrhyw help gennyf fi, a'm bysedd yn ufuddhau gydag ystwythder pleserus. Ychwanegwyd croes fechan at y gadwen hiraf. Clywais ddwndwr ysgafn drwm a rhoddais y bensil i lawr.

*'Excellent, Pugh, very unusual. Where did the idea come from?'*

'Affrica, syr.'

Nid oedd gennyf y syniad lleiaf pam yr atebais felly.

Yn lle rhoi fy ngwaith ar y pentwr o ddarluniau, fe'i sleifiais i boced y siaced frethyn a gawswn gan fy nghefnder.

*Ebrill 12*

Clegar y brain yn fy neffro tua phump o'r gloch y bore 'ma. Blinais ar droi a throsi a chodi yn gynharach nag arfer. Eisteddai fy nhad wrth y grât oer yn llymeitian te o'i soser. Ar y plât yr oedd clwff o fara haidd.

'Ti'n fore iawn.'

'Brain ddaru 'neffro i.'

''Rysgol yn cau?'

'Cyn hir.'

'Rhaid i ti feddwl am ennill dy damed.'

'Dwi am iste *School Certif.*'

'Pwy ddiaw' sy'n mynd i dy gadw di?' gan wthio ei eiriau'n flin i boced ei wasgod wrth lenwi'i getyn.

'Does 'ne ddim dyfodol i mi yn yr ardal 'ma, ac—'

'Mi rydw i—wedi llwyddo i—ennill 'y nhamed—am flynydde—yn y cylch,' rhwng tynnu caled at ei getyn.

'A phrin y medr Mam fforddio côt newydd heddiw, os . . .'

'Hanner munud, y burgyn powld, mwy o swnian fel'ne, a mi gei hel dy bac . . .'

'Peidiwch â phoeni, 'Nhad, fydda i ddim o dan ych traed chi am byth.'

Bu'n gogordroi o gwmpas y gegin am blwc. Botymodd ei ofarôl cyn lapio sgarff am ei wddw. Dros ei ysgwydd, heriodd fi.

'Ac i ble yr ei di i neud dy ffortiwn?'

'I Affrica.'

Brathodd ei getyn yn filain. Gwrandewais ar sŵn ei sgidie yn crensian ar gerrig mân y llwybr.

Syllais ar Smwt yn canu grwndi fel megin. Am yr eildro yr oeddwn wedi mynd i Affrica yn ddifeddwl.

Fuo 'ne 'rioed lawer o sgwrsio rhwng 'Nhad a minne, natur 'Nhad oedd osgoi problemau drwy guddio ei wyneb tu ôl i'r *Traethodydd* a'r *Drysorfa Fawr* yn ei awydd i godi uwchlaw manion byw. Mam a wynebai'r rhain. Poeni braidd 'mod i wedi bod yn galed ar 'Nhad. Canu grwndi Smwt yn awgrymu y bydd pethe yr un fath am byth, y grwnian cysurus yn sicrhau aelwyd gynnes, a chlician nodwyddau gwau a chwyrnu tawel 'Nhad a mân sgwrsio Linor wrth chwarae gyda'i doliau, a hwn a'r llall yn galw i lyfu tîn a llenwi bol. Does 'na neb yn mynd o'n tŷ ni heb baned a chrîm cracar. Clywed ar y bŷs bod Now Ffatri wedi crogi'i hun yn y sied wair. Sôn ar lawnt y capel ers wsnose bod yr hwch wedi mynd trwy'r siop. Cythgam o doriad yn fy mawd pan lithrodd cŷn yn *woodwork*.

*Ebrill 13*

Roeddwn i'n gwybod wrth y bwrdd brecwast bod rhywbeth yn corddi Mam. Roedd hi'n ochneidio'n dawel rhwng llymeitian te yn swnllyd. Ac yn pletio ymylon ei brat. Rhoddodd y cwpan o dan y soser i gadw'r paned yn gynnes a gosododd y crystyn ar y soser.

'Sŵn taran glywson ni y dydd o'r blaen?'

Holi, yn hytrach na deud.

'Yn dy lofft di.'

'Nage, Mam, drymie go iawn oedden nhw, wir yr,' gan lithro i sgwrsio plentyn i 'sgafnu'r pryder.

'Codi ofn arna i. Ddaw 'ne ddim daioni ohono fo, w'sti.'

Mam wedi llyncu fy ofnau i.

'Rhan ohona i ydi o, Mam, peidiwch â phoeni—rydw i'n perthyn i'r drym a'r gadwen. Fedra i ddim esbonio, ond mi wn yn 'y ngwaed bod 'ne bartnar i'r gadwen 'ne yn rhywle a—'

'Brensiach, dwyt ti ddim yn mynd i briodi merch ddu, decini?'

'Mam, tydw i ddim yn dallt llawer o bethe. Nid colli arna fy hun rydw i, ond rydw i'n reit siŵr weithie 'mod i wedi bod yma o'r blaen—'

'Dwyt ti wedi dy fagu yn y pentre 'ma!'

'Sôn ydw i am erstalwm—cyn i rywun yn rhywle blethu'r gadwen sy'n y llofft—ma heddiw yn perthyn i ddoe a fory, Mam.'

'Wel, os mai dyna be 'di addysg, siawns na fydd rhywun ar 'i ennill, a gobeithio mai ti fydd hwnnw.'

Cynhesais wrth weld yr edmygedd yn nireidi ei llygaid. Nid oedd dim chwaneg i'w ddeud.

Ar ôl i mi fynd i'r ysgol, fe aiff i'r llofft i chwilio am y gadwen.

Cythru am y bỳs. Cael a chael. Dreifar newydd, ddim am aros amdana i.

'*Why are we waiting—*' ar draws ei gilydd fel stondinwyr Ffair Glame. S'mai wrth hwn a'r llall, hergwd gan Jos, Phil yn ceisio fy maglu, Olwen yn taflu mint imperial, eroplen bapur ar flaen fy nhrwyn a minne'n taflu fy hun i'r unig sêt wag. Ca'l pwl ar ffag Mald cyn sbio o gwmpas. Pesychu a gigl awgrymog y genod yn creu amheuon ynof. Sbec slei o gornel fy llygad chwith. 'Styfnigo pan sylweddolais mai Dilys a eisteddai wrth f'ochr.

Cochais at fy nghlustiau a chwythu fy nhrwyn fel corn gwlad i'm cadach poced i guddio fy swildod. Cael braw wrth sylweddoli mor frau oedd fy hyder newydd. Llyncu fy mhoeri.

'Lleuad llawn neithiwr.'

Yr oedd ei hedrychiad o dan ei chuwch yn ddeifiol. Llithrais i'm cragen. Toc:

'Gawsoch chi air hefo Rhys Llwyd, ma'n siŵr.'

Roeddwn i'n mygu am bwl arall ar ffag Mald. Rŵan amdani, 'te.

'Elwyn dwi i—Pugh, *Form* 5.'

Yn gyfrwys o gynnil, croesodd un goes dros y llall gan ofalu bod hem ei *gymslip* yn llithro i fyny y mymryn lleiaf.

'Dwi'n gwybod,' wrth syllu drwy'r ffenest.

'Sut y gw—'

'Roeddwn i'n arfer byw yn y pentre. Fi o'dd yn eistedd wrth eich ochr pan ddaru chi wlychu'ch trywsus wrth ddeud adnod erstalwm,' yn gwbl ddidaro.

Rhythais arni'n gegrwth. Edrychodd ym myw fy llygaid.

'El Amisadai fuoch chi i mi ers hynny!'

Roedd yn rhaid i ni'n dau chwerthin dros y bŷs. Cipiais stwmp Mald o'i law a thynnais yn hael. Rydw i mewn cariad dros 'y mhen a 'nghlustie.

*Ebrill 14*

Mi fydd 'Nhad yn cymryd *lie in* ar fore Sadwrn. Ar ôl i Mam bicio i lawr i'r siop brysiais i chwilota yn y sbens. Yno y bydd 'Nhad yn cadw'i bethe shafio, yng nghanol casgliad o boteli Vaseline a senna pods, a phethe at salwch, fel y bydd Mam yn 'u galw nhw. Llenwais y cwpan shafio hefo dŵr poeth a chuddiais fy wyneb mewn trochion sebonllyd gan chwerthin yn hogynnaidd wrth edrych ar Santa Clôs. Ar ei eistedd wrth gornel y bwrdd y shafiai 'Nhad, ar ôl gwthio'r oelcloth a symud y fowlen siwgr a'r pot menyn. O gornel fy llygaid, bûm yn ei wylio yn ofalus yn ddiweddar er mwyn i mi gael rhyw grap ar sut i fynd ati. Cyndyn fu 'Nhad i roi heibio'r hen *cut-throat* a'r hogi ysgafn ar y strap bob nos Sadwrn cyn dewis tonau'r Sul. Roedd ei weld yn handlo'r rasal mor ddethe ar hyd y strap yn fy atgoffa bob tro am Huwcyn Hughes yn hogi ei gyllell cyn lladd mochyn. Am wn i nad oeddwn i'n gobeithio y base 'Nhad yn rhoi ambell i wich wrth dynnu'r stumie mwya ofnadwy o'i geg at ei glustie. *Safety* sy gen 'Nhad rŵan, a rhedais hi dros gefn fy llaw deirgwaith i ga'l arfer dipyn bach.

Wrth edrych ar fy wyneb yn y drych, a osodais yn erbyn y jwg llefrith, gwawriodd arnaf nad oeddwn erioed wedi derbyn na chyngor nac arweiniad nac anogaeth gan 'Nhad yn ystod fy mhrifiant. Troi at Mam fu hi 'rioed, a 'Nhad yn ddigon bodlon i hynny.

'Tada, be 'di—'

'Gofyn i dy fam.'

'Tada, pam bod Defi Jones yn fistar corn ar—'

'Mi ddeudith dy fam.'

'Tada, pam bod Yncl Jac wedi mynd â'r fuwch at y tarw?'

'Am—gwell i ti sôn wrth dy fam.'

''Nhad, 'dech chi'n credu yn uffern dân?'

'Gei di 'sboniad gen dy fam.'

Gyda phob llusgiad trwsgl o'r rasal, deuai'r cwestiynau yn ôl o un i un. A doedd Mam ddim ar ga'l y bore 'ma, chwaith.

'Diaw', Huwcyn, mi faset yn gneud glanach gwaith o ladd mochyn na rydw i yn neud o glirio'r sofl 'ma ar 'y ngwyneb,' wrth wylio plorod gwaedlyd yn ceulo ym mhlygion fy ngên.

Daeth Mam yn ôl o dan 'i phac, a fferrodd ar garreg y drws cefn.

'Be aflwydd wyt ti . . . 'di'r hen gath 'ne ddim wedi dy gripian di, decini . . . waeth 'i boddi hi . . .'

'Na, Mam, prentis o shafiwr ydw i, dim min ar rasal 'Nhad.'

'Gweithiwr sâl bob amser yn rhoi'r bai ar y tŵls,' yn sgîl gwên slei, 'a pham bore heddiw?'

'Ma gen i boints heno, Mam.'

Am eiliad, pylodd y glesni yn ei llygaid, a llithrodd y galen o halen drwy'i dwylo i'r garreg las. Mewn distawrwydd, casglwyd yr halen a'i dywallt i lestr clai cyn i Mam ei wthio i gefn y silff ucha. Fe wyddem fod ein llwybrau yn gwahanu. Pan euthum i'r llofft i newid ar ôl te, roedd Mam wedi gosod crys glân allan yn barod. Wrth ei daflu dros fy mhen, daeth ton o euogrwydd drosta i. Bore Sul oedd amser crys glân yn tŷ ni.

*Ebrill 15*

Capel bore, gerfydd gwallt fy mhen. Y Parch. R. O. yn traethu yn gythreulig o farwaidd ar lawenydd yr Efengyl, a Roberts Siwrin yn pendwmpian yng nghornel y sêt fawr. Tase hi'n Sul chwilboeth o Fehefin, mi fase pawb yn dallt, ond bore digon gwlithog oedd hi bore heddiw. Sut yr oedd gan Isaac y Fedw wyneb i ddiolch iddo fo am bregeth oleuedig-sy'n-gneud-i-ni-feddwl-yn-ddwys, wn i ddim. Yn ôl 'Nhad, rêl llyfwr ydi Isaac. A 'Nhad yn 'i morio hi drwy'r emyn ola fel tase fo'n gneud i fyny am y bregeth sâl. Tawedog oeddwn i.

Tywys Di fi i'r dyfodol

hefo'r holl sôn sy am y cymylau dros Ewrop a bygwth rhyfel, sut ma'r capelwyr 'ma yn medru bod mor siŵr

Er na welaf fi ond cam

falle, ond ma gen i ishio penderfynu rhai pethe drosta i fy hun. Heblaw hynny mi wn i ym mêr f'esgyrn y bydda i yn mynd ar drafel go bell—i Affrica. Does dim byd sicrach

Cariad Duw fydd eto'n arwain

sut y medr Duw Cariad arwain y byd i ryfel, dyna sy yn yn poeni ni, bobol ifinc y cylch 'ma, mae o'n cael y credit am ddaioni'r byd, ond ni sy'n cael y bai am bob pechod a drygioni, ma'r organ allan o diwn hefyd

Cariad mwy na chariad mam

wel, mae'n dibynnu sut un ydi mam i gychwyn, be am fam Selc, sleboch sy'n hanner llwgu'r plant a'u cweirio nhw bob dydd, a llyg'id Selc yn gochion byth a beunydd. Fel dwi'n dallt pethe, fedra i ddim canu'r llinell yna

Mae Calfaria'n profi digon

O! mi rydw i yn credu, ond fel bydd Gill Science yn deud, *never take anything for granted, seek the evidence*, meddwl

bydda i bod y bobol sy 'ma heddiw yn cymryd bod dŵad yma yn ddigon tan Sul nesa
Saint ac engyl byth a'i gŵyr
'y mhwynt i ydi y base'n bwysicach o lawer i dlodion y trefi mawr ar ôl streic 1926, a'r rheini sy heb ddim bwyd yn India ac Affrica—o, ie Affrica—gael gwybod hefyd. Beibl a bara, iawn, ond fel arall y byddwn i yn eu gosod nhw
Er i'r groes fod yn y llwybr
does gen i ddim llawer i'w ddeud wrth Dduw sy'n gneud pethe'n anodd ar bwrpas, chwaith
Bydd goleuni yn yr hwyr
ylwch mor hir y gorfu i Mam aros cyn medru fforddio fawr ddim
Amen

Tôn i godi calon ydi 'Arfon'—wrth fy modd yn 'i chanu hi. Gynted ag y ces i afael ar yr hogie ar lawnt y capel, roeddwn i'n gwamalu gystal â'r un ohonyn nhw, ac yn gneud sbort am ben Bob Tom, am 'i fod o yn ddiniwed, a'i fam yn gneud iddo fo wisgo *gaiters* a fynte yn ddeg oed.

A mi roedd ene ddwy res o hetie duon yn gwgu ar y llafne swnllyd.

*Ebrill 16*

Digon o boer ar 'y ngwallt cyn cychwyn am y bŷs, a gobeithio y bydde 'ne sêt i mi wrth ochr Dilys. Rhaid 'mod i'n ddiniwed, hefyd. Ei hesgus dros fod hanner awr yn hwyr nos Sadwrn oedd iddi orfod golchi gwallt 'i chwaer cyn cychwyn—a minne yn 'i choelio hi!

'Helô.' Wyneb crwn, ceg gron, llygaid crynion, roedd hi fel afal bochgoch.

'S'mai.' Dim ond hogie sisi o'dd yn deud helô.

'Am dro?'

Erbyn meddwl, doedd sefyll wrth giât y fynwent ddim yn rhamantus iawn. Yn ddidaro a di-sgwrs, troesom i ffordd y mynydd, y fi'n pesychu a hithe'n mwmian canu. Rhois fy nhroed mewn cacen o dail gwartheg.

'Sori, weles i mohono fo—mohoni hi,' wrth gerdded yn igam-ogam fel mwnci a threio clirio'r tail yn y glaswellt. 'Fferins?'

'Well gen i Wdbein,' i lawr 'i thrwyn.

Doedd gen i ddim dewis. Pishin chwech oedd gen i wrth gychwyn o'r tŷ. Er 'mod i bron marw ishio smôc, penderfynais y bydde gwerth grôt o mint imperials yn fwy o drêt. Cynigiais un iddi.

'Wedi gadael fy sigaréts wrth erchwyn y gwely.'

Tybed fydd hi mor hawdd â hyn bob amser i gelwydda wrth ferch?

'Chocolates sy orau gen i, hefyd,' gan wthio dwy belen wen i'w cheg.

Gwnes inne yr un peth, a thywallt y gweddill o'r bagied yn ddamweiniol i'r llwch.

'Sobl aclri ablo blao,' ceisiais esbonio wrth sgrialu i hel y fferins.

Heb ddim yn tarfu ar hyfrydwch tawel y gwyll ond sŵn mint imperials yn clecian rhwng ein dannedd, cerddasom yn annifyr drwy'r rhedyn. Yn hytrach na cheisio sgwrsio mwy mewn Aramaeg mentrais afael yn ei llaw. Cipiodd ei llaw gyda chyflymder trap llygod.

(Memo—Wdbeins ac nid mints o hyn ymlaen.)

'Dew, ma 'ne olygfa braf o'r llethrau 'ma,' meddwn, gan ail-afael yn y sgwrs. Syllodd arnaf cyn troi ei golygon yn ara' bach dros y dyffryn. Prin y medrwn weld tŵr yr eglwys, ac ar wahân i wawl melynddu goleuadau'r ardal yr oedd fel y fagddu. Heb air, safodd ar stepan y gamfa. Wrth iddi gamu drosodd cefais gip o glun fel marmor a nicars pinc. Teimlwn fel dafad a'r bendro arni ac yn drwsgl lluchiais fy hun ati, lapiais fy hun amdani ac, yn obeithiol, plennais gusan ar ei min. (Fel'na ma'r beirdd yn ei rhoi hi.) Cefais lond ceg o fwcl a gwallt. Nid oedd troi'n ôl a chythrais eilwaith am ei boch.

'Be ti'n feddwl wyt ti?' a hergwd i mi. 'Llo yn llyfu'i wlyb? Am gusan wlyb!'

'Sgidie fi'n rhy dynn.'

Wel, yr oeddynt, a fedrwn i feddwl am ddim arall i'w ddeud.

'Tyrd yma,' gan fy nhynnu gerfydd fy nhei—wel, tei dydd Sul 'Nhad—i'w breichiau.

'Fel hyn.'

Cusanodd fi gyda thynerwch glöyn byw, ein gwefusau'n toddi a'i thafod yn llithro rhwng fy nannedd i gosi 'nhaflod. Yr oeddwn yn ymladd am wynt a'm gliniau'n gwegian. Gwesgais hi ataf i gadw fy hun rhag syrthio. Llithrodd ei bysedd dros fy mochau a thrwy 'ngwallt cyn fy nghusanu eilwaith ar fy llygaid. Brathodd fy nghlust cyn sibrwd,

'Nid hefo dy sgidie rwyt ti'n cusanu hogan.'

Ceisiais ei hateb, ond ni allwn ond garglo gyda'r geiriau.

'Ma gen ti lawer i'w ddysgu, El Pugh,' gyda holl hyder merch bymtheg oed. 'Tyrd, rhaid i mi fod yn ôl erbyn naw.'

Dilynais hi fel ci bach, gan edrych i lawr o dro i dro i neud yn siŵr bod 'y nhraed i yn cyffwrdd y llawr.

'Gawn ni neud points eto?'

Siawns nad oedd yn fy nghlywed, roedd curo 'nghalon i fel gordd.

'Wela i di ar y bŷs,' wrth luchio cusan ffwrdd-â-hi.

Mi golles y bŷs bore 'ma, loetran ar y ffordd wrth ail-fyw neithiwr. Ac mae fory ganrif i ffwrdd.

*Ebrill 17*

Pan neidiais ar y bŷs y bore 'ma, roedd y chwibanu fel siou gŵn defaid yn gymysg â llafarganu 'ElaDil', 'ElaDil'. Gwridais. Jest 'run fath â merch i ddeud wrth bawb. A roedd hi wedi cadw sêt i mi.

'Hei, El, 'sgen ti mint imperial i sbario?' llais cras Tec y Bedol.

Aeth yn bedlam ar y bŷs.

'Wdbein gym'ra i, plîs,' un ddiarth a'i gwallt fel mwng.

''Sgen ti losg eira bore 'ma, El?'

Yn hytrach na'm bychanu yr oedd yr holl blagio yn chwyddo fy hunanhyder, a swatiais yn ymyl Dilys yn ddifater. Peth newydd i mi oedd bod yn un o'r criw, ac nid un ar yr ymylon.

'O'dd raid i ti ddeud y cwbwl?' gan gymryd arna 'mod i'n flin.

Os oedd 'ne *treble Latin* ar y *timebale* heddiw—dim ots. Breuddwyd nid hunlle fuo heddiw.

*Ebrill 18*

Rhy gynnar ar y groesffordd y bore 'ma. Clywed y gog am y tro cynta 'leni. Cariadon eraill yn galw ar ei gilydd, ji-binc, llwyd y gwrych, tresglen, deryn du, ehedydd, a dryw yn deud y drefn mewn llwyn. Raid i mi adael yr ardal 'ma? Na, be 'di'r ots am y *School Certif*, pan briodith Dil a fi, mi setlwn ni mewn *smallholding*. Ma Mam yn 'nabod rhai ar y Cownsil, mi neith hi roi gair drosom ni'n dau. Cywilyddio. Onid er mwyn Mam yr oeddwn i am basio'r *School Certif*? A dyma fi yn barod i'w bradychu hi ar godiad bys bach Dilys. Biti bod raid inni dyfu i fyny. Aros yn bymtheg oed ac mewn cariad, nage, yn ddeg oed a cha'l chwarae drwy'r dydd, nage yn bump oed a cha'l iste ar lin mam drwy'r dydd. Rhamantu gwirion! Tractor Fergie Bryn Glas yn rhygnu heibio.

'S'mai, Elwyn.'

'S'mai, Ifan Lloyd!'

Ma'r wedd wedi mynd, a chyn hir mi fydda inne'n mynd, a rhyw basio heibio o dro i dro fel y Fergie. Clywed deryn diarth yn trilio. Gwrando. Caneri Bessie'r Foelgron—rhaid 'i fod o wedi dianc—mae Foelgron yr ochr draw i'r llechwedd. Daeth yn nes, ond dim golwg ar y fflach o felyn. Yna, curiad ysgafn y drymiau, ac am y tro cyntaf, clywais ganu rhythmig Affrica. Canu trist a thinc o obaith. Canu wedi dilyn y caneri o bellafoedd Affrica. Ysfa orffwyll i uno yn y canu, ond mae'r diwn yn ddiarth. Boddwyd yr alwad gan y Fergie yn pasio'n ôl.

'Dal i aros, Elwyn?'

'Hyd yn hyn.'

Mwynheais y tawelwch di-ben-draw nes daeth y bỳs.

*Ebrill 19*

Addo mynd â Linor i weld nyth swidw ar ôl te. Am wn i nad ydw i'n defnyddio fy chwaer fel esgus i lynu wrth fy mhlentyndod. Cau deud wrthi ble'r oedd y nyth—hen dric dyddie ysgol! Dil am ddod hefo ni, ond roeddwn i'n rhy gyndyn i dorri'r hen arferiad o bawb 'i nythod 'i hun. Dil yn digio'n bwt. Tydw i ddim cweit wedi gorffen tyfu.

Bwrw iddi mor ddi-diwn â'r rhelyw o'r bechgyn wrth ganu *All things bright and beautiful all creaturesgreatansmall* . . . Bas meddal sy gen i, yn ôl barn 'Nhad, heb aeddfedu w'sti. Ton o ddicter yn fy nhewi ar ganol yr ail bennill. Criw mawr o Gymry glân, y rhan fwyaf ohonom, yn byw yng nghefn gwlad, o fewn reid bỳs a thrên i dref Gymreig, yn diolch i Dduw mewn iaith estron. Cymraeg ydi iaith y pentre, trin yr anifeiliaid, capel, ffair, diwrnod dyrnu a chneifio ac wrth y pistyll, a dyma ni ymhellach oddi wrth Dduw yn yr ysgol nag yn unlle arall. Wel, Cymro ydi 'Nuw i, go anaml y bydd yn galw yn yr ysgol yma.

'*The purple-headed mountains*—

Hei, Wil, rydw i am fynd i weld yr *Head* a gofyn am emyn Gymraeg yn *assembly*.'

'*The*—chei di fawr o gefnogaeth ganddo fo.'

Gwanio ddaru mi hefyd erbyn *breaktime*. Mi gnocia i ar 'i ddrws o fory. Ganol bore, pan oedd F. L. yn pydru arni am *the spiritual joy of communion with nature as expressed by Shelley in his 'Ode to a Skylark'*, glaniodd pwt o bapur wedi'i blygu ar fy nesg. Nid Shelley oedd achos y glaschwerthin slei o'm cwmpas. Llithrais y papur i'r llyfr o'm blaen cyn ei ddarllen.

Eilun aur yw Dilys
A'i thrysor yn ei thrywsus

wedi ei sgriblo'n flêr mewn pensil. Sgrifen Wat Em. Ffansïo'i hun yn fardd.

Gwridais, fel arfer, a chymryd arna edrych yn ddiniwed yr un pryd. Yn rhy swnllyd, plygais y papur cyn ei wthio i 'mhoced.

'*What have you got there, Pugh?*' yn gwybod o brofiad am driciau hogiau ysgol.

'*Nothing, sir.*'

'*Defacing school books are we?*' yn fygythiol o araf.

Arwydd drwg bob amser oedd y defnydd o'r '*we*' gan F. L.

*'No, sir, putting my handkerchief in my pocket.'*
*'A clean one, I hope, we would all like to see it.'*
*'Can't find it, sir,'* wrth balfalu yn fy mhoced wag.
*'Read the first stanza,'* cyn eistedd yn ddisgwylgar.
Achubwyd fi gan sibrwd o'r cefn: *'Page 62.'*
*'Hail to thee blithe spirit—bird—'*
Chwalwyd y llonyddwch gan chwerthin afreolus hogiau'n dechrau arbrofi gyda merched a geiriau.
Chwythu ei drwyn yn galed a wnaeth F. L. Rydw i'n siŵr ei fod o'n gwenu'n atgofus i blygion ei gadach poced.
A phan aeth Linor a minne i weld y nyth ar ôl te, roedd rhywun wedi dwyn yr wyau.
'Pwy ddaru?' drwy ei dagrau.
'Wenci neu bioden, hwyrach.'
'Ne blant drwg, mi weles i garafán sipsiwn ar dopie'r Garth ddoe.'
Hobi Alf Garej oedd dwyn wyau, er mai *casglu* wyau oedd o'n ddeud.
'Sut ma adar yn dodwy wyau, El?'
''Run fath â ieir.'
'Ond o ble ma'n nhw'n dŵad?'
Arhosais i astudio clwstwr o lygad Ebrill yn ofalus.
'Well i ti ofyn i Mam.'
Syrthio'n ôl ar hen dric 'Nhad.

*Ebrill 20*

Yr oedd 'Nhad a Mam yn bwyta brecwast pan ddois i i lawr. Digwyddiad anghyffredin iawn. Fel arfer, tra byddai 'Nhad yn bwyta, byddai Mam yn pacio ei ginio iddo—brechdan gaws, neu gig sbâr y Sul. Oedais ar stepan isa'r grisie.
'Be 'di ystyr y budreddi 'ma?'
Tynnodd Mam y pishin papur o boced ei brat a'i chwifio rhwng ei bysedd.
'Ffieidd-dod!'
Dechreuodd 'Nhad grafu ei ddannedd gosod gyda'i ewinedd, yn annifyr.

'Be 'di o, Mam?' mor ddiniwed ag y gallwn.
'Wel, o dy boced di y disgynnodd o.'
'O! hwnne, jôc yn 'rysgol, dipyn o hwyl.'
'Hwyl? A thithe yn aelod o'r Ysgol Sul? Pwy sgwennodd o?'
'Be wn i, digwydd 'i ffeindio fo ddaru mi.'
'O! jest fel'na, 'i ffeindio fo,' gan blethu'i gwefusau yn ddirmygus. 'Pwy sgwennodd o—ti?'
''Rargol nage, W—' Bu ond y dim i mi syrthio i'r trap.
'Os na chyfaddefi di, rydw i'n dŵad i'r ysgol i'w ddangos o i dy brifathro di.'
Gwyrodd 'Nhad ymlaen i roi proc i'r tân, fel petai o'n awgrymu nad oedd a wnelo fo ddim â'r peth. Mi gefes fraw! Roedd y syniad bod Mam am ddŵad ar yr un bỳs â'r holl griw, a Dilys, yn ormod i mi! Bu bron i mi gyfaddef.
'Ddeuda i byth wrthoch chi, Mam.'
'Hmm.'
Fe wyddai Mam ei bod am unwaith wedi ei churo.
Rhwygodd y papur yn stribedi mân a thaflodd nhw i'r tân. Mewn distawrwydd, gwyliodd y tri ohonom y papur yn cyrlio cyn diflannu yn golofn fain o fwg glas.
Cipiais yn ôl i'r llofft, heb unrhyw esgus.
''Chydig o help ges i gennoch chi, fel arfer.'
'Doeddech chi'n deud y cwbwl!'
'Wn i ddim be sy'n dŵad o'r byd 'ma y dyddie 'ma.'
'Diawcs, ddynes, roeddech chi'n ifanc ych hun unweth. Hogyn ar 'i brifiant ydi o, gwanwyn a, wel—'dech chi'n dallt, siŵr. Dda gen i bod 'ne dipyn o stwffin yn 'i gyfansoddiad o.'
Araith ofnadwy o hir i 'Nhad!

## 1940

*Mai 15*

Alan, Sid a Hywel yn fy llusgo o'm gwely am 6.30! 'Pen-blwydd hapus i ti!' wrth fy nghario i lawr y coridor. Ofer oedd gwingo, yr oedd eu gafael fel gefel. O glywed y twrw, hogie eraill mewn pyjamas amryliw yn ffurfio gorymdaith i gyfeiriad y *bathroom*. Dylaswn fod wedi rhag-weld y bedydd!

'Sawl gwaith ma'n nhw'n dipio defed yn Sir Feirionnydd, blant?'

Gron Grwndi (chwyrnwr heb ei ail) yn holi Rhodd Mam yn bregethwrol.

'Ugain gwaith y flwyddyn, Mistar Owens,' fel plant yr Ysgol Sul.

'A pha fodd y gweinyddir y dip, 'y mhlant i?'

'Dŵr oer dros 'u penne nhw, a chic yn 'u tine nhw, Mistar Owens.'

'Ac ar ba amser o'r dydd y gweinyddir y dip, blantos? Cymerwch bwyll.'

'Rhwng cwsg ac effro, Mistar Owens.'

'Da iawn, blant. Lluchiwch y diawl i'r dŵr!'

Yn ddiseremoni fe'm taflwyd i'r bath o ddŵr llugoer, a chadwyd fy mhen o dan yr wyneb i'r eithaf. Yn noethlymun, gorchmynnwyd fi i gwrcwd, ac ymledodd yr hogie yn rhes i lawr y coridor.

'Ugain gwaith fydd hi, 'mhlant i.'

Ar fy mhedwar, cythrais mor gyflym ag y medrwn i lawr y coridor a gneud fy ngorau i osgoi cic dîn fel y cyfrifent yn gorws sadistig,

'Un—dau—tri.'

Yn ofer y ceisiais gau drws fy stafell. Lluchiwyd fi ar y gwely a chladdwyd fi o dan domen o gyrff chwyslyd. Dewis anorfod oedd llyncu'r gymysgfa draddodiadol o senna pods, lemonêd a llefrith. Pranc dyddiau coleg. Y tymor dwaetha y bydd triciau o'r fath yn rhan o hamddena bywyd coleg. Erbyn y tymor yma, mae yna frys ansicr yn cymylu pob pranc a rag. Am wn i nad oes yna rywbeth yn ffug mewn agor cardiau pen-blwydd oddi wrth 'Nhad a Mam a Linor ac Yncl Jac a'm c'nitherod. Wn i, na'r gweddill o'r myfyrwyr, be sy'n ein haros ni fory. Ray, Jim Scoles, a Gwyn Amlwch wedi cael *call-up*. Ryden ni i gyd ar bigau'r drain, eisiau gorffen y cwrs, yn ddiawydd i swotio gormod ac ofn cael y llythyr yn yr amlen frown wedi ei ailgyfeirio o adre.

Taflwyd ni ar ein sodlau echdoe, pan alwyd pawb yn y coleg i'r neuadd am ddau o'r gloch. Pawb gyda phapur a pen yn barod i gymryd manylion dyddiadau *Finals*. Aros am *Vice-prini* yn sŵn tynnu coes a chelwydd golau a phwy sy'n mynd i ddod â'r papurau allan i Ffrainc. Rhai yn smocio'n ddidaro, rhai yn boenus o ddistaw, eraill, fel finne, yn cogio gwenu'n llipa. Prini ei hun a gerddodd i mewn ac aeth y lle fel y bedd. Fe wyddem. Edrychodd dros ei sbectol i bob cornel o'r neuadd fel un yn chwilio am ddihangfa. Sadiodd ei hun, cliriodd ei wddf a rhythodd yn anghrediniol ar y papur.

*'Gentlemen, I regret having to tell you that Bryn Hefin Williams, of Rhos, secretary of the College S.C.M. until his call-up two months ago, has been killed in action.'*

Yn araf, drist, tynhaodd ei ŵn du amdano fel amdo. Holltwyd y distawrwydd gan glwstwr o bensiliau yn syrthio i'r llawr drwy fysedd wedi fferru. Fe swnient fel bwledi yn chwilio am ysglyfaeth. Yr oedd y rhyfel wedi cyrraedd y coleg. Doedd castiau hogynnaidd yn celu dim bellach ar realiti ein dyfodol. Sniffian a brathu gwefusau yn ein braw. Aros am arweiniad gan Prini. Doedd yntau ddim wedi rhag-weld y byddai i gaer ein haddysg a'n hieuenctid gael ei chwalu mor sydyn. A fyddai cryndod ein coesau yn caniatáu i ni sefyll? Ai plygu pen mewn gweddi? Neu shwfflo allan i gnoi ein pryder yn unigrwydd ein hystafelloedd? Pwy arall? Smithy yn ochneidio'n dorcalonnus ar ein rhan wrth lewygu ar ei ben i'r fwced dân.

*'In his memory, let us sing "Onward Christian Soldiers".'*

Ac fel rhai'n rhagdybio ein tynged, codasom gyda disgyblaeth milwyr ar y sgwâr parêd. Mwy o fwledi ar grwydr wrth i *Frankie-in-the-mood* (manteisiai ar bob cyfle i fampio'r diwn) lusgo ei hun at y piano. Wedi peth arbrofi trwsgl gyda'r cordiau, trawyd y nodyn. Ni wrandewais ar ganu mwy dienaid yn fy mywyd.

*Mai 16*

Bryn, o bawb. Ar draws y bwrdd bwyd, heb wybod beth yr oeddem yn ei fwyta, yn y *common room*, y *lab*, yr *Art room*, y *gym*, y *chapel* a'r *showers*, rhannem ein gofid a'n hofnau. Pam Bryn? Chwilio am y rheswm. Pam fi? Chwilio am esgus dros beidio mynd pan ddeuai'r *call-up*. Gwrando'n ofer am awgrym y diogelid swydd pob athro ac athrawes.

Rhaid oedd gneud yn siŵr y byddai yna genhedlaeth newydd o bobl ifainc ddysgedig ar gael erbyn y rhyfel nesa. Ond rhyfel i orffen pob rhyfel oedd hon. Siarad drwy'n gilydd a thrwy'n hetiau yn aml. Dehongli a chamddehongli. *Bloody Hitler*. Pigo briwsion o obaith yn sobrwydd y papurau. Chamberlain a'i blydi pishin o bapur. Eistedd yn ddiwrando drwy ddarlithoedd y bore a'r pnawn. I be? Clywed y bwled yn chwipio i'm hasennau wrth i mi dwdlan siâp cadwen. Dihangfa yn hytrach na gwrando ar rygnu marwaidd Pop Phillips yn paldaruo am *Principles of bilingual education*—yn Saesneg, wrth gwrs! Y bwled yn tynnu fy ochenaid olaf ar ei hôl. Gwrando'n ddramatig ar fy ngwich olaf yn ing yr aberth. Gwich Dilys pan orweddem yn y rhedyn ar Fron Haul. Murmur gwenyn yn ffarwelio â'r haf, a sisial Dil yn 'y nghlust yn cau'r byd allan. Llithro fy llaw ar hyd ei chlun ac anwesu dirgelwch sidanaidd ei chorff. Ei gwich yn fy lluchio'n ôl mewn braw. Ffŵl! Meddwl 'i bod hi'n gwrthod. Ei phleser oedd yn galw. A finne'n marw mewn rhyw fjord yn Norwy heb flasu'r pleser.

*Mai 17*

Bryn, o bawb. Ei ddannedd mawr yn gwadd gwên gan bawb, a'i hiwmor yn 'sgafnu llwydni ambell i fin nos yn y *common room*.

Ninne'n gwybod y dylem fod yn ein stafelloedd yn swotio. *Finals* yn dod i mewn hefo'r llanw. Twyllo'n hunen ein bod yn haeddu dipyn o sbort ar ôl slafio gyda thraethodau wedi eu copïo'n dalpie o'r llyfrgell. Bryn oedd yn codi'n c'lonne ni a chreu llond bol o chwerthin.

Ond tydi o ddim yma, heno. Stafell wag. Mi fase Bryn wedi gosod y cadeiriau allan yn gylch ar gyfer cyfarfod yr S.C.M. Dyna rinwedd Bryn. Roedd y croeso yno bob amser o'n blaenau ni, Bryn wedi gofalu am hynny.

'Dowch i mewn, laets,' ac acen cefn gwlad mor llydan â'i freichiau, yn un o'r ychydig weithgareddau gwir Gymreig yn y coleg 'ma. Mae o wedi mynd. A neb yn siŵr be i neud. Sefyllian wrth y drws yn syllu ar y gwacter. Ieir yn aros am eu bwyd. Llygaid yn llonydd. Llusgo cadeiriau i'r canol, ond nid cylch crwn Bryn mohono. Mwy nag arfer wedi troi i mewn heno. Wn i ddim pwy a ddywedodd Ein Tad, ond dechrau'r cwarfod ddaru ni drwy gydadrodd gyda gwyleidd-dra anarferol. Mi fedre Bryn adrodd Gweddi'r Arglwydd gyda hiwmor parchus. Y cyfuniad iachus yna a wnâi ein cangen o Undeb Cristionogol y Myfyrwyr yn orig hapus yn nwylo Bryn. Dim arlliw o starts y Sêt Fawr. Oswyn ydi llywydd y gangen, ac fel arfer, arhosodd i Bryn agor y cwarfod. O, oedd, roedd Bryn yno, yn ein closio at ein gilydd heb ddweud gair.

Yn ddiawydd, cododd Oswyn a symudodd ei gadair deirgwaith wrth geisio rhoi trefn ar ei eiriau.

'Wel, wn i ddim be . . . sut medra i . . . cwestiwn sy'n 'y nghorddi i . . . o'dd rhaid iddo fo farw . . . ffrind gwerth chweil. Rydw i'n ddig . . . dig wrth bwy . . . ond fase Bryn ddim am i ni fod yn ddig . . .'

Llithrodd yn ôl i'r gadair. Eisteddodd a'i ben yn 'i blu. Yr oedd cagio Oswyn yn fwy o deyrnged na geiriau'r Prini.

Yn sydyn yr oedd ceisio bod yn ifanc wedi mynd yn beth caled.

*Mai 18*

Bryn, o bawb.

'Be 'di'r *news* bore 'ma, Dai?'

Mae cysgod colli Bryn dros bob sgwrs a gwneud a chwestiwn yn ein mysg.

'Holland wedi rhoi'r ffidil yn y to. Blydi Germans yn chwalu fel chwain drwy Holland a Belgium. Fel gêm o ffwtbol rhwng y Germans a ninne. Rhaid i ti a minne, El, joinio'r tîm.'

Gêm ydi'r gwamalu hefyd, cuddio'r ofnau a gobeithio ma rhywun arall gaiff ei alw i fyny. Esgus dros beidio gweithio, rheswm dros fynd i'r Lion i foddi'n hansicrwydd a gneud i hanner peint bara am ddwyawr, wrth argyhoeddi pobl syml y dre 'ma na fedr y blydi Germans byth goncro tra bod blydi llafne ifinc fel ni yn blydi wel bron marw ishio mynd o'r coleg 'ma i gicio'u tine nhw o'r Lion i Berlin. Braf fydd troi cefn ar y coleg 'ma am ryw dymor, mi fyddwn yn ôl i gymryd *Finals* cyn y Dolig. Wrth gwrs y byddwn ni. Duw, y tebygrwydd ydi y cawn ni *Certif* am ennill y blydi rhyfel!

Rydw i'n medru brolio gystal â'r nesa. Wedi i mi gau drws fy stafell—25, Neuadd Gwyrfai—mi fydda i'n claddu fy mhen o dan y flanced a chyfadde bod gen i ofn drwy 'nhîn.

Sori, Bryn.

*Mai 19*

Llythyr o adre. Sgwrsio y bydd Mam mewn llythyr, a chodi hiraeth am dawelwch yr ardal. Y gwanwyn tynera, mwya lliwgar ers blynyddoedd, yn ôl Mam. Pawb yn brysur, ffarmwrs wrthi o fore gwyn tan nos, caseg Llwyn Isa wedi marw ond cymdogion yn gefn mawr i'r hen Jac Edwards, wrth gwrs ma hi'n fain arnyn nhw ers blynydde, Elin Tŷ Capel a'r eryr arni, ond mae seti'r capel yn grest o faw, a fydd 'ne ddim *spring clean* 'leni, bydd raid i ni'r merched dorchi llewys fel arfer. Dy dad wedi plannu ar ôl i mi 'i blagio fo ers wsnose—sôn am brynu beic newydd.

Rhyngot ti a fi mae gen i ryw gelc bach o'r diwedd, Preis Co-op yn cadw llygad am soffa ail-law mewn cyflwr da i mi, hwch

Argoed wedi cael torllwyth o foch. Jemeima Mountain View yn y capel fore Sul mewn côt ffyr newydd—'radeg yma o'r flwyddyn, wrth gwrs ma 'ne ryw hen steil wirion yn perthyn iddi hi, a chofia anfon dy ddillad isa adre mewn pryd i'w golchi a chofion annwyl, dy fam.

Na, nid hiraeth ydi o. Eiddigeddus ydw i. Tydi'r rhyfel yn golygu dim mwy i Mam na phenawdau'r *Daily Post* a sŵn awyrennau yn udo yn y pellter ganol nos. Wedi'r cwbl, does dim prinder pricie dan popty a thail i'r ardd a baco shag a menyn go hallt o'r Fedw. Dim ond mynd â sgidie 'Nhad i Emlyn Crydd y bore, mi fyddant yn barod erbyn chwech.

'Deg a chwech, Mrs. Pugh bach,' yn ymddiheurol. 'Pris lledr wedi codi. Mi rown ni'r bai ar Hitler, pell y bo fo.'

A'r gwanwyn yn codi calon pobl. A 'ngwanwyn inne yn hidlo'n dawel fel teclyn berwi wy. Os felly, rhaid i mi neud y gore ohoni cyn i'r amlen frown gyrraedd. *Laugh and be merry, better the world with a song*!

Smỳg ar y diaw'. *To hell with it*! Dyna welliant. Pictiwrs heno.

Sori, Bryn.

*Mai 20*

Braidd yn bryderus y bore 'ma. Ran hynny, ma pryder wrth fy sodle i bob dydd, bellach. Cais wedi dod oddi wrth Mr. Harry Dalzell, *Art*. Tomi Nicholas ddaeth â'r neges neithiwr pan o'n i rhwng cwsg ac effro.

'El, lle ddiaw' wyt ti wedi bod heno? Harry Hog am i ti fynd â dy *Art folio* i'w stafell o bore fory am ddeg.'

'Pictiwrs, *The Mark of Zorro*. Chwechyn raid i ti dalu ar nos Lun—grêt! Damio di, rhaid i mi godi rŵan i roi trefn ar 'y ngwaith.'

Gwrandewais arno'n cerdded i lawr y coridor yn nhraed ei sane. Harry Hog i'r dosbarth *Art* am ei fod bob amser yn ein hatgoffa ar ddechrau sesiwn—*'sable for fine work, hog's hair for breadth!'* Mae arlunio wedi rhoi llawer o bleser i mi yn y coleg, yn enwedig gweithio hefo olew a chwarae gyda phatrymau wrth gynllunio. Dyn tawel, sensitif ydi Mr. Dalzell, a'i gyngor o, dros ysgwydd pan fyddwn ni'n gweithio, yn cael ei gynnig yn gwrtais. Rydw i'n ymwybodol o ryw ysfa ynddo fo i gymryd y brws o'm llaw i gywiro neu wella, ond chwarae teg, sgwrs ac awgrym gawn i. Fel y bydd o'n siarad fe red ei fysedd dros y papur a bron na ddisgwyliaf i'r darlun ymddangos heb na brws na phaent. Mi gym'rodd awr i mi yn oriau mân y bore i ddewis a didoli. Taflu'r gwaith pastel o'r neilltu—rhy gymylog—ond dewis amryw o ddarluniau a chynlluniau mwy haniaethol, rhai ohonynt braidd yn rhy liwgar. Ambell i un arall yn gyfrin a sensitif yn y defnydd o bensil. Lliw a llinell yn esgor ar freuddwydion cwbl afreal—ond i mi yn hollol naturiol—am dreulio amser yng nghanol rhyw ffordd o fyw gyntefig, syml ar gyfandir Affrica. Yn aml, nid y fi oedd yn defnyddio'r brws neu'r bensil. Cyfrwng oeddwn, yng ngafael rhyw elfen anweledig, anesboniadwy. Ac yr oedd a wnelo'r gadwen rywbeth â'r hud. Heb unrhyw reswm arbennig, llithrais y gadwen i'r ffolio gyda'r darluniau. Ni feiddiais ei dangos i'm ffrindiau yn y coleg, fy nghyfrinach i yw hi. Ac yn aml, fy ysbrydoliaeth. Fwyfwy fe ddeuwn yn ymwybodol bod y gadwen syml, frodorol ei chynllun, yn rhan o wead fy modolaeth.

'Dowch i mewn, Mr. Pugh.' Ymweliad swyddogol oedd hwn.

Nid atebais ef. Hwn oedd fy ymweliad cyntaf â'i stafell, ac ymgollais mewn edmygedd o'r amrywiaeth liwgar o ddarluniau a huliai'r muriau ac a orweddai yn flerwch hudolus ym mhob cornel.

'Fel cerdded i galon enfys, Mr. Dalzell?'

Chwarddodd yn gyfeillgar, wrth glirio pentwr o lyfrau i wneud lle i mi ar gadair.

'Peidiwch â gadael i ddüwch rhyfel ac ansicrwydd y dyfodol lesteirio yr elfen greadigol. Fe gollir bywydau, ond fe fydd celfyddyd yn goroesi pob creulondeb a dinistr. Nawr, golwg ar y ffolio.'

'Rhywbeth fel hwn?' a thynnais y gadwen o'r ffolio yn ddiarwybod i mi fy hun. Fel petai'r gadwen yn allwedd nid yn unig i'r darluniau, ond hefyd i ansicrwydd y dyfodol. Yr oedd y dyfodol yn sicr i mi, rhyfel neu beidio.

'Anghyffredin iawn,' gan ei byseddu mewn edmygedd. 'Mae hi'n fyw yn fy nwylo i.'

Synhwyrais ei gydymdeimlad ar unwaith. Ers amser, bûm yn aros am gyfle i drafod yr afael gynyddol yr oedd y gadwen yn ei chael arnaf.

'Sut mae esbonio'r argraff, Mr. Dalzell—na, mae o'n fwy nag argraff—teimlad, realiti hyd yn oed, bod y gadwen am fy ngwddw i? Mi fydda i'n cael fy hun weithiau yn ceisio llacio'r gadwen am ei bod yn rhy drwm a phoeth ar 'y ngwegil i.'

'Yr elfen greadigol ynoch, Elwyn. Dychymyg, ffantasi, a'r gallu gennoch chi i roi rhaff iddo, a pham lai? O lle daeth hi? Wir, ma 'ne ryw ddirgelwch hen, hen yng ngwead y gleiniau.'

'Mewn hen fasged wellt adre, 'stalwm. Wn i, na neb, o lle daeth hi, ond mi wn mai fi piau hi.'

'Ei dylanwad i'w weld ar rai o'ch darluniau, hefyd,' wrth chwilota drwy fy ngwaith.

'Dyna sy'n od, dal y bensil yn unig roeddwn i, rhyw sgil anweledig oedd yn llunio'r gwaith.'

'Tybed,' drwy wên amyneddgar. 'Dawn artist yn mynegi ei hun drwy eich anian sensitif chi, Elwyn. Elfen o'r artist cyntefig yn eich gwaith a—'

'Yn hollol, dyna chi wedi taro'r hoelen ar ei phen.' Neidiais ar fy nhraed, a chipio'r gadwen o'i law.

'Drwydda i, ma 'na ryw artist cyntefig fu ar y ddaear 'ma ganrifoedd yn ôl yn mynegi ei hun heddiw, a'r gadwen ydi'r ddolen gydiol rhyngom ni.'

'Hanner munud, rydach chi'n mynd dros ben llestri, rŵan. Dipyn o stori ysbryd dyddiau ysgol ydi—'

'Mewn un ystyr, ie, mi rydw i wedi gweld ysbryd. Mynach . . . o'r Canol Oesoedd, hwyrach, a Mam hefyd—cymdoges iddi hi pan o'dd hi'n blentyn, hanner awr ar ôl iddi farw. Ysbryd ydw i hefyd, ysbryd rhyw frodor o Affrica, ond 'y mod i yn ysbryd o gig a gwaed.'

Chwarddodd yn rhy iach, i guddio'i anniddigrwydd a'i gyfaredd.

'Coel gwrach,' a chaeodd y ffolio fel petai'n awyddus i gau mwdwl y drafodaeth.

'Mr. Dalzell, ma'r syniadau 'ma wedi 'nghorddi i erstalwm, ond fe wyddwn y basech chi yn gwrando, o leia. Nid rhyfygu na dychmygu ydw i wrth ddeud 'y mod i nid yn unig yn dehongli celfyddyd artist sy'n mynnu gwthio ei frws drwy len rhyw orffennol cyntefig—ac nid ceisio bod yn ddramatig rydw i—ond 'y mod i hefyd wedi bod ar y ddaear 'ma o'r blaen. Rywle, fe fûm i'n peintio ar fur ogof, dwbio pridd coch, mwd llwyd, sudd deiliach gwyrdd, jiraff, mwnci, llew. Mi aiff y gadwen â fi'n ôl i'r ogof honno, ryw ddiwrnod.'

Syrthiais yn swp i'r gadair, a phob mymryn o'm nerth wedi mynd. Pob brwdfrydedd wedi ei ddihysbyddu gan lifeiriant fy nghyfaddefiad. Yn freuddwydiol, cododd yntau ar ei draed a cherddodd at y ffenest. Daethom yn ôl i gyffredinedd bywyd coleg yn sŵn cloch ginio a rhuglo metalaidd cyllyll a ffyrc ar drolen yn y coridor.

'Rhyfeddol. Mae'n esbonio rhai elfennau anghyffredin iawn yng nghymesuredd eich gwaith, weithiau'n ffurfiol, eto'n llifo'n rhydd fel nant—neu neidr gantroed . . . Rydw inne'n rhamantu, rŵan.'

'Nid rhamantu rydw i, Mr. Dalzell.' Braidd yn bigog.

'Rydw i yn eich credu chi. Dydw i ddim yn deall yn iawn, ond yn sicr rydw i yn derbyn eich gonestrwydd.'

'Nid pregethu roeddwn i, chwaith.'

'Na, er bod yna agweddau crefyddol i'r hyn yr ydech chi yn ei honni.'

'Oes. Tydi capel a seiat a phregethu digon glastwraidd dros y blynyddoedd ddim wedi f'argyhoeddi i fod bywyd y Cristion yn gyfyngedig i un arhosiad byr ar y ddaear yma. Ydi hi'n hanfodol i ni gredu fod Duw mor ofnadwy o fawr a dyn mor gythreulig—sori—o fychan? I mi, amser a ddengys.'

'Cyfle eto i drafod E—'

'Clywch!' Torrais ar ei draws yn gynhyrfus . . . 'Y tabyrddau!'

Syllodd yn hurt arnaf. Rhoddodd y ffolio yn erbyn coes ei ddesg. Curo disgwylgar drwm brodorol yn chwyddo drwy'r stafell, fel toes ar bentan.

'Chlywa i ddim byd!' ond yr oedd y cyffro yn ei lygaid yn bradychu ei fod yn agos at rywbeth nad oedd yn ei ddeall.

'Ylwch!' A phwyntiais at y gadwen ar y bwrdd. I rythmau treiddgar y drwm yr oedd y gadwen yn llithro'n araf ar draws y bwrdd. Symudodd gwpan a orweddai ar ei hochr wrth balet sych, amryliw. Syrthiodd i'r llawr yn deilchion.

Â'i wyneb fel y galchen, casglodd Mr. Dalzell y lluniau i'w hafflau a throsglwyddodd hwy i mi yn frysiog.

'Profiad annisgwyl, Elwyn. Be 'di'r esboniad?' Llanwodd ei 'sgyfaint yn farus cyn agor y drws. 'Gwaith canmoladwy iawn. Dylanwadau od ar eich gwaith, hefyd! Amser ar eich ochr chi—yng ngwanwyn eich bywyd, Mr. Pugh.'

'Ac yng nghanol rhyfel, hefyd,' sibrydais o dan fy ngwynt.

*Mai 21*

Mae'r ffaith fod perchennog y gadwen wedi'i amlygu ei hun i rywun arall am y tro cynta wedi 'nhaflu i oddi ar fy echel heddiw.

*Mai 22*

Hogyn swil oedd Simon. Bob amser â'i drwyn yn ei lyfr. Nid oedd yn gynffonnwr, ond yr oedd ei brysurdeb tawel yn ennyn edmygedd yr athrawon. Gwrandawr da oedd Simon, ei wên gynnil yn gwadd sgwrs. Rhedai craith gam o'i lygad chwith at ei ên, a'r crychni piws yn crebachu gwelwder ei wyneb. Ei sbectol bob amser yn gam. A phan aem i bractis côr neu ddawns nos Sadwrn i neuadd y merched, tyrrent o'i gwmpas fel pe bai'n dedi bêr! Os mai ei dynerwch a apeliai atynt, yr oedd ei eiddilwch yn sbardun i'r bwli. Un o'r rheini oedd Jock Aberdâr, na allai ddehongli unrhyw broblem ond mewn termau tacl rygbi.

Ar ein ffordd yn ôl o'r gerddi ar ôl cwblhau trawsblannu planhigion mynawyd y bugail yr oedd Simon a minne, pan ddaethom wyneb yn wyneb â Jock a dau o'i griw. Safodd yn stocyn boldew o'n blaenau.

*'Bloody conchie!'* meddai, a thynnu Simon yn erbyn ei fol gerfydd coler ei gôt. Parodd sydynrwydd y bachiad i'w sbectol syrthio i'r llawr, a malwyd y gwydryn gan un o'i fêts.

'Cachwr!' fel utgorn. Ymddangosodd wynebau ymholgar yn y ffenestri o gwmpas. Rhai'n gwenu'n faleisus, eraill yn dyrnu eu dicter ar y gwydr. Fe'm styriwyd inne i amddiffyn Simon.

'Gad iddo fo, Jock. Pawb a'i farn. Gollwng o!'

Anelais ddwrn digon gwantan at drwyn Jock, a chefais fy hun ar fy nhîn mewn cafn blodau. Ni wnaeth Simon unrhyw ymdrech i ymryddhau.

'Hei, 'drychwch ar y ddau gachwr 'ma! Hitler yn colli cwsg ar 'u cownt nhw. Be am roi'r ddau yn erbyn y wal a'u saethu nhw—hefo gwn tatws?'

Nid oedd Simon yn gwingo, hyd yn oed, ac ni wyddai Jock sut i ddelio â thynerwch. Brolgi swnllyd oedd o. Rhyddhaodd ei afael drwy roi hergwd i Simon cyn troi ar ei sawdl yn sŵn ei chwerthin gwag ei hun.

Diflannodd y rhythu bwganaidd o'r ffenestri yr un mor sydyn.

Mei Clarke oedd yr unig un a ddaeth allan.

'Iawn, hogie? Tarw hurt ydi o,' gan wneud ei orau i gasglu sbarion y sbectol.

'Paid â phoeni, Mei, mae gen i bâr arall,' a'i wên oddefgar yn bychanu bryntni Jock.

Mewn distawrwydd, troesom i gyfeiriad y neuadd.

'Wyt ti'n C.O., Sei?'

'Wedi meddwl yn ofalus dros y broblem—nac ydw. Wyt ti?'

'Mewn cyfyng-gyngor. Bryn yn cael 'i ladd wedi rhannu'r coleg 'ma—wel, dyna i ti enghraifft dda ychydig funude 'n ôl. Cristion o'r iawn ryw, parod 'i gymwynas, yn gneud Efengyl Cariad yn realiti, a fo, o bawb, y cynta i fynd. Sut mae esbonio pethe, d'wed, Sei?'

'Dwy ffordd o edrych arni, El. Colli Bryn yn aberth dros ryddid a chariad a hawlie; ar yr ochr arall, gwastraff o hogyn ifanc ym mlode'i ddyddie, talent, hiwmor, caredigrwydd, ac un ohonom ni. Os ydi dy nymbar di arni, El, *you've had it*.'

'Does ene'r un chwarter peint o waed arwr yna i, w'sti, Sei. Dipyn o gadi-ffan oeddwn i yn hogyn, ofn mynd o olwg Mam. Meddwl y byd ohoni. Faswn i ddim yn y coleg 'ma oni bai amdani hi. Ffwrdd â hi ar ôl i mi gael Matric, ar ôl y *Director* a'r cownslars i ga'l grant i mi ddod yma. Chafodd hi 'run, w'sti, dim ond benthyciad—diawled crintachlyd. Y peth lleia fedra i neud ydi talu'n ôl wedi i mi ga'l swydd—os na cheith y Germans fi gynta.'

A mi ddaeth rhyw bwl o falchder gwirion drosta i. Doeddwn i ddim am gyfadde wrth Simon bod Mam yn dal i dalu deunaw yr wythnos am yr unig siwt sy gen i, a mae hi'n breuo'n arw yn y penelin.

'Wel, El, os bydd yma *reunion* yn y coleg 'ma mewn rhyw ddwy flynedd, mi fydd y rhyfel drosodd erbyn hynny, ac os byddwn ni'n ôl mewn *civvies*, Jocks y byd 'ma fydd yn cadw mwya o sŵn a chael y clod.'

'Os? Os? Wrth gwrs y bydda i'n ôl.' Curiad y drwm yn rhy gry yn 'y ngwaed i.

*Mai 23*

Awyrgylch annifyr yn y coleg. Ffraeo gwirion. Sleifio allan am beint, yn groes i'r rheolau. Pawb ar bigau'r drain wrth ddisgwyl am lythyrau. Haws gwrando am gnul angau y Dorniers yn y blacowt fel yr anelant am Lerpwl a Coventry a'r meysydd awyr y maen nhw'n eu chwalu fel madarch drwy'r wlad, na gwrando ar ddarlith sydd mor undonog â suo gwenynen. Dianc ddaru minne heddiw, cael pàs i ddod i weld Mam, sy'n wael. Syndod gymaint o famau a neiniau sy'n bur wael y dyddiau yma.

'Pryd cefaist ti fwyd ddwaetha?'

Yr un cyfarchiad bob tro y dof adre. A phlatied o ham ac wy ar y bwrdd mewn chwinciad. Anwybyddu'r rhyfel yr oedd Mam, ar wahân i'r posibilrwydd y galle'r holl fomio 'ma effeithio ar y tywydd a difetha'r cnwd arferol o fwyar duon yng nghoed Bodheulog.

Toc, fe glywn 'Nhad yn gwthio'r Raleigh newydd i mewn i'r cut wrth dalcen y tŷ. Fedrwn i yn fy myw ddygymod â 'Nhad yn reidio beic â *drop handlebars*. Llai o wynt oer i'w wyneb, medde fo. I mi, edrychai fel wenci yn llygadu cwningen.

'Wel, wyt ti wedi dechre rhoi dipyn o sglein ar dy sgidie? Fedr yr un sarjiant neud soldiwr ohonot ti os na fedri di weld dy lun ym mlaen dy sgidie! *By the right, double quick march, stand to, by the left, present aaaarmss!*' a neidio ar ei draed i fynd drwy ryw giamocs gyda choes brws neu ymbarél neu brocer.

'Nhad yn deud 'i baderau am y canfed tro er y diwrnod y torrodd y rhyfel allan. Ym mrwdfrydedd ei atgofion pan dorrodd yr Ail Ryfel allan, byddai 'Nhad yn parêdio i fyny ac i lawr y gegin a gwn dwbwl baril ar 'i ysgwydd. Tan y noson fythgofiadwy honno fis Tachwedd diwethaf.

'Y *Somme, Paskendale, Wipers*, slogio am orie at ein tine mewn mwd. *Shoulder arms, bully* a bisgets os oedden nhw ar ga'l, os na, byta malwod 'run fath â'r *Froggies, fix bayonets*—'

Mam yn gwau'n dawel wrth y tân,—'tasech chi'n ficshio clo'r drws cefn—' '*Here they come, lads—steady—FIRE*' a chwalwyd y tawelwch gan ffrwydrad byddarol. Llanwyd y stafell â mwg glas, sŵn gwydr yn malu a phren yn hollti. Pan gliriodd y mwg yr oedd yr iâr tsieni, wyneb y cloc wyth-niwrnod, llun Lloyd George, y lamp baraffîn orau a rhes o wydrau pinc oddi ar y dresar yn yfflon ar lawr, a'r nenfwd yn blastar o dwll pry. Yr oedd Mam yn hongian fel cerpyn llawr wrth bostyn gwaelod y grisiau a 'Nhad yn sbio'n hamddenol i lawr y baril.

'Brensiach, ddyn, ydech chi'n treio'n lladd ni i gyd?' yn wannaidd.

'Ddynes, os ydw i'n gweld blew 'i lyg'id o yn y *sights*, y fo ne fi'n sy'n mynd i ddeud y stori.'

Fedrwn i lai nag edmygu 'Nhad am drin yr argyfwng mor ddifater. Fuo 'Nhad erioed yn un i boeni llawer. 'Ei chymryd hi fel y daw hi' oedd athroniaeth 'Nhad!

Yn od iawn, roedd y ffaith fy mod ar fin mynd i'r fyddin wedi closio 'Nhad a minne yn nes at ein gilydd. Cyfrifoldeb Mam oedd magu plentyn, ond ei gyfrifoldeb o oedd gwneud milwr ohonof!

'Cadw dy drwyn yn lân, cofia gario pishin o bapur yn dy law yn y barics. Does dim byd mwy swyddogol na phapur, hyd yn oed os mai papur lafatri ydi o.' Chwarddai yn dawel i'w fwstas fel pe'n dwyn i gof ryw wrhydri a gostrelwyd am chwarter canrif. Cliriai ei wddf yn awgrymog.

'Nid pob rapsgaliwn oedd yn cael ei dderbyn i'r *Fifth Welsh*, wyddost ti. Cofio un tro yn y *trenches*. Bwyd ac ammo yn brin, hirlwm '15 dwi'n meddwl–'

Mi wn na fuo fo ddim pellach na barics 'Mwythig. Traed drwg. 'Nhad druan!

'Am faint wyt ti'n aros? Gobeithio y cei di iste dy *Finals*. Ma blode'r pren afal yn drwchus wedi gwanwyn mor hyfryd.'

Tase'r gelyn o flaen y drws, mi fydde Mam wedi eu rhybuddio nhw rhag sathru'r rhesi tatws yn yr ardd!

'Nos Sul. Arholiadau fore dydd Mawrth. Fydda i ddim yn hwyr. Mynd i weld Dilys.'

Brysio heibio'r Felin ar hyd y ffordd dyrpeg, cyn troi ar hyd llwybr y mynydd. Drwy dawelwch y gwyll, treiddiai hwtian tylluan, ei galarnad oer yn adlewyrchu tristwch gwlad yn aberthu ei phobl ifainc, ond na wyddai fy ardal i ddim am y peth eto. O'm cwmpas fe glywn sgrialu brau llygod a chwilod yn y dryslwyn yn brysio i osgoi'r grafanc ar adain ddistaw uwch eu pennau. Mae'n amhosib osgoi lladd a dinistr. Ceisiais anghofio, drwy wrando ar y llonyddwch yn ymestyn o frigau eiddil y coed i gyfrinach ddisglair y sêr, fel llinyn arian. Ebychais wrth lyncu ehangder dulas yr awyr a cheinder gwawn pinc y gorwel.

Rhoddais fy mhwys ar lyfnder llwydwyn ffawydden. Chwiliais rhwng y clystyrau o sêr am ateb. Mor dyner â siffrwd adenydd glöyn byw, clywais guriad taer y tabyrddau. Rywle tu draw i'r seren ddisgleiriaf a'r mân gymylau tlawd. A oedd yn bosibl? Heriais y mudandod di-ben-draw i'm hateb. Os oes bywyd ar ôl marwolaeth, a oes bywyd cyn genedigaeth? Bywyd o ansawdd wahanol, o werthoedd gwahanol, ar fydysawd arall? Neu fodolaeth wedi ei mowldio mewn traddodiad a diwylliant cyntefig, digyfnewid? Patrwm syml, brodorol ar gyrion cymhlethdodau byd y dyn gwyn. Ei symlrwydd yn nerth, ei hynafiaeth yn ffynnon o ddoethineb, i alluogi dyn i gamu o un bodolaeth i'r llall. Hwyrach i brofiadau hollol newydd. Weithiau drwy ddiwylliant cwbl wahanol cyn camu ymlaen i ail ysgwyd llaw â'r bywyd cynharach. Byd di-ben-draw Affrica, hwyrach. Byd y tabyrddau a'r rhythmau meddwol a'r addurniadau syml, lliwgar yn sgleinio ar gorff croenddu. Fel y gadwen yn fy mhoced. Deuthum â hi gyda mi i'w dangos i Dilys. Yr oedd yn llosgi twll yn fy mhoced, a thynnais hi allan. Lapiais fy mysedd am y torchau.

Ofer oedd ceisio gwasgu'r cryndod a oedd yn treiddio o flaenau fy mysedd i'm hysgwyddau ac i lawr fy nghefn. Yr oedd y gwyll wedi toddi i dywyllwch sydyn y trofannau, ac yn ei sgîl llithrodd awel boeth dros y llethrau.

'Jambo.'

Mor glir a chryf â chloch.

Mewn braw, neidiais i wynebu'r llais. Nid oedd olwg o greadur byw! Yr ochr arall i'r ffordd dyrpeg yng nghysgod talp o garreg galch yr oedd hen odyn crwn wedi mynd a'i ben iddo. Yr oedd rhywbeth od yn digwydd! Ar amrantiad, towyd yr odyn â phlethwaith o ddail banana, a phlastrwyd y garreg wen â haen o fwd. Drwy dwll yn wal yr odyn—na, y bwth—fe welwn gadwen o dorchau amryliw yn hongian ar y mur. Nid oedd y tywyllwch yn pylu dim ar yr olygfa. Drwy dwll yn y to troellai colofn hirfain o fwg glas, tyner, tân coed. Yn fyfyriol, dilynais y llinyn o fwg i'r awyr. Gostyngais fy ngolygon eilwaith i'r bwth. Nid oedd dim i'w weld ond hen odyn galch.

Be oedd y gair? Banjo? Jumbo? Jambo? Ta waeth. Fe wyddwn fod llais Affrica yn fy ngalw yn ôl.

Tarfwyd ar fy mhensynnu gan wiwer yn llamu'n heini o goeden i goeden.

'C'negwerth o freuddwydion, plîs.'

Llithrodd i 'mreichiau awchus a chusenais hi'n hir.

'Wedi bod yn aros amdanat wrth Ffynnon Alis ers hanner awr, El.'

'Sori, Dilys, hwyr yn cyrraedd adre, dim—'

'Hwyr!' a phlethodd ei gwefusau yn anfoddog. 'Be oeddet ti'n loetran wrth y goeden 'ma, a golwg fel taset ti wedi gweld drychiolaeth arnat ti?'

'Mi weles—' gyda'r bwriad o esbonio fy stori drwy ddangos y gadwen iddi. Anodd fyddai ei darbwyllo o realiti'r hanes na'i pherswadio i'm dilyn i Affrica. Gwthiais y gadwen yn ôl i 'mhoced.

'Gweld be?' a'm tynnu ati er mwyn iddi fedru edrych ym myw fy llygaid.

'Dim ond 'sbrydion. Ty'd, Dil, 'nghariad i, mae'n well gen i gwmni angel nag ysbryd.'

Wn i ddim a oeddwn yn deud y gwir, chwaith.

*Mai 24*

Wn i ddim ai'r gog ynteu 'Nhad a'm deffrodd y bore . . .

A barnu oddi wrth grygni ei ddeunod bu'n galw ers oriau.

Roedd 'Nhad yn y cut yn dyrnu ac yn damio.

'Olwyn flaen y blwmin beic wedi bwclo,' ac wrthi yn bwrw ei lid gyda morthwyl ar yr olwyn. Dadfachais yr olwyn a cheisio ailwampio tipyn ar y sbogenni gyda sbaner. Gwyliai 'Nhad fi dros fowlen ei getyn.

'Cofia gario dy bac yn uchel ar d'ysgwydd, dim byd mwy blinedig i soldiwr na phac yn 'i dynnu o'n ôl. Rhecsyn oil i'r reiffl bob dydd. A chadw draw oddi wrth ferched—y merched —cymryd mantais ar—y——hogie if'inc—ti yng ngwanwyn dy— *camp followers*—i ni'r hen campênars—clefyde—botyma dy falog—ie—wel, ma'r *spokes* wedi sythu—cymer ofal,' a chipiodd y beic i guddio'i chwithdod. Edrychais arno yn beicio heibio talcen y Bull i'w waith. Yr unig dro yn fy mywyd y mentrodd sôn am ryw. Faint o gwsg gollodd o, tybed? Falle bod Mam wedi bod yn ei ben o?

Cofio am neithiwr ydw i. Hefo Dilys. Mae hi'n annwyl, ac yn bishin! Cerdded yn ara' bach at y ffynnon, law yn llaw, a gwres ei chorff yn deffro rhyw angen ynom ein dau. Sgwrsio i geisio cadw nwydau o dan reolaeth.

'Wyt ti'n meddwl y cei di aros i orffen dy gwrs?'

'Duw a ŵyr. Disgwyl yr alwad unrhyw ddiwrnod. Rydw i'n ugain oed, cofia . . . a thithe'n ddim ond plentyn deunaw oed!' a lapio fy hun amdani. Colli 'ngwynt wrth ildio i wres ei gwefusau a'r ymbil yn ystwythder ei chorff.

'Dwi'n dy garu di, El, dros 'y mhen a 'nghlustie.'

Ciliodd gam oddi wrthyf i weld yr ymateb yn fy wyneb. Cynigiais gusan ysgafn iddi. Caeodd ei llygaid wrth glosio ataf, ei gwefusau'n fêl i gyd. Fel y cyffyrddem, agorodd ei llygaid a chamodd yn ôl eilwaith.

'A be sy gen ti i'w ddeud, Elwyn Pugh?' ar flaenau ei thraed.

'Ma gen i feddwl y byd ohonot ti, Dil.'

'Ma gen i feddwl y byd o'r gath yn tŷ ni—sôn am gariad rydw i.'

Yr oedd y caledwch yn ei llygaid yn brofiad newydd i mi.

'Dil, mae hi'n rhyfel. Unrhyw ddiwrnod rŵan bydd yn rhaid i mi fynd. Tydi o ddim yn deg addunedu—'

'A pham lai, os wyt ti—na, ni—yn caru'n gilydd.'

Yn araf, llithrodd ei breichiau am fy ngwddf a cheisiodd fy nhynnu i'r glaswellt. Roeddwn inne'n berwi drosodd hefyd. Fe lwyddodd, a gorweddom ein dau yn y gwlith.

'El, rydw i'n barod. Falle na ddaw'r cyfle eto.'

Gwingai'n orffwyll wrth geisio gwthio'i hun odanaf. Llaciodd ei chôt a thynnodd fy llaw dros ei bron. Hawdd oedd llithro fy llaw i'w blows a meddwais ar feddalwch sidanaidd ei bron. Ochneidiodd yn bleserus wrth deimlo fy mysedd yn anwesu'i bronnau. Chwiliem yn flêr am wefusau'n gilydd, a gwres ein cluniau clòs yn llifo'n ynni llesmeiriol drwy'n cyrff. Yn wyllt, yr oedd ei llaw hithau yn chwilio fy nghorff a thynerwch ei chyffyrddiad yn corddi fy nghryfder.

Yn gynnil a synhwyrus, fe deimlwn ei choesau yn ymagor.

Mynnai gael holl bwysau fy nghorff arni, ei breichiau wedi'u gwau amdanaf.

'Cymer fi, El!' rhwng ochneidiau ei dyhead.

Yr oedd y brys yn ei hanadlu poeth ac ystwyrian ei chorff yn cynyddu fy awydd innau yn ddireol. Cymerais un anadl hir, ddofn, a lluchiais fy hun oddi arni ar fy wyneb i'r gwlith.

Yr oedd ein llonyddwch yn boenus o afreal. Yn araf, caledodd ei hanadlu cyflym yn ocheneidio rhewllyd. Yr oedd ei siom yn ddirdynnol.

'Sori, Dil, fedrwn i ddim cymryd mantais ar—'

Fel mellten, taflodd ei hun ar fy nghefn gan dynnu fy ngwallt yn filain. Llwyddais i ymryddhau, a chodais ar fy nhraed. Neidiodd Dilys i fyny a hyrddiodd ei dwrn i'm wyneb. Heb unrhyw ymdrech i'w thacluso'i hun, cerddodd drwy'r gwlith i lawr y llethr.

Ofer fyddai galw arni i geisio esbonio.

Yr oedd galwad Affrica yn rhy gryf.

# HAF

## 1942

*Mehefin 1*

*'Saeeda, effendi!'*

Anwybyddais y cyfarchiad. Yr oedd yn rhy boeth hyd yn oed i agor llygaid. Ysai fy nghorff am gawod o law mân 'Stiniog i oeri ychydig arnaf. Na, storm o law taranau oedd yr unig obaith i leddfu peth ar y gwres llethol. Ac i godi hiraeth arnaf. Am gwpaned o ddŵr oer o Ffynnon Alis. A hiraeth am Dil hefyd. Prin y galla i feddwl am ddim mwy hudolus na chorff merch yn y blydi lle yma. Dynion fel chwain ym mhob cornel o'r uffern gwlad. Croeso i'r wogs gadw pob llathen ohoni! Dynion o bob siâp a llun, o bob gwlad o dan haul. A dim ond dau beth ar feddwl pob un ohonom. Mynd yn ôl i Blighty a chael merch. Neu, wrth gwrs, merch i ddechrau a Blighty wedyn.

*'Ynta quais, effendi.'*

'Cer odd'ma'r wog diawl!'

Wel, doedd o ddim yn deall Cymraeg a roeddwn innau yn rhy bell o'i gyrraedd i roi cic dîn iddo fo. Ac yn rhy ddiog i wneud hynny. Merch yn gwmni ar ôl blwyddyn o chwys a budreddi dynion. I gyd yn filwyr wedi'n llacio o'r un mowld. I gyd yn gwbl wahanol.

Merch i wenu, merch i chwerthin, merch i wrando, merch i'm cywilyddio i shafio gyda'r rasal *army issue* sy'n llercian yng ngwaelod y *kitbag*. Milwyr dewr, milwyr smart, milwyr brolgar, milwyr swnllyd, milwyr yn llyfu tîn am streip, milwyr yn ysu am gyfle i lusgo perfedd o fol y Jerry ar flaen ei fidog, milwyr yn aros am eu cyfle i chwarae marblis hefo clwstwr o *grenades* a'u lluchio i wadi lle mae cant o'r Jerries wedi eu cornelu.

Profiad newydd fyddai cael cyfarfod cachgi, am unwaith.

Un fel fi.

Edmygu gwallt golau merch, ei llygaid gleision, ei choesau meinion, ei bronnau. Oh, la la! llond dwrn o gluniau meddal, coflaid o gusanau nwydus. Profiad newydd fyddai breuddwydio am dwmplen dew, lygatgroes, gwallt llygoden, coesau fel traed brain ac ogle ar 'i gwynt hi. Wrth gwrs bod yna ddigon o gachgwn a merched hyllion yn yr anialwch annynol yma. Ond ychydig ar y naw o filwyr dewr a merched golygus. Neu hwyrach mai fel arall y mae hi. Effaith haul a thywod.

*'Yallah, you black bastard!'*

Dyna'r iaith mae o'n ddeall.

*Mehefin 2*

Diwrnod felly oedd hi ddoe. Diwrnod y *screaming abdabs*, dyna'n gair ni y *swadis* amdano. Allan yn Sidi Barrani neu Tobruk neu yn unigedd affwysol Siwa Oasis. A hyd yn oed yma yn nhawelwch y *Rest Camp*. Mae gormod o ddiogi a gorweddian yn yr haul yn corddi'r meddwl. Ar ôl pum niwrnod o loetran a diogi yn y gwersyll gorffwyso mae tynfa peryglon a rhyddid y ffrynt yn corddi'r adrenalin. Mae deng niwrnod er pan ddaethom yn ôl i Kassassin. Twll o le! Wedi bod ar sgawt ar gyrion y Kalansho Sand Sea yn Jalo. Chwythu pum tomen o betrol i'r awyr. Cael ein dal yng ngwynt y khamsin. Colofnau pigog o dywod yn rhuthro ar draws yr anialdir gan fygu pawb a thywyllu'r byd. Pob dilledyn yn drwm o dywod mân a phob tamaid o fwyd wedi ei sesno â phupur tywodlyd. Doedd dim amdani ond dal i symud yn y Brens a gobeithio na fyddai'r traciau yn tagu o dan bwysau'r tornado tywodlyd. Hen stori, erbyn heddiw.

*'Shaweesh!'* Unrhyw gyfarchiad i leddfu'r alaredd.

Galwad sebonllyd y *dhobi wallah*. Dannedd melyn fel cyfog. Amheuthun oedd cael dillad glân, y siaced a'r trywsus byr yn grychau taclus.

*'How much, Abdul?'*

*'Ishrin piastre, shaweesh.'*

*'You thievin' bugger!'*

*'Verra cheap forr you, shaweesh,'* a'i wên yn derbyn y cyhuddiad fel rhan o'r fargen.

*'Ashara piastre—enough!'* gan rannu ei wên.

Clymodd ei fysedd yn baderol.

Rhoddais yr ugain piastre iddo.

*'Shokran, shokran, mee verra clean dhobi wallah.'*

Yn ystod awr y siesta ddoe y'i gwyliais yn lladd y llau yn ei *galabyeh* bygddu!

Miloedd o filwyr yn lladd ei gilydd hanner can milltir i ffwrdd, a minne'n gwneud diwrnod ohoni yn herian y *dhobi wallah*.

Ond os am y newyddion diweddaraf, y *dhobi wallah* ydi'r dyn i'w holi. Sarsiant Elwyn Pugh a'i debyg yw'r rhai olaf i glywed.

'Be 'di'r newydd, Taff?'

'Duw, gofyn i Abdul.' Nobby Clarke wedi troi i mewn am sgwrs.

'Stori ar led bod 'ne *push* mawr i fod cyn hir—ma Monty wedi troi'r hen *Eighth Army* a'i thraed i fyny!'

'Ymhle y bydd o, dybi di, Taff?'

'Rhos-y-bol, synnwn i ddim.'

'Ym mha ran o'r Jebel ma'r fan honno, Taff?'

Yn rhy hwyr y sylweddolodd y Sais o Nottingham fy mod wedi trawsblannu cornel o Gymru i'r Jebel. Ein dau yn chwerthin fel ffyliaid a chicio'n sodlau yn y tywod.

'Be am baned yn Toc H?' mewn llais ffug-frwdfrydig.

*'Etnin char, bisorae!'*

Syniad hwn o frysio ydi diflannu i'r cefn am *sigara* am ddeng munud. Daw'r te, toc, ar ôl i ni gael cyfle i edrych yn ddioglyd ar olwg lychlyd, ddi-liw y cantîn. Haen o dywod diflas yn gwrlid dros bopeth, i'n hatgoffa nad yw cysur ond rhywbeth dros dro yn yr anialwch. Un hergwd dda o wynt poeth y khamsin, yn orlawn o filiynau o nodwyddau poenus natur, a bydd y cantîn wedi ei gipio'n ôl i hafflau'r Sahara a ninnau yn ein cwman yn ymgreinio am faddeuant. Meddwl y gallwn wneud cae chwarae i danciau a gynnau a bomiau o ehangder di-ben-draw yr eigion tywodlyd. Dim rhyfedd bod yna wên slei yn loetran ar wefus yr Arab, ac osgo haerllug yn symudiad y camel, wrth edrych ar y ffyliaid gwynion drwy flew trwchus ei amrannau.

'Gwres, llau, *clifti wallahs*, llwch, wogs—uffern o le, Taff.'

Llymeitiais y te llugoer yn fyfyriol.

'Lolfa gyfforddus, amser ar ein dwylo, bwyd ar y bwrdd, neb yn deud uffern o ddim—*life of Riley*, Nobby,' a'm tafod yn chwyddo fy moch.

'Be rown i am beint o gwrw yn y Pins 'n Needles ar draws y ffordd i'r Laceworks?'

'Be rown i am lenwi fy ffroenau ag arogleuon gwair wedi crasu yn yr haul drwy'r dydd yng ngweirglodd Bryn Melyn?'

Ond tase rhywun wedi torri allan i ganu:

O! na byddai'n haf o hyd
Rasus mulod rownd y byd

mi fase'r cythrel wedi ca'l cic dîn gen i.

*Mehefin 3*

*Gyppo tummy* ers oriau mân y bore—rhedeg i'r tŷ bach—wel, hongled o dŷ mawr sy yn y gwersyll yma. Griddfan a rhincian dannedd cystal ag unrhyw un o'r criw. Pob un yn ei ddyblau. Sŵn fel côr meibion allan o bractis. Ciwio am orsedd. Ar fy nghefn drwy'r dydd. Meddwl be fyddai meddyginiaeth Mam at yr anhwylder.

'Hwde, profa hwn,' a chynnig cymysgfa dew, ddrewllyd, resipi ei mam hithau, ddigon tebyg. Ei ddiflastod yn rhygnu yn fy llwnc y funud hon. Rhyfedd fel y bydd Mam yn ei hamlygu'i hun bob amser y bydd gen i broblem neu anhwylder. Milwr dwy ar hugain oed a hiraeth am ei fam. Nid hiraeth, chwaith, ond ysfa am ryw elfen o normalrwydd ym mhatrwm bywyd. Nid ymateb yn flin i glochdar *reveille*, ond troi drosodd ar ôl rhoi taw ar y cloc larwm. Nid poeri a chaboli a phoeri er mwyn gosod haen arall o sglein ar sglein fy sgidie, ond rhedeg allan yn fy *wellingtons* i ganol mwd a thir âr. Cwpan a soser ac nid te o botel lemonêd wedi colli ei thrwyn. Cath ar erchwyn gwely ac nid llwyth o fygs yn sugno gwaed. Codi llaw, ac nid saliwt. Sylweddoli pwysigrwydd manion dibwys cartref.

*'Ynta quais, shaweesh?'*

*'Indi shits.'*

*'Indo ishael.'*

'Yn dy lingo di, falle.'

*'Orid shaey—char.'*

*'Aeewa.'*

*'Sokhar?'*

Dychwelodd toc, yn troi'r te gyda'i fys wrth gerdded i mewn. Ailddarllen ar ôl yr ugeinfed darlleniad y llythyr mis oed oddi wrth Mam. Haf sych, gwair yn grimp a swît, ailbeintio'r capel, dy dad wedi mentro prynu siwt newydd, Tom Jones yn gwaelu'n arw (wedi marw erbyn hyn, tybed?), Ffowcs y siop wedi prynu Ffordyn glas, angen glaw i lenwi'r ffrwythau (wedi cyrraedd bellach—glaw t'ranau?), dy dystysgrif athro di wedi cyrraedd (ei fframio yn hen ffrâm Lloyd George), pry wedi difetha cabaits dy dad (cyfle i 'Nhad fwynhau catied wrth bendroni uwch eu pennau), Linor yn mynd at Anti Annie fis Awst, (ydi hi'n dal i giglan wrth y bwrdd bwyd?), menyn yn toddi yn y fowlen, diciáu ar Leusa'r Hengoed, ma fo yn y teulu; ma'n ddrwg gen i ddeud wrthot ti bod Dilys yn priodi galan gaea (lliw yr inc yn ymddiheurol), oes ene gapel a siop yn d'ymyl di, gobeithio'r brenin nad ydi hi ddim mor boeth yn y cyffiniau ene ag ydi hi yma, dy fam.

Ydi Mam yn cofio bod yna ryfel?

*Mehefin 4*

Teimlo'n well. Am fentro hefo'r criw i Ismailia. *Three tonner* fel bỳs am y pnawn. Yr amrywiaeth arferol o ganeuon wrth gael ein lluchio o un ochr y tryc i'r llall. Gwerthwyr o'n cwmpas fel gwybed a'r *gali boys* yn peri i gywion ymddangos a diflannu gyda chyflymdra anhygoel o un neu ddwy neu dair o gwpanau pren. Maent yn haeddu piastre am eu cyfrwystra. Cadw llygad yn agored am y *clifti wallahs*, eu dwylo i mewn ac allan o'n pocedi mor gyflym â llygod bach yn y sgertin gartre.

Crwydro o gwmpas y souk i chwilio am fargen, haneru unrhyw bris cyn dechrau chwarae'r gêm arian am orennau, bagiau llaw (croen crocodeil?), menig, trysorau o fedd y Pharo, *five piastre speshal for you*, camelod o bren olewydd, camelod o groen camel, camelod o glai, camelod o wisg aur Tutankhamun ei hun (drwy ganiatâd, wrth gwrs), bowlen garreg o grombil y pyramid. Bargeinio gydag arddeliad, a Nobby a minne yn troi i mewn i gaffi am seibiant. Yfed coffi cryf gyda bisgeden felys almon.

'Ma Blighty yn mynd yn bellach bob dydd, Taff,' a sipian yn gynnil.

'Ma'r Jerries yn dod yn nes hefyd—Tobruk wedi syrthio, mi fydd Rommel yn anelu am Cairo ac Alex fel cath i gythrel. Y si ydi bod gan Monty rywbeth i fyny'i lawes.'

'Sut y bydd hi arnat ti ar ôl dychwelyd, Taff?'

'Tra bydd ene fymryn o haf ar ôl yn 'y mywyd i—duw, tyden ni'n taflu'n bywyd i'r gwynt yn y blydi lle 'ma—gobeithio ca'l swydd fel athro yn yr hen wlad.'

'Wyt ti'n siarad Cymraeg?'

'Bob dydd. Gweithiwr ar y cownsil ydi 'Nhad, ond tydi o ddim yn nabod pobol y Cyngor Sir, w'sti, i roi rhyw air bach drosta i.'

'Sut mae a wnelo hynny â chael swydd—'

'Llawer iawn. Ma pwy wyt ti'n 'nabod yn bwysig, Nobby, gair bach gyda hwn, winc ar y llall, gorau oll os wyt ti'n perthyn i un ohonyn nhw, gneud iddyn nhw deimlo'n bwysig yn y Cwarfod Misol a'r ffair a—'

'Chlywes i ddim sôn am—'

'Naddo, ma'n debyg. Cowtowio ydi'n gair ni amdano fo, Nobby. I Lerpwl ne Coventry mae'n debyg y bydda i'n mynd.'

'Gyda lwc, mi fydd gen i ryw fusnes bach—siop crydd—os—os ca i fynd adre—'

'Does gen i ddim amheuaeth fy hun, fe af yn ôl. Ti'n gweld, Nobby, mae gen i—' ond fe wyddwn na fyddai Nobby yn deall am na chadwen na breuddwyd nac odyn galch.

Gadawsom y caffi a cherddasom drwy fwrlwm swnllyd yr Arab yn llusgo'i draed yn ddioglyd. Prynu breichled gain, liwgar gan werthwr dall, presant bach i Linor. Yn ddifeddwl, prynais un arall. Wn i ddim pam. Mae tlodi yn ffordd o fyw yn yr Aifft. Y fellahin yn crafu rhyw fath o fywoliaeth o'r pridd tywodlyd oddeutu'r Sweet Water Canal. Un yn llywio'r aradr bren, a dau arall yn ei thynnu yn eu cwman, yn rhy dlawd i brynu mul na bustach. Y gof arian yn dyrnu'r metel yn fân ac yn fuan am oriau lawer wrth greu bowlen fechan i'w gwerthu am nemor ddim i'r dyn busnes o Gairo. Y gyrrwr gharry yn tywys sgerbwd o geffyl i lan y Suez Canal, ac yn rhy brysur yn magu chwain i ddal llygad teithiwr. Y butain bowld yn gwerthu ei hun am hanner piastre o falconi y strydoedd culion. Hyrddio ei chluniau noeth yn haerllug.

*'Jig, jig, me bloody good, verra cheap,'* a'i chorff synhwyrus yn temtio'r hogiau llwglyd. Brawd bach yn tynnu yn llawes yr awyddus i'w arwain i fyny'r grisiau ym mwrllwch y tai aflawen. Ac nid oedd angen prynu *Spanish Fly* gan frawd bach arall i gorddi'r nwydau.

'Ffyliaid gwirion,' wrth Nobby yn smỳg.

'Haws osgoi'r *Redcaps* na'r clap.'

'Bwrlwm yr hwyl heddiw fydd yn eu gyrru nhw yn frwdfrydig a difater i ganol y Jerries fory.'

'Pa werth poeni—faint ddaw yn ôl o'r ffrynt?'

'Hwyrach mai ni ydi'r cachgwn, Nobby. Paid â gwadu nad oedd y cluniau noeth 'na yn codi awydd—' a chwarddais dros y stryd.

'Be sy, Taff?'

Cofio wnes i am ddywediad un o'r hogiau: 'Chwant y cnawd yn drech na botwm balog'.

Fedrwn i ddim peidio chwerthin. Hwyrach mai dihysbyddu fy awydd fy hun yr oeddwn.

'Fedra i mo'i gyfieithu o, Nobby.'

Cerddasom yn ôl at y *three tonner* drwy golofn drist o freichiau cardotwyr yn erfyn am gardod. Fedr y rhain fforddio dim byd. Neges ar ôl dychwelyd yn fy ngorchymyn i fynd i weld

Capten Hughes *4th Battalion H.Q.* ar unwaith. Od! Nid un o'm swyddogion i oedd Hughes. Taniwyd fy nychymyg. Roedd rhywbeth arbennig ar y gweill. Sgawt arall i'r Jebel. Onid dyna pam y cynigiais fy hun i'r LRDG—perygl, cynllwynio, mentro, twyllo, cynnwrf, gwefr yr anhysbys, ias yr helfa? Elwyn Pugh o bawb. Ar ôl gwanwyn tyner, roeddwn i am haf caled, chwilboeth, cyn heddwch yr hydref a llonyddwch y gaeaf.

Felly yr oeddwn i yn gweld fy mywyd. Sentimental, El. Hwyrach. Taclusais fy hun. Gwelwn fy hun yn yr hen *jeep*—Taff Mark 2 i'r criw, am y trydydd tro yn torri cwys lychlyd drwy'r tywod ar gyrion y *shotts*. Pan oeddwn wrthi yn cribo fy ngwallt cyrliog, fferrodd fy mraich uwch fy ysgwydd. Teimlais iasau o ddŵr oer yn llifo i lawr fy nghefn.

Yr oedd rhywbeth o'i le. Brysiais i babell Capten Hughes.

*Mehefin 5*

Wedi fy syfrdanu ormod i sgwennu dim. Torcalon. Mam wedi marw.

*Mehefin 6*

Ai hunllef yw'r cyfan? Drwy gawodydd poeth o dywod, clywaf ei llais yn pydru am ddrws cefn a 'Nhad a Linor a Viota a methu fforddio a chelc. Pigo mae'r tywod, brathu at y gwaed mae llais Mam. I bob gair ei lun, yn plycio'n llachar drwy fy meddwl 'run fath â *living pictures* 'Nhad, erstalwm. Cowbois a chlowns a mulod yn prancio'n herciog ar draws lliain bwrdd gorau Mam wedi ei hongian dros ddarlun Evan Roberts, Diwygiwr, ar y wal gefn.

'Be haru chi, ddyn, yr unig liain o werth sy gen i,' a'i blycio'n flin oddi ar y wal, a gadael i'r mul gicio Evan Roberts yn ei ben. 'Nhad yn tynnu ar ei getyn yn hamddenol wrth droi olwyn y peiriant.

'Does gennoch chi barch i ddim byd, ddyn.'

A'r clown i bob golwg yn pigo trwyn Evan Roberts.

'Hwyl diniwed ddigon, i'r hogyn 'ma.'

Y gegin yn nofio yn arogleuon y lamp meths ym mol y peiriant a baco 'Nhad. Blas y frechdan dripin yn codi dŵr i 'nannedd i. Yn Kassassin. Dagrau yn blorod poenus ar fy mochau.

Y lluniau yn lleddfu mymryn ar fy nhristwch, yn teneuo rhywfaint ar yr hiraeth, fel rhoi dŵr am ben llefrith. Fel y byddai Mam yn gneud weithiau, adeg crempog.

Fy unigrwydd yn crefu am unigedd. Chwarae teg i'r hogiau. Pawb yn deall ac yn cydymdeimlo drwy fynd â'm siaced i'r *dhobi wallah*, cymryd fy lle ar y parêd, llenwi'r tuniau Craven A (sgidiau ar goesau'r gwely) hefo paraffîn, i rwystro'r bỳgs rhag dringo o'r tywod i'r fatres wellt. Iaith tristwch a hiraeth yn ddieithr iddynt.

*Mehefin* 7

Cael caniatâd y C.O. i ddreifio'r *jeep* allan i'r Jebel. Ysfa i droi 'nghefn ar fwrlwm y gorffwyso, a chwilio am gwmni yn nhawelwch môr o dywod. Llonyddwch glan bedd. Cyfle i roi trefn ar y llanast yn fy meddwl. Ail-fyw yn fy meddwl yr hyn a ddywedwyd ym mhabell Capten Hughes, ddeuddydd yn ôl.

''Steddwch, sarjiant.' Rhaid bod rhywbeth o'i le. Sefyll ydi'r drefn.

'Diolch, syr.' Fy mhwysau yn gwthio'r gadair i'r tywod.

Fel eistedd ar stôl odro. Fflachiodd y darlun trwy fy meddwl. Ceisio osgoi beth bynnag oedd i ddod.

Ailosod y gadair ar ddarn o bren. Roedd y capten yn gohirio dweud hefyd.

'Newydd drwg, ma gen i ofn, eich mam wedi marw.'

Rydw i'n sylweddoli erbyn hyn mai'r peth callaf oedd dweud yn blwmp ac yn blaen.

Ailystyriodd gynnwys y neges radio yn ei law chwith wrth danio sigarét gyda'i law dde. Cynigiodd un i mi, a thaniwyd hi rhyngom er mwyn ymestyn y distawrwydd. Llowciais y mwg yn araf, araf. Magu plwc i ddechrau holi.

'Mae 'nghydymdeimlad i gyda chi, sarjiant.'

'Diolch.' A rhyfeddu fod fy llais mor bell i ffwrdd.

'Ymlaciwch am funud.'

Sioc wedi clymu fy nhafod a merwino fy meddwl. Ymdrechu i siglo bysedd fy nhraed i ddarbwyllo fy hun nad oedd parlys.

Modryb y fawd—Bys yr uwd
Pen y gogor—Dic y pibwr
a Joni Wyn bach . . .

Camgymeriad yn rhywle. Rhyw Mrs. Pugh arall. Llais Mam fel cloch.

'Ychydig o fanylion sy gen i, sarjiant.'

'Y cyfeiriad—rhyw Mrs. Pugh o rywle arall—*communications* yn ddrwg . . .'

'Mae'r peth yn ffaith. Gwell i chi 'i dderbyn o. Canlyniadau rhyfel yn—'

'Rhyfel?—prin bod Mam yn derbyn bod 'na ryfel—byw yng nghanol—'

'Dyna sy'n greulon, sarjiant. Yn Canterbury y bu farw eich mam.'

'Canterbury—fuo hi 'rioed yno . . .' Ac yna, daeth rhan o'i llythyr olaf yn ôl i'm cof. Merch Anti Lisi, Anwen, yn nyrs yn Canterbury, a Mam a 'Nhad wedi cael eu gwadd i'w phriodas, wrth gwrs ddaw dy dad ddim, a phrin y galla inne fforddio mynd yr holl ffordd, ond er mwyn fy chwaer rydw i am wneud ymdrech—ei llais yn llenwi'r babell.

'Fe fomiwyd Canterbury un noson ddiwedd Mai. Ymdrech Goering, mae'n debyg, i danseilio hyder pobol Prydain drwy ddinistrio yr eglwys gadeiriol . . . Fe chwalwyd y tŷ lle roedd eich mam yn aros—yr addfwyn rai, yntê, sarjiant? Er nad oeddwn yn adnabod eich mam . . .'

'A ddinistriwyd yr eglwys gadeiriol?'

Prin y gallwn gredu fy nghlustiau imi ofyn cwestiwn mor amherthnasol. Nid wy'n cofio ei ateb. Dim ond cofio cael fy hun ar bwys cut y *dhobi wallah* yn beichio crio. Ddeuddydd yn ôl.

Neidiais allan o'r *jeep* a chrwydrais yn lluddedig drwy sgerbydau bregus o ddrain. Yn hurt, syllais i ben draw'r byd, tu hwnt i'r gwacter sy'n awgrymu llinell derfyn anweledig yr anialwch. Eisteddais ar gripell o garreg wedi ei llyfnhau'n sidanaidd gan dywod y canrifoedd. Erfyniai fy hunandosturi am ddagrau. Chwilotais yn fy waled, a thynnais allan ddau snap —Mam a Dilys. Rhwygais yr un o Dilys a gwyliais y darnau yn nofio draw ar donnau'r tywod. A oeddwn yn ceisio carthu'r atgof am fy noson olaf gyda Dilys wrth Ffynnon Alis? Yr oedd euogrwydd yn ceisio gwthio'r galar dros yr erchwyn. Dwdlan gyda deilen gactws yn y tywod, wrth syllu ar lun Mam.

Hwnnw a dynnwyd wrth y *What the Butler Saw* ar y Marine Lake yn Rhyl. Camera bocs Nans Llwyn Celyn, mae'n debyg. Ffrog plod a het wellt. Direidi yn ei llygaid a cheiniog yn ei llaw. Be welodd y bwtler, tybed? Ond mae'r cyfle i rannu'r gyfrinach wedi mynd am byth. Rhedais fy mysedd dros anwyldeb ei hwyneb cyn rhoi'r llun yn ôl yn y waled.

O gornel fy llygad, gwelais jerboa yn gwibio ar draws y tywod, ei ffwr llwydwyn yn ymdoddi i liw bisgeden y tywod. Arhosodd cyn codi ar ei draed ôl i syllu'n ofnus arnaf. Aeth ati i dyrchu'n gyflym. Torri bedd. Ei draed blaen yn cripian y tywod. Mae Mam wedi ei chladdu, bellach. Awel ysgafn yn cario'r gronynnau o dywod. Ym mhen draw'r fynwent, mae'n siŵr, yn ymyl ei theulu, gobeithio. 'Sgaru tywod gyda'i draed ôl. Gobeithio i'r haf sych ddal, haws canu wrth y bedd yn yr heulwen. Saib byr i grafu ei drwyn. Blodau'r gerddi i ddangos parch. Ei ben wedi diflannu i'r rhych. Cymdogion yn cario'r arch heibio'r ywen at y bedd. Ffroeni'r awyr yn amheus. Torrwr beddau â'i bwys ar y rhaw, ei gap stabal ar garreg fedd gyfagos. Olion profiad yn rhychau ei wyneb-diwrnod-claddu. Tomen o dywod o'i ôl. 'Bydd myrdd o ryfeddodau', dyna fyddai ei dymuniad hi. 'Nhad yn chwarae gyda chantel ei het, ei dristwch yn grwn a llonydd. Dim ond ei gynffon hir yn y golwg. Linor yn llaw Anti Lisi ac yn sychu ei llygaid gyda'i menig. Y plât yn sgleinio yn yr haul. Laura Pugh, 1884-1942. Un cip sydyn cyn diflannu i'r twll. Breichiau cryfion yn rhedeg y rheffyn drwy eu dwylo. Dyrnaid o bridd yn pylu sglein y plât. Rhidyllu dyrnaid o dywod drwy fy mysedd. Cri ddolefus ibis yn fy nwyn at fy nghoed. Neidio i'r *jeep* a throi am y gwersyll.

*Mehefin 8*

Ailafael mewn pethau. Gorchymyn i bacio. Byddwn yn dychwelyd i *Base Camp*, Tel el Kebir, mewn diwrnod neu ddau. Rhywbeth i guddio'r hiraeth. Sgawt arall i berfeddion y Jebel yn y fei. Gwres llethol yn llosgi croen a gwasgu peintiau o chwys o gyrff aflonydd. Fy siaced khaki wedi ei mwydo mewn chwys, yn drewi o biso ceffyl. Dyna'r gwahaniaeth rhwng haf anialwch a haf y fynwent.

*Mehefin 9*

Tydi'r tywydd ddim yn destun sgwrs i'r Arab. Ychydig o wahaniaeth sy rhwng haul heddiw a haul ddoe a hobi ofer ydi cyfri'r cymylau. A chan nad oes gan y Senussi cyfrwys na'r Touareg haerllug na'r Fellahin sebonllyd ddim ond un neu ddwy o *galabyehs* gwynion neu bygddu, ddydd gŵyl a gwaith, prin bod dillad yn destun sgwrs, chwaith. Ac am wisg laes, ddu, y merched a'r yashmak sy'n cuddio eu hwynebau nid oes dim arall i'w ddweud! Ond i mi, ymddangosent fel galarwisg. Cynhesais at y merched fel y cerddent yn osgeiddig dawel o'r ffynnon i'w tai sgwâr o frics mwd. Cofio am Mam yr oeddynt. Eu llygaid yn cydymdeimlo drwy fwgwd yr yashmak. Yr ydw i yn barod i lynu wrth rywbeth wnaiff rannu'r gwacter gyda mi. Rywsut nid yw dwy fil o filltiroedd yn wacter, dim ond pellter, a dim ond llythyr oddi cartref wnaiff bontio hwnnw. Dal i ddisgwyl.

Ond mae'n meddiannau ni a'n bwyd a'n dillad a'n gynnau yn destun sgwrs feunyddiol i'r Arab. A sut i'w dwyn. *Clifti wallah* ydi pob un y ffordd hyn.

*'Saeeda, effendi.'* Hwn yn ddiarth i mi. Craith hir ar draws ei dalcen. Cic camel hwyrach, creadur milain a surbwch ydi o.

'Ble rwyt ti'n mynd?'

*'Haelak.'* Siop barbwr! I dorri pennau'r llau, hwyrach.

'Tyn y llall!' Ymledodd ei ddwylo budron o'm blaen.

*'Innaho yom gemil.'*

'Nobby, tyrd yma! Ma hwn i fyny i ryw driciau—newydd ddeud wrtha i ei bod hi'n ddiwrnod bendigedig.'

'*Yallah*!' Ei daflu yn erbyn wal y *cookhouse*.

'Gad i ni archwilio'r cythrel!'

Ei orfodi i dynnu ei *galabyeh* lac. Hawdd cuddio pethau yn y llacrwydd. Ym mhocedi cudd ei *galabyeh* cawsom arian, dillad, cyllyll, tuniau o *bully*, papur sgwennu(!), sebon, ac yn hongian oddi wrth ei wregys mewn cwdyn yr oedd darn o gig.

Ffrwydrais. Ymosodais arno yn ffyrnig, ciciais ef, rhegais, dau ddwrn i'w drwyn, ei ben a'i gorff, ei orfodi i'w gwman ac eistedd ar ei gefn cyn tynnu ei ben yn ôl gerfydd ei wallt. Ei ddal nes yr oedd ar fygu. Un gic barlysol i'w gerrig. Ni chododd ei ffrindiau fys i'w helpu. Cerddais oddi wrthynt a Nobby wrth fy sodlau.

'Be ddaeth drosta i, Nobby?'

'Roedd yn rhaid i ti dorri rywbryd. Ofer llethu teimladau.'

'Does dim esgus dros y peth—gêm ydi hi iddo fo—anlwcus i gael ei ddal.'

'Un ffordd o fynegi dy hiraeth, Taff.'

'Nage, fy llid, fy nicter. Un peth ydi cael dy ladd yn y ffrynt, peth arall ydi cael dy ladd ar dy ffordd i briodas mewn dinas dawel gannoedd o filltiroedd o'r ffrynt. Mam druan.'

'Lerpwl, Birmingham, Llundain, Glasgow—mae'r trefi mawr i gyd yn diodde, Taff, a llawer yn cael eu lladd.'

'Iawn. Ond pan mae o'n digwydd i dy fam di—mae'r creulondeb yn waeth. Fuo hi 'rioed bellach na Rhyl, w'sti—trip Ysgol Sul. Un noson yn Canterbury, y lle mwya cysegredig yn y wlad—priodas—teulu—bang—phut!'

Yr oedd siarad am y digwyddiad yn miniogi fy nicter.

'Mi dala i'r pwyth yn ôl, Nobby.'

'Rhaid i ti gymryd gofal, Taff. Wnaiff hi mo'r tro i'r sarj golli ei ben.'

'Gwranda, Corp—ffwrdd â ni mewn diwrnod neu ddau—*Jerry, here we come—!* Bob tro, ryden ni wedi llwyddo i ddod â charcharor neu ddau yn ôl—ond nid y tro yma, corp—*not bloody likely*.'

Teimlais y gwallt ar fy ngwar yn codi. Yr oedd fy nghynddaredd yn crensio drwy fy nannedd. Yr oeddwn hefyd yn ddieithr i mi fy hun. Cerddodd Nobby a minnau ochr yn ochr draw am yr Y.M. Llwyddodd distawrwydd Nobby i'm tawelu.

'Rydw i fel Jekyll a Hyde. Hogyn diniweitia'r pentre oeddwn i—ofn drwy 'nhîn edrych yn gam ar neb. Jôc hogiau'r ysgol. Caledu dipyn yn y coleg. A meddylia, folyntîrio—cynnig fy hun—i'r mob yma! LRDG—y criw mwya mentrus, dihidio yn y Dwyrain Canol. Rydw i'n farus am ladd un—*un*—Jerry—mewn gwaed oer. Do, rydw i wedi saethu rhai cyn heddiw—y fo ne fi oedd hi—y tro nesa—y fo fydd yn talu'r pwyth dros Mam.'

Cylch o'r hogiau yn tynnu'n sylw, gweiddi a herio a bwrlwm. Mynd i edrych. Dau sgorpion yn llygadu ei gilydd wrth neidio'n sydyn o ochr i ochr. Dwy gynffon yn gwau dros eu pennau yn aros cyfle i frathu a gwenwyno'r llall. Dau ddawnsiwr bale. Hergwd sydyn a chwipio'r gynffon at y man gwan ym mhen y llall. Osgoi drwy wasgu ei hun i'r tywod. Roedd y frwydr yn rhy araf i'r hogiau, y cwrw yn galw am waed. Gwnaed cylch o betrol a rhoi matsen ynddo. Y fflamau yn gwasgu'r ddau gochddu yn nes at ei gilydd. Cam ymlaen, pigiad; cam yn ôl, llosgi. Cynhyrfwyd y sgorpionau a'r gwylwyr. Fel mellten, gwthiodd un ei gynffon dros ei ben a thrywanu'r llall â'i golyn. Ei wylio yn gwegian fel dafad â'r bendro, cyn iddo syrthio. Camodd y buddugwr ar ysgafndroed yn ôl, a daliwyd ei dîn yn y fflamau. Llosgwyd ef yn golsyn. Hwrê fawr! Y diawliaid gwirion, yn poenydio'r diniwed heb reswm. Cerddais oddi wrthynt.

Y mae gen i reswm da dros ladd.

*Mehefin 10*

Cur cythreulig yn fy mhen drwy'r dydd. Y straen yn annioddefol. Fy nheimladau yn gowdel o hiraeth, dicter, unigedd, anwyldeb cynnes a dial oer. Ceisio tawelu a disgyblu fy hun drwy chwarae gêm o wyddbwyll gyda Sog Smith. Colli mewn tri munud. *Fool's mate*! Rhoi'r ffidil yn y to.

*Mehefin 11*

Diolch byth. Yn ôl i *Base Camp* heddiw. Wrth i mi bacio mae'r adrenalin yn llifo. Does gen i ddim cywilydd am hynny. Rhyfel ydi rhyfel. Gwthio popeth i'r *kitbag*, yn dynn a thaclus. Teimlad o ryddid wrth orfod disgyblu fy hun. Rhoi paced o Victory V—*army issue*—i Abdul.

'*Shokran, shokran—good smokey,*' wrth ymgrymu yn wasaidd.

'Mae'n dibynnu wyt ti'n cael blas ar smocio cachu camel, Abdul.'

'*Maeel salaemae, shaweesh,*' gan bwmpio fy mraich yn orfrwdfrydig.

'Hwyl, Abdul! Na, weli di byth mohona i eto—diolch i'r drefn.'

Lluchiais y *kitbag* dros fy ysgwydd.

'Sergeant Pugh!' Llais awdurdodol y clerc o'r swyddfa. Dim ond *lance-jacks* fedr weiddi gyda'r fath awdurdod ffug.

Chwifiai rywbeth yn ei law, pan drois i edrych.

'Llythyr.'

Gollyngais y cwdyn i'r tywod, a brysio i dderbyn y llythyr. Fe wyddai'r clerc, ac fe wyddwn innau, mai cadarnhad o farwolaeth Mam fyddai'r cynnwys. Bûm yn ymwybodol ers dyddiau y byddai darllen drosof fy hun lythyr fy nhad—neu Linor—yn lleddfu'r ing mewn ffordd na allwn ei dirnad. Ie, sgrifen glytiog fy nhad.

'Syr?'—pan gefais afael ar Lt. Forbes yn ysblander ei Sam Browne, wrthi'n goruchwylio'r gwaith o lwytho'r *three tonner* gyda'n paciau—'Syr, fedrwn ni fforddio (mor naturiol y llithrodd y gair allan)—pum munud? Llythyr oddi cartref o'r diwedd, fe hoffwn ei ddarllen mewn rhyw gornel ddistaw cyn cychwyn.'

Cawr o ddyn yw Forbes, yn ein gwthio i'r eithaf wrth hela'r Jerries, ond mor gynhesol â hen gi pan fo'r galw. Gwyddai beth oedd fy rheswm.

'Deng munud, sarj—fe deimlwch yn well ar ôl i chi ddarllen y llythyr.'

Fedrwn i ddim rhwystro'r cryndod pan eisteddais yng nghysgod y balmwydden wrth y capel o frics mwd. Fedrwn i ddim mynd i mewn. Cetyn oedd arf fy nhad ac nid *fountain pen*. Ei ysgrifen mor wasgarog â mwg ei getyn. Roedd hi rhwng dau feddwl, w'sti, be i neud—Canterbury yn bell, er bod ganddi awydd mawr gweld yr eglwys gadeiriol a chael janglo dipyn â'i chwaer am yr hen ddyddie. Fe wyddost am dy fam, poeni am y gôst, mi brynodd ffrog werdd a choler wen i roi o dan ei chôt ddydd Sul—lwcus iddi gael ychydig o gowpons dillad gan Sal. Het felôr o'r hen fasged. Ffwrdd â hi ar y trên hanner dydd, smart o'dd hi'n edrych, hefyd. Cofiwch roi pricie i sychu yn y popty o'dd 'i geirie ola hi wrth i'r giard chwistlo. Linor yn gefn mawr i mi. Fydd pethe ddim 'run fath, w'sti, wna i newid dim byd, chwaith, cofia, nes doi di adre. Angladd neis iawn, ardal i gyd yno a chanu gydag arddeliad. Ro'dd ganddi ryw siwrin bach, mi glirith hynny'r coste. Yn ôl y weiarles ma pethe wedi newid dipyn yn yr armi. Cymer ofal, dy dad. Pwt oddi wrth Linor ar waelod y llythyr. Roedd gen i gymaint o hiraeth amdanat ti bron ag a oedd gen i am Mam wrth i ni sefyll yn y fynwent. Ceiliog ffesant yn clochdar yn y ffridd fel tase fo'n deud ta-ta. Yr adeg waetha oedd gweld Mam yn cyrraedd y capel noson gynt. Cwrlid gwyn fel 'i lliain bwrdd gorau hi dros yr arch. Mi aeth drwydda i fel cyllell. I fod yr *holiday* cynta iddi. Drefnwn ni garreg fedd pan ddoi di adref. Cofion annwyl, Linor xxx P.S. Rydw i'n mwynhau gweithio yn Jones Draper ond wneith o ddim talu am ddiwrnod claddu Mam, ma 'ngwallt i dros fy 'sgwydde rŵan. Points hefo Elfed bob wsnos, mynd am dro heibio Ffynnon Alis y byddwn ni. xxx

Plygais y llythyr yn araf cyn ei roi yn fy mhoced. Goddiweddwyd fi gan bwl o hiraeth affwysol Dafydd am bydew Bethlehem, yr hwn sydd ar y ffridd. Treiddiodd iasau o ddŵr oer drwy'r chwys a lynai fel amdo am fy nghorff a chodi croen gŵydd. Llusgais y *kitbag* ac ymunais â'r bois. 'Diolch, syr,' gyda saliwt y byddai 'Nhad yn falch ohoni.

Prysuro tua Tel el Kebir ar hyd glannau'r canal, y drewdod yn ein dilyn fel y ddannodd, a chlystyrau o dai sgwâr to fflat yn chwydu plantos awyddus i werthu orennau a wyau a grawnwin. Un gobeithiol yn cynnig *'My seester five ackers!'* fel y fflachiem heibio. Fe fedd yr Arab y ddawn arbennig o ymddangos ei fod ar y ffordd o unlle i unlle. Ei gorff fel cyllell yn hollti'r gwres wrth lusgo'n lluddedig i gysgod croesawgar olewydden neu balmwydden. Ei freuddwyd yn gwneud siesta o'i fywyd a lolian yn ei babell o groen gafr wrth dynnu mwg drwy'r dŵr yn ei narghile. Anaml y bydd Allah yn gwireddu ei ffantasi. Ni allem ond pitïo'r merched, yn eu dyblau o dan bwysau bwndel enfawr o goed tân, eu llygaid blinedig yn rhythu drwy'r hollt yn yr yashmak, a'u gwisgoedd llaes, duon yn chwyrlïo'n bifis. Mintai o hogiau swnllyd yn bugeilio defaid a chamelod a byffalo dŵr ac yn cael mwy o faeth o'r melon nag a gaffai'r anifeiliaid o'r borfa lwyd, ddiflas. Llond sêt fawr o hynafgwyr yn eu *fez* cochion a'u *galabyeh* gwynion yn gorymdeithio'n drwm a phwysig—gorsedd beirdd yr Aifft hwyrach ar eu ffordd i ryw Faen Llog yng nghyffiniau'r pyramidiau. Hwyrach mai'r Sffincs yw'r Archdderwydd. Dianc i fyd ffantasi. Taflu ambell i far o siocled a gwylio'r plant yn cythru'n farus. Gwylio a gwrando'n ddioglyd. Hen brofiad. Y tawelwch cyn y storm.

*Mehefin 12*

Treulio'r diwrnod yn astudio mapiau, gwrando ar I.O. yn dadlennu'r wybodaeth gudd ddiweddaraf, dadlau a chynllunio, a beiddgarwch yn magu mentr amhosibl. Hwyrach, i uned fawr, amlwg, swnllyd. Ein cyfrinach oedd ein bychander. Bygylu'r gelyn gyda'n cyflymdra annisgwyl. Arfau yn bwysicach na bwyd. Cyfrwystra o flaen rheswm.

Rhannu'r uned yn dair rhan.

'Pugh, cymerwch chi Nobby, Fred, Shiner a Mohammed.'

'I'r dim, syr.' Da fyddai cael Nobby gyda mi. Wrth gwrs, o hyn ymlaen nid oedd i iwnifform na streips unrhyw bwysigrwydd. Gwisgem beth a fynnem ac ar wahân i'r ffaith mai fi oedd yn gofalu am y grŵp, yr oeddym yn gyfartal. Yr oedd Nobby yn dawel ac amyneddgar, eto'n gyfrwys a chynnil ei symudiadau. Gwisgai *bush hat*, a phan fyddai'n gosod ffrwydron, fe dynnai ei het yn isel dros ei dalcen rhag i ddim dynnu ei sylw. Stwcyn byr oedd, a gwisgai drywsus byr a hongiai yn ddoniol dros ei bennau gliniau. Byddai Nobby yn gweddïo'n dawel cyn i ni ymosod.

'Be am y manylion, Taff?' Mynnai Nobby drefnu'n ofalus.

'Fory, Nobby. Heb benderfynu yn union ble i fynd.' Gosodiad cwbl ddiwerth, a thua mil o filltiroedd sgwâr o'n blaenau.

*'Transport?'* Roedd yn gyndyn i roi'r gorau iddi.

'Dau *jeep*, mae'n debyg, ar y sgawt yma. Mi gawn gamelod o gwmpas Kharga, a'i throedio hi wedyn, Nobby.'

Nid oeddwn yn sicr. Lt. Forbes oedd y prif gynlluniwr.

'Blydi camelod drewllyd eto, Taff, ma iste ar y crwbach fel iste ar erchwyn berfa yn cael ei gwthio gan ddyn meddw.'

Chwarddais, a theimlais yn well. Diflastod y gorffwys wedi mynd.

'Heblaw hynny,' aeth Nobby ymlaen, 'maen nhw'n gyndyn o godi, maen nhw'n grwmblan dan eu gwynt drwy'r dydd ac mae yna olwg mor ffiaidd yn llyg'id y diawliaid bob amser—'

'Wel, fe wyddost gred y Muslim.'

'Na wn i.'

*'Allah the Good*—un enw arno, ond fe gred y Muslim fod gan Allah gant o enwau. Mae naw deg naw ohonyn nhw yn y Koran —a wyddost ti pwy ŵyr y canfed?'

'Y camel. Dyna pam ei fod o'n edrych mor ffroenuchel. Duw, rwyt ti'n glyfar, Taff.'

Yr oeddwn innau ar bigau'r drain, hefyd. Nid yn unig yr oedd yr ysfa am gynnwrf yn cronni yn fy mol, ond yr oedd y cyfle i ddial yn fy sbarduno i gwblhau'r trefniadau.

Dyma fi'n ôl yn y babell. Rydw i am ymguddio o dan y rhwyd mosgitos a mwydo fy hun yn llythyr 'Nhad a'm hatgofion.

*Mehefin 13*
Dydd Gwener. Anlwcus? Nage, gobeithio!

Treuliais beth amser yn y bore bach yn didoli cynnwys fy *kit-bag*. Mae'n hanfodol trafaelio'n ysgafn, a derbyn y byddwn yn dychwelyd fel drewgwn ac yn lleuog! *Kitehawks* yn hofran uwchben, eu sgrechian gwancus yn codi fy ngwrychyn. Cyn heddiw, gwyliais hwy yn bwydo'n ysglyfaethus ar berfedd corff un o'r Jerries a oedd wedi rhostio i ddrewdod yn y gwres. Mwynhau elwa ar golledion y ddwy fyddin y bydd hwn. Dydi lliw iwnifform ddim yn dramgwydd i'w grafangau. Syllais arno'n hofran yn ddioglyd ar yr awel. Gwylio ei gyfle y mae o! Bydd ei gymheiriaid yn aros amdanom o gwmpas ogofâu El Qubba.

'Ie, Fred, El Qubba fydd hi—yn ôl Abdul Yashmar mae yna amryw o domennydd o betrol wedi eu cuddio o gwmpas. Mae Abdul yn reit siŵr o'i ffeithiau fel arfer.'

'Gwych—Eities ynteu Jerries sy yno?'

'Yn ôl Abdul, tuag ugain o Eities. Llawer rhy flêr i fod yn Jerries, medde fo.'

'Gwell fyth! Un ergyd a mi fydd yr Eities a'u dwylo yn yr awyr fel adenydd brain!'

Ni ddywedais ddim. Yr oedd gen i fy rhesymau fy hun dros ddod ar warthaf cwmni o Jerries.

Llwytho'r *jeeps* gyda phetrol, ffrwydron, dŵr, a mwy o ddŵr, bwyd, *grenades*, milltiroedd o *gables* yn ôl pob golwg, ammo, a *first aid*. Anaml y byddai angen yr olaf—rhy hwyr.

Ac yn olaf, siwgr a the. Nwyddau a oedd yn fwy o werth i'r nomad nag arian, wrth dalu am wybodaeth.

Cadw i'r ffordd am rai oriau wrth yrru'n wyllt i'r gorllewin. Cytuno i wneud heb siesta er mwyn i ni gael cyfle i ymgladdu yn unigedd creigiog y rhandir tu hwnt i'r *shotts*, y corsydd hallt. Hogyn main, gwyllt oedd Fred, un o'n gyrwyr. Yr oedd yn gwbl ddi-ofn, a byddai ei ffroenau yn ymledu fel ffroenau ceffyl os oedd perygl yn agos. Anelai yn union am rywun fyddai'n cerdded ar hyd y ffordd, a'i fys ar y corn, a gadawem golofnau o gerddwyr ar wastad eu cefnau yn y tywod yn rhegi a chodi dwrn.

Hwyrach i waedd Fred—*'Maleesh! Maleesh!'* (Be 'di'r ots?)—eu cyrraedd drwy'r llwch a adawem o'n hôl. Nid oeddwn yn poeni. Dyna ffordd Fred o gael gwared o'i ynni—wrth osod ffrwydron yn nhywyllwch y trofannau yr oedd pob symudiad yn gynnil a chyfrwys.

Troesom mor sydyn oddi ar y tyrpeg nes cael ein taflu'n boenus yn erbyn ffrâm y *jeep*.

'Ara' deg, Fred! Dydi'r Jerries ddim ar ein sodlau a—'

'Rydym ni ar wartha'r Jerry, Taff,' wrth roi ei droed yn galed ar y sbardun.

*'Maleesh!'* A chaeais fy llygaid.

Am rai milltiroedd, yr oedd y siwrnai yn gymharol esmwyth ar wahân i'r gwres a wasgai arnom gyda mileindra didostur. Amser i feddwl a breuddwydio am nofio yn Llyn Llyffant, torheulo yng ngwres derbyniol cae gwair, llyncu cwpaned o laeth enwyn neu ddiod ddail. Denu poeryn o'm llwnc i olchi 'ngheg a gwlychu 'nhafod. Rhaid dogni'r dŵr yn y botel. Rhwng cwsg ac effro, pan waeddodd Fred. Breciodd yn ffyrnig, a chododd pob un ei Lee Enfield.

'Taff, fan draw!'

Rhythais yn amheus ar gysgodion annelwig yn y pellter. Nid oedd colofn o lwch i'w gweld. Rhywbeth llonydd oedd.

'Aros. Pawb allan!' a neidiodd y pump ohonom allan ac ar un ben-glin, gwn wrth ysgwydd, er ein bod bellter oddi wrth unrhyw berygl.

Gwylio. Aros. Ofn pesychu. Sŵn yn cario ymhell yn yr anial. Os oeddym ni yn gweld cysgod, yr oedd rhywun yn ein gwylio ninnau.

Codi'r binocs er mwyn chwyddo'r cysgod.

Dim symud. Dim golwg am gerbyd. Ffocysio yn fwy manwl, a'r chwyddiant yn datgelu mai pabell ydoedd. Ond pwy?

'Fred, dreifia'n gyflym i'w cyfeiriad am tua milltir. Cawn weld beth ddigwyddith.'

Gan ein bod ar gyrion y sgri, symudem yn gyflymach nag ar dywod, ond yr oedd yn fwy clonciog. Aros eilwaith a neidio i ddiogelwch y cerrig pigog. Pabell o groen golau. Senussi, hwyrach. Pebyll y Touareg fel arfer yn dywyllach. Berber? Amheus. Yr ochr draw i'r babell, gorweddai tri chamel llwythog. Marchnatwyr, hwyrach, ar eu ffordd i Khufra.

'Cymer olwg, Mohammed,' a phasio'r binocs iddo. Gwên lydan. Yr oedd wrth ei fodd yn chwarae gyda'r gwydrau.

'Senussi—neu dric.'

Mewn eiliad, yr oeddym yn barod am ymosodiad.

Eidalwyr neu Almaenwyr yn gobeithio ein denu i'r trap. Tri chamel—chwech o ddynion, os nad oeddynt wedi dod â llwyth mewn *jeep*. Pawb ar binnau, ond y ddisgyblaeth yn bendant.

Penderfynu rhuthro'r babell, tanio dros ben y cwbl a thaflu *grenade* i'w dychryn. Sbardun yn galed ar y *jeep*, bysedd ar y triger, bol fel lastig, gwyro i gefn y babell, lluchio *grenade* dros y to, gewynnau yn dynn, meddyliau'n glaear—

'Un rownd!' wrth gythru i flaen y babell.

Heb unrhyw arwydd o ffwdan, eisteddai pedwar yn yfed te. Codasant. Cwrteisi diarhebol y nomad. Nomad! Ynteu Eidalwyr mewn *galabyeh*?

Pum gwn yn eu boliau. Dim symudiad. Teimlo'n ffŵl.

'Senussi go iawn.' Roedd gair Mohammed yn ddigon.

*'Saeeda, afwaan,'* gan estyn fy llaw i ddangos fod popeth yn dda.

Yn urddasol o dawel, estynnwyd dwylo o blygion y *galabyeh*, ysgwyd llaw ac arwyddo i ni eistedd ar groen camel ar lawr.

Gorchymyn i Shiner i aros yn y *jeep*—rhag ofn.

*'Leymun shey?'* yn ddifrifol.

Wrth gwrs yr oeddym yn fwy na pharod i yfed te lemon—ar wahân i'r ffaith y byddai'n bechod anfaddeuol pe gwrthodem.

Ar stôf fechan yr oedd tebot bychan yn berwi'n braf, ac iddo taflwyd dyrnaid o ddail te a gadawyd iddo ferwi drosodd. Yn seremonïol, tywalltwyd te i res o wydrau bychain, fel gwydrau cymun y capel, ac er syndod i ni fe'i tywalltwyd yn ôl i'r tebot a'i roi'n ôl i ferwi. Ddwywaith y gwnaed hyn a minnau'n gwylio gyda pharch capelyddol—o weld y gwydrau. Am y trydydd tro, wedi profi'r te yn swnllyd a chlepian ei wefusau, cyflwynwyd gwydryn i bob un ohonom a chyda phwyll hynafol, llanwyd y gwydrau â'r ewyn brown. Llanwyd eu rhai hwy yn olaf. Fel yr yfem mewn distawrwydd traddodiadol, taflwyd dyrnaid o siwgr i'r tebot ac wedi iddo drwytho, ail-lanwyd ein gwydrau. O barch i'n gwesteion, rhaid oedd sipian y te yn araf drwy sugno yn swnllyd rhwng ein dannedd. Yn union fel y byddai Wil Cae Effraim yn llymeitian ei de o'i soser. Roeddwn yn ei chael yn anos bob munud i beidio chwerthin, ond sarhad o'r mwyaf a fyddai i ni wneud. I wneud pethau'n waeth, yr oedd arogleuon y camelod fel cut mochyn heb ei garthu. Y trydydd tro, taflwyd sbrigyn o fintys i'r tebot, gyda mwy o ddŵr a siwgr. Wedi i ni yfed am y trydydd tro daeth y ddefod i ben a gwnaethom ein hunain yn gysurus ar ein ffolennau.

I dalu'r croeso'n ôl cynigiais sigarét i bob un. Fe'u cymerasant heb wneud unrhyw ymdrech i'w rhoi yn eu cegau, dim ond eu troi yn annifyr rhwng eu bysedd. Mohammed a esboniodd i mi.

'*Shaweesh.*' Yn awyrgylch ffurfiol y babell ysgafn, teimlai Mohammed reidrwydd i'm cyfarch yn swyddogol. 'O lwyth y Barasi y maent—Senussi cywir. Nid yw'n arfer ganddynt smocio, ond ni fynnant fod yn anghwrtais yn eich cwmni.' Yr un mor gwrtais, cymerais y sigaréts yn ôl. Ar unwaith, fel cydnabyddiaeth o'm cwrteisi, cynigiwyd cnau i ni.

'*Bondo, goz, fosto, effendi?*' Yr oedd dewis. Ac i brofi'n bod yn mwynhau'r cnau, aethom ati am y gorau i fytheirio'n uchel. O'r diwedd, ymlaciodd pawb ac aed ati i hel gwybodaeth. Gallwn yn hawdd fod wedi anghofio popeth am y rhyfel yn nhawelwch llesmeiriol yr anialwch. A chofiais am fy nghenhadaeth. Yr oeddynt yn casáu'r Eidalwyr—moch budron—ond yn edmygu disgyblaeth yr Almaenwyr. Heb fap, yr oedd gwacter yr anialwch yn codi dychryn arna i, ond yr oedd y Barasi yn gwbl gartrefol wrth sôn am un llwyn drain, daith hanner diwrnod i ffwrdd, un ffynnon a gyrhaeddid cyn y bore, un balmwydden rhwng dwy siesta, un glogfaen ym mherfeddion y Jebel ar gyrion tir y Dursa, llwyth ymladdgar. Rhyngom, cawsom fanylion gwerthfawr am leoliad gwersylloedd bychain, tomennydd o betrol a thunelli o fomiau a bwledi yn cael eu hamddiffyn gan gwmni bychan o Eidalwyr neu Almaenwyr. Yr oedd yn eglur i ni eu bod yn paratoi i amgylchynu yr *Eighth Army* ymhell i'r de o'r llwybrau arferol. Roedd brys! Teimlwn fy hun yn cynhyrfu fel helgi. Ar ôl addo na fyddem yn datgelu gan bwy y cawsom yr wybodaeth (yr oedd yr Eidalwyr a'u llach ar y Barasi) a chyflwyno pecynnau o de a siwgr iddynt, aethom at y *jeep*.

'Dew, dwi bron â marw ishio piso!' Fred yn mynegi angen pob un ohonom. Am na fynnem sarhau unrhyw draddodiad arall, penderfynwyd dioddef yn ddistaw am filltir neu ddwy. Argyfwng dyddiau ysgol a dweud adnod yn llifo i'r cof.

*'Shokran gazilen, maal salame.'* Diolch a ffarwél o'r ddwy ochr.

'Chwilia am gachdy hefyd, Fred. Cnau a minne ddim yn ffrindie,' a'n chwerthin iach yn denu winc o seren gyntaf y gwyll.

Cythru ymlaen i'r de, a dechrau dringo i gopa caregog ucheldir y Jebel Hamir. O'r copa, nid oedd dewis i ni ond disgyn i'r gwastadedd islaw ar draws rhychau dyfnion, creigiog a thrwy haen lithrig o sgri miniog. Sglefriai'r *jeep* mor anwadal â meddwyn ar waethaf ymdrechion a rhegfeydd Fred, cyn iddo lwyddo i'n tywys i lyfnder twyllodrus y gwaelodion. Ar gyrion y *shotts*, anodd oedd gwahaniaethu rhwng llwybr sâff a pheryglon corsog y *shott*. Roedd fel cerdded ar haen aflonydd o berfedd drewllyd.

Nid oedd dim amdani ond gwersylla yn yr awyr agored. Roedd pebyll yn foethusrwydd na weddai i sgawtio caled ar drywydd y Jerry.

'Diolch, Fred a thithe, Shiner.' Ef oedd wrth lyw yr ail *jeep*. Afraid oedd diolch. Anaml y gwnaem hynny oherwydd fe greai deimlad o anesmwythyd ynom. Rhannu'r hwyl a'r peryglon yn ddi-wahân.

*Mehefin 14*
Ystwyrian yng ngwawl lleuad dyner a chael fy nhemtio i holi dipyn arni sut yr oedd pethe yn yr hen ardal. Roedd hi'n adnabod y lle gystal â minnau. Slwmbran drwy chwyrnu cartrefol Nobby, a'r glust arall yn hanner gwrando am arwyddion bod y gelyn hefyd ar sgawt.

'Uffern dân!' ac mewn chwinciad yr oeddym ein pump ar ein boliau, gwn wrth ysgwydd, yn rhythu i darth y bore bach.

'Blydi *sand fleas!'* Rowliodd yn ôl a blaen ar lawr. Neidiodd ar ei draed, diosgodd ei ddillad ac am bum munud, yn gwbl noeth, aeth ati i bigo'r chwain o bob rhan o'i gorff. Rhegai yn ddi-stop wrth ddawnsio'n orffwyll ar y cerrig mân.

*'Miss Bristol* 1942!'

*'Lady Godiva* y Sahara—ble ma'r mul, Shiner?'

Am funud, plant oeddem, yn cuddio'n anesmwyth yn sŵn miri diniwed. Derbyniem y ddeuoliaeth gyda diffyg cyffro'r Bedowin yn ei ffydd yn ewyllys Allah. A fyddo a fydd. Yr oedd Mohammed eisoes yn cynnau tân yng nghysgod craig, a chlindarddach drain yr Hen Destament yn consurio delwedd oesol yr anialwch. A thros y gorwel, rhyw Foses a Jacob ac Eseciel yn rhoi'r byd yn ei le dros wydryn o de lemon, ac yn cadw llygad ar rimyn o lanw tywodlyd rhag ofn i Amos ddod i'r fei. Beth yw oed a chyfnod a thân a brwmstan i dragwyddoldeb digyfnewid y di-ben-draw? Am hanner awr o lymeitian swnllyd a chnoi bisgeden ddiflas *army issue* buom yn saernïo'n cynlluniau. O gofio bod y ddwy uned arall wedi anelu am El Adem a Bardia, gwell fyddai i ni wthio ymhellach i gyfeiriad Jalo, er y golygai hynny groesi rhan o fryniau bradwrus Kalansho. Haws fyddai canfod ogofâu lle caem guddio'r *jeeps* a gorffwys.

'Falle bod y rhyfel drosodd, Taff!' sibrydodd Shiner wrth edrych i lawr baril ei Lee Enfield. Prawf o filwr cydwybodol oedd ei ofal o'i wn, a sbardunwyd ni i ymuno ag ef, a gwneud yn siŵr bod y bollt a'r triger mor llithrig â phiston trên ac yn gwbl glir o ronynnau o dywod.

'Synnwn i ddim, Shiner.'

Â chwmpawd ar fy nglin, ceisiais gyfeirio'r *jeeps* ar draws y gwastadedd i'r oasis fechan lle gobeithiem gael camelod. Araf oedd ein siwrnai, a chreigiau miniog yn bygwth tyllu'r teiars, pyllau annisgwyl o dywod melynfrown fel cwstard yn ein sugno i'w llysnafedd a'r prysgwydd brau yn hel o dan fol y *jeep* ac yn cynnau yng ngwres y beipen boeth.

'Pa ryfel?' Nobby a'i dafod yn ei foch, a'i ben rhwng ei liniau ar y sedd ôl.

Anniben oedd ein sgwrsio. Ein gwamalu yn rhannu'r pellter fel cerrig milltir.

Pendroni dros y cwestiwn. Ugeiniau o ryfeloedd bychain yw rhyfel, dadleuais â mi fy hun. O fewn cwmpawd o gan milltir, gallwn ddychmygu dwsinau o ysgarmesoedd rhwng tanc a thanc, rhwng bidog a bidog, rhwng Stuka a Spitfire, yn ffrwydro llonyddwch y Jebel ac yn difodi teuluoedd diniwed y Berber, y Senussi a'r Barasi. Eu caethiwo am ddyddiau yn sŵn magnelau a ffrwydron, ac am flynyddoedd o dlodi yng nghanol adladd y dinistr, a'r cyfan yn enw 'rhyddid'. Pwy a wyddai, nac a boenai, am y pump ohonom yn stelcian mewn anwybodaeth o dan drwyn y gelyn anweledig? A pha un ohonom a feiddiai ddychmygu mewn munud gwan o hunanoldeb fod ein cynllwyn syml, slei ni yn mynd i gwtogi awr ar y rhyfel? Yn ein myfyrdod preifat, nid oeddym ond glaslanciau yn hiraethu am ddiogelwch cae bach cynefin neu agosatrwydd stryd gefn. Ac yn sgîl ein pryderon, yn barod i fagu digon o blwc i ladd, er mwyn cael dychwelyd i'r stryd gefn a'r cae bach.

'I lawr! Jerries!' Ysgytiwyd fi o'm myfyrdod a disodlwyd yr hunandosturi gan yr awch artiffisial sy'n codi i'r wyneb i herio'n hunanhyder.

'Chwalwch!' ac o fewn eiliadau yr oeddym mewn cylch ar ein boliau, hanner canllath oddi wrth y *jeeps*. Bradychwyd presenoldeb yr awyren gan sglein ei ffenestri. Ar yr olwg gyntaf, ymddangosai fel rhes o sbectols ar drwynau anweledig. Curai fy nghalon fel gordd, er bod y dryswch o liwiau brown a melyn a llwyd a gwyrdd dros y *jeeps* yn peri iddynt ymdoddi i'r tywod a'r sgri, fel y gwyddwn yn dda.

Dal fy ngwynt. Meiddio troi fy wyneb i edrych a gweld hongled o lwydni yn anelu atom yn araf fel crëyr glas.

'Dornier, ar sgawt ar ei ffordd i'r Eidal.' Gwaedd Shiner fel sibrwd yn sŵn yr awyren. Bu'n canu grwndi am gyhyd o amser nes peri i mi feddwl ei bod yn hofran uwchben fel cudyll coch. O leiaf y mae llonyddwch llwyr yn rhoi cyfle i mi ddefnyddio fy nychymyg.

Aros yn ein hunfan am hir rhag ofn iddi rybuddio'r *fighters* ein bod o gwmpas.

*'Shaweesh, ma ael mesafae?'*

Rhaid bod y criw yn dechrau 'laru ar y loetran a'r siwrnai. Mae'r ffaith bod Arab yn gofyn y cwestiwn yn arwydd drwg! Nid oes y fath beth â siwrnai diwrnod Sabath i'r nomad! Dim ond anelu am y gorwel nesaf o hyd.

Y mae gan Mohammed yr wyneb mileiniaf a welais erioed, ei lygaid yn fflachio'n beryglus a thyndra ei wefusau fel min cyllell. Gwelais ef unwaith yn lladd ci drwy ei dagu, ar ôl iddo gyfarth a bradychu ein presenoldeb yng ngwersyll y Panzer Div. Anghofia i byth gynddaredd y ci yn magu mwy o gynddaredd yn wyneb Mohammed. Ond ni allwn ildio i fygythiad o'r fath, ac atebais yn syml:

*'Bidat ayyem.'*

Ychydig o ddyddiau! Rhythodd arnaf yn anghrediniol. Onid oedd yr Eities a'r Jerries dros y gorwel? O blygion ei *galabyeh*, tynnodd *sikkina* hirfain, ei charn wedi ei addurno'n gelfydd â phatrwm dwyreiniol. Sefais yn stond.

'Tydi'r *sikkina* 'ma ddim wedi profi gwaed ers deufis.'

'Pwyll, Mohammed, fe ddaw'r cyfle. Fory neu drennydd, byddaf yn dy anfon ar sgawt dy hun, ac ar sail dy wybodaeth, fe ymosodwn.'

Llithrodd y gyllell yn ôl i'w *galabyeh*, ond nid cyn ei rhedeg fel pluen dros ei fawd a thynnu gwaed.

'Tamaid i aros pryd,' yn wên faleisus o glust i glust. Yr oedd yn gwbl ddi-ofn, heb fod yn frolgi. Y rheini yw'r peryclaf.

Dyma ni wedi cyrraedd yr oasis, ac wedi 'sgafnu ar ôl trochfa yn nŵr hallt y llannerch gysgodol hon. Diwrnod hir. Fe gysgwn fel tyrchod.

'Mohammed—' Ond ni olygai twrch daear ddim iddo! Plygodd yn ôl ei arfer a'i wyneb i gyfeiriad Mecca wedi iddo ymolchi eilwaith.

*Mehefin 15*

'*Shaweesh.*' Yr oedd Mohammed yn gyndyn i'm galw yn Taff (er nad oedd oblygiadau'r enw yn golygu dim iddo), yn ôl ein cytundeb.

Agorais fy llygaid. Safai wrth f'ochr a'i lygaid duon yn adlewyrchu gwawr binc y bore gan greu rhith o angel gwylaidd.

'*Baelah, huh?*' wrth gynnig clwstwr o ddatys i mi mewn hanner coconyt. Cael blas wrth eu cnoi yn araf, llyncu'r sudd a phoeri'r garreg i'r dŵr. Cannoedd, na, miloedd o bryfetach yn hwylio'n brysur ar wyneb y pwll a sisial main y moscitos yn cynhyrfu'r awel. Codais ar fy eistedd. Cysgu yr oedd y lleill yn dawel. Yma, yr oeddym yn gymharol ddiogel. Gwyliais ymyl sofren aur yn sbecian dros orwel a edrychai fel haen ar haen o adenydd pinc fflamingos yn esgyn yn araf i'r awyr. Yr oedd rhyfeddod y funud gyfrin yn gwasgu ar fy ngwynt. Syllais yn wylaidd. Llithrodd y wawr newydd sbon drwy'r tawelwch a hofran uwchben cysgodion creigiau'r sgarp. Am eiliad, rhoddwyd i ysgythredd hagr y graig harddwch nas gwelais ei debyg, cyn i hyder haul y bore ledaenu ei wên drwy wyrddlesni y palmwydd uwch fy mhen.

'Hei, hogiau, ylwch—' Newidiais fy meddwl. Cedwais dynerwch dirgel y cread i mi fy hun.

Nid oedd ond un teulu wrth y pwll, eu pabell glytiog a'u llygaid llwglyd yn awgrymu mai prin oedd eu cynhaliaeth. Rhannu bwyd gyda hwy, holi a stilio, ond nid oedd olwg o'r camelod. Mwy o loetran gwag a dadlau pwy oedd yn tyfu'r farf fwyaf trwchus. Neidio am y Lee Enfield pan glywais rwgnach cryglyd camel. Yn wyliadwrus, aros iddynt gyrraedd y llannerch. Eu harchwilio yn ddistaw. Hwythau'n ildio yn ddi-hid. Chwech o

Senussi sorllyd, amheus, mewn *galabyeh* budron a *jerd* lac dros eu hysgwyddau. Edrychent yn slei arnom. Teimlwn yn annifyr. Am na fedrwn ddilyn eu tafodiaith, gadewais yr holi i Mohammed a dderbyniodd y cyfrifoldeb yn awchus.

Ofn oedd yn eu llygaid. Wedi dianc o'u pentref, gan milltir i'r gogledd. Ar eu ffordd i unlle, yr Eidalwyr wedi saethu amryw yn eu pentref, eu cyhuddo o roi gwybodaeth i'r Brits. Casaent yr Eities, wedi gwneud esiampl o'u brawd. Gwthio bachyn o ddur drwy ei ên a'i hongian o goeden a'i adael i farw'n greulon o araf. Na, nid y tro cyntaf—diawliaid oedd yr Eities.

Eu bwydo, a rhoi te a halen iddynt. Eu gwylio yn ein gadael yr un mor sorllyd. Aros yn ein hunfan. Ofn trap. A dim camelod.

Yn y gwyll, anfon Mohammed ar sgawt. Gwrthod pistol. Dangos ei gyllell. Ninnau'n ein gorfodi'n hunain i gerdded dwy neu dair milltir rhwng ysbeidiau o redeg, i gadw'n cyrff yn ystwyth.

*'Bloody boring, let's get at 'em!'* a *'Taff, where's the bloody war?'* oedd eu cwyn. Prin oedd ein sgwrsio ac anodd oedd taro ar destun trafod, ar wahân i fwyd a merched a pheint a merched a mwy o ferched.

Tyrchu fel jerboa i wneud gwely tywodlyd i mi fy hun. Myfyrio, ond wn i ddim am be.

*Mehefin 16*

Pedwar o gamelod carpiog, esgyrnog yn cyrraedd. Achmed, ar orchymyn Sheik Kerim, wedi trafaelio am dri diwrnod i'n cyrraedd. Ei fwydo a'i holi. Oedd, yr oedd wedi pasio tomennydd o ddefnyddiau rhyfel—tua deuddydd o gerdded, Sebka, ambell i lori, un tanc. Tanc! Mor bell! Arwydd drwg. Eities yn bennaf. Damio! Rhai Jerries. Gwych! Na, dim weiar bigog. Clywodd ffrwydrad neithiwr, *mine*, hwyrach. Hynny i'w ddisgwyl. Do, fe welodd un milain gythrel yn sbecian o geg ogof. Talu iddo, 500 piastre, hen siaced a phaced o halen a thipyn o siwgr. Penliniodd y camelod. Cnoi cil yn haerllug. A'r drewdod.

'Aggrrahhum!' Rhaid oedd dangos i'r camel pwy oedd y mistar.

Rhech a dal i gnoi.

'*Gee uppp*, y burgyn!' wrth gofio am orchmynion wagner Rhydfelen i'r wedd.

Bytheirio unsain oddi wrth y pedwar.

Rhoi'r gorau i'r ymdrech. Swydd arall i Mohammed.

'Golwg rhy wan arnyn nhw i gario cawell cefn gwag heb sôn am un yn llawn o ffrwydron a'r taclau eraill, a weli di mohono i yn marchogaeth y sgerbwd drewllyd yma!' oedd ymateb Shiner ar ôl archwilio'r camelod yn ddirmygus. Tueddwn i gytuno ag o. Ond rhaid oedd eu llwytho cyn symud i'r ogofâu yn El Shamil. Treulio awr wedi siesta yn atgyweirio'r *jeeps* (ar gyfer y trip yn ôl, gobeithio!) a'r radio, er nad oeddym mewn cysylltiad â H.Q., rhag ofn i'r gelyn ein canfod.

Ni thynnodd y teulu tlawd a oedd yma o'n blaenau eu llygaid oddi arnom. Ein gwylio fel barcud, a'r olwg wancus yn dangos eu bod wedi bod yn byw ar eu cythlwng ers dyddiau lawer. Cynnig te a siwgr a bisgedi iddynt. Atgofion o'm tlodi pan oeddwn yn hogyn yn cynhesu fy nghalon atynt, a phenderfynais y gallwn wneud heb ddau grys sbâr. Swildod eu gwên wrth dderbyn yn lliniaru fy llid am ychydig. Teimlent ar ben eu digon pan ychwanegais baced o sigaréts at y crysau.

'Taff, sut y gwyddost ti na fydd y blydi wogs yn ein bradychu cyn y bore?' Nid oedd Nobby yn hapus. Ond fe gysgais i fel top.

*Mehefin 17*

Mohammed yn dychwelyd ben bore. Byrlymodd ei stori dros ymyl y gwydryn llawn o goffi cryf, chwilboeth sy mor dderbyniol gan y nomad. Gorau po gyntaf i ni ymosod—Eities, tomennydd, lorïau—beth am Jerries? ni allwn innau ffrwyno fy nicter —ychydig—fe ddaw'r cyfle—reit hogiau—paciwch a llwythwch y camelod. O fewn awr yr oeddym ar ein ffordd, a Mohammed yn cael mwy o flas wrth regi nag wrth arwain y camelod. Dringo bryn caregog annifyr i draed, ein paciau yn ein llethu a'r gwres yn ddeifiol. Dros y boncyn, llithro a suddo dros ein hesgidiau i dywod browngoch fel powdwr, a disgyn i hafn greigiog. Newidiai natur y tir bob awr, ac wedi saith awr o drafaelio caled yr oeddem wedi ymlâdd. Y camelod yn grwmblan a ninnau yn bigog wrth ateb cwestiynau a deflid dros ysgwydd flinedig o dro i dro. Yn ôl y map, fe ddylem gyrraedd yr ogofâu cyn nos. Peidiodd y sgwrsio, pob un yn cadw ei ynni erbyn fory a'n meddyliau yn gymysgfa o ofnau, cynnwrf a dirgelwch yr anhysbys.

*Mehefin 18*

Ar ôl gwthio'n ffordd drwy fforest o ddryslwyn pigog a baglu dros gerrig annaturiol o wyn yn y gwyll, cawsom hyd i'r ogofâu, ym mhen pellaf hafn gul. Dadbacio yn flinedig a rhoi'r camelod ar reffyn. Clywed sŵn yng ngheg yr ogof, gynnau'n barod—a rhythu. Sŵn dŵr. Pistyll. Y dŵr yn llifo'n swnllyd i wely o fwsog. Ni allem ond syllu yn ddistaw. Ei brofi. Braidd yn hallt ond yn dderbyniol. Chwerthiniad o ryddhad cyffredinol. Llifo yn fy nychymyg gyda'r dŵr i bistyll y llan, sumbol rhamant cefn gwlad, cafn yng nghornel cae, seston ar y buarth a thwb golchi. Fe wyddwn fod y lleill hefyd yn clywed y tap dŵr poeth ac oer mewn tŷ teras, trochion baddon nos Sadwrn, cawod ar ôl gêm o ffwtbol a thap yn diferu'n drist ganol nos. Anwybyddodd Mohammed swyn y dŵr. Nid oedd gweld rhywbeth yr oedd wedi hen arfer gwneud hebddo yn cynhyrfu dim arno. Sisial rhamantus pistyll yr anialwch yn fy suo i gysgu.

*Mehefin 19*

Clebran a dadlau cynhyrfus cyn codiad haul. Felly yr ymddangosai wrth roi sglein arbennig i'r follt ar y Lee Enfield. Yr oeddym wedi gorchuddio'r *jeeps* gyda rhwydau amryliw mewn hafn dywodlyd gerllaw yr oasis. Rhaid oedd cuddio popeth ym mherfedd yr ogof a gadael y camelod ar reffyn byr. Gwisgo'n hunain mewn *galabyeh* budron dros ein khaki, a rhoi'n paciau mewn cydau gwynion cyn eu lluchio ar ein hysgwyddau. Llithro'r gynnau i rwyg yn ochr y wisg. Gorfodi Fred i rwymo cerpyn gwyn am ei ben i guddio'i wallt cringoch. Bwyd am ddeuddydd, dŵr am dridiau, ammo, ffrwydrynnau o bob math a'r holl geriach angenrheidiol. Pob un â'i swydd a'i gyfrifoldeb. Anelu am y storfa bellaf y gallem ei chyrraedd mewn deuddydd—yn ôl Mohammed—storfa o betrol. Cadw llygad yn agored am sgowtiau'r gelyn ac awyrennau, er y gwyddem y byddai'r *galabyeh* yn amddiffynfa weddol wrth deithio. Byddent yn dramgwydd wrth baratoi'r ffrwydradau, a gosod y *mines*, a byddem yn eu stwffio i'r cwd. Chwysu gormod i feddwl, sefyllfa beryglus. Gorffwys am hanner awr yng nghysgod lori rydlyd a'r *swastika* ar ei boned. Yn annisgwyl, pob un ohonom yn cael poenau mawr yn ein stumogau, a phob hyn a hyn fe arhosai un ohonom ar ôl i gwrcwd yn ddigywilydd. A chyn mynd, cicio haen o dywod drosto. Penderfynu mai dŵr y pistyll oedd yr achos. Rhaid oedd cerdded ar gopa'r bryniau o dywod rhag i ni golli golwg ar y storfeydd. Aros uwchben y gyntaf a sylwi nad oedd ond tua phump neu chwech o Eidalwyr yn amddiffyn tomen enfawr o betrol. Un lori fechan, a *jeep*. Gwneud plan o'r lle; hwn fyddai'r ffrwydrad olaf ar y ffordd yn ôl. O wylio eu hosgo flêr a difater, mae'n eglur nad oes ganddynt y syniad lleiaf fod perygl o fewn can milltir iddynt.

*'Kaem?'* Sibrwd Mohammed fel corn yn y tawelwch.

'Shshsh,' yn ddianghenraid o uchel gan bawb.

'Amhosib dweud, Mohammed, miloedd o alwyni, heblaw'r teiars a'r ammo.'

*'Backsheesh,'* a'i wên lydan yn orlawn o gynnwrf.

'Ie, am ddim,' sibrydodd Shiner, 'ac uffern o dân.'

Yr oedd Shiner am achub y blaen arnom yn ei frwdfrydedd.

Wedi chwilota tipyn, aros dros nos ar lein gymharol esmwyth o sgri.

*Mehefin 20*

Methu cysgu neithiwr. Fy nheimladau yn mudferwi'n farwaidd wrth rag-weld y ddeuddydd nesaf. Nid oeddwn yn deall fy hun yn iawn. Pe bai Mam wedi cael ei lladd yn Lerpwl yn ystod y blitz, neu, yn wir, gan fom grwydr yng nghefn gwlad, gallaswn dderbyn y ffaith. Ni allwn ddygymod â'r ffaith iddi gael ei lladd yn ninas hardd, ddiniwed, Canterbury, a hithau yno'n cynrychioli'r teulu mewn priodas, gan ryw blydi peilot *Lufftwaffe* a oedd hwyrach wedi colli ei ffordd. Wrth feddwl am Mam yn gorwedd o dan rwbel tŷ teras yn Laburnum Grove yn ei ffrog newydd a'i phresant yn ei llaw—dysgl fenyn, ddigon tebyg—awn yn gynddeiriog. Rhamantu noeth yn tanio fy nicter hyd at waed. Eto, yr oeddwn yn gwbl amhersonol. Rywle yr oedd Jerry ifanc a'i nymbar ar fy mwled i. Dial ail-law fyddai gorfod saethu Eidalwr. A'm hisymwybod yn crefu am i Mam fy narbwyllo i beidio â bod mor hurt. Rhyfel personol iawn oedd fy un i. Slwmbran yn anniddig. Breuddwydio mai pistyll o waed oedd yng ngheg yr ogof.

Diogi am awr neu ddwy. Gwylio haid o adar dieithr yn hedfan yn gyflym i groesawu'r haul. Colofn hirfain o lwch ar y gorwel. Gwylio a gwrando. Yr oedd yn nesáu ac yn symud yn gyflym. Gwyrodd i'r dde i osgoi carnedd, yna sythodd ac anelu yn syth tuag atom. Yr oeddwn yn damio na fuaswn wedi dod â'r *machine-gun*—rhy hwyr, bellach. Rhy drwm i siwrnai hir. Pawb fel llygod yn swatio. Gwn yn ymyl, *grenade* yn y llaw chwith a bys y llaw dde ar y pin.

'Neb i danio nes i mi ddeud!'

Yr oedd yn eglur erbyn hyn mai *half-track* Almaenig oedd. Gallwn dyngu bod y pump neu chwech ynddo wedi ein gweld. Yr oedd yn argyfwng arnom! Er hynny, rhoddai bleser i mi wybod bod Jerries yn y gymdogaeth. Miniogwyd fy mhenderfyniad i dalu'r pwyth y funud hon. Canllath i ffwrdd.

'Shiner a Nobby—gwn. Pawb arall—*grenade*. Anelwch am y traciau—yna pawb drosto'i hun.—Ar ôl tri—un—'

Ac fel pe bai wedi clywed fy llais llithrodd y cerbyd a throi ymaith i'r chwith. Clywem hwy'n chwerthin yn iach. Prin y gallwn lyncu fy nagrau. Synhwyrodd Nobby fy nicter—er na wyddai'r rheswm.

'Ara' deg, Taff! Un glec a bydd y wlad yn gwybod amdanom. Wedi i ni ffrwydro tri neu bedwar o storfeydd, cawn glecian a thanio faint fynnwn.' Yr oedd yn llygad ei le.

Prysuro dros y copaon ac i lawr y llethrau fel cwch yn herio llanw uchel. Machlud sydyn yr anialwch yn ein lapio yn ein cynllwyniau. Sŵn radio yn ein harwain yn gyfleus at y targed cyntaf—wel, yr olaf a fyddant flaenaf. Wedi i ni gasglu manylion am dri arall ar y ffordd, hwn oedd yr olaf i ni ei wylio. Gan herio bryntni gwres awr y siesta, llithrasom dros y sgri i wylio'r gwersyll a ymlaciai y funud hon yn niogelwch pellter. Clywem leisiau fel clwcian ieir o gaban ryw ganllath i ffwrdd yn cystadlu â llais merch yn canu'n uchel. Rhoddwyd y *galabyeh* o'r neilltu, a thrwy gyfathrebu â dwylo ac arwyddion llithrasom i'r ddrysfa o storfeydd ar led yn y gwersyll. Mor sicr oeddynt o'u diogelwch fel nad oedd gwyliwr i'w weld.

Codais bedwar bys—y ffrwydron i'w hamseru i chwalu'r tomennydd mewn pedair awr, pan fyddem rai milltiroedd i ffwrdd. Gweithio'n gyflym, symud yn slei, tyllu'n ofalus, llawio'n dringar a gwrando am unrhyw smic. Jerboa yn neidio o'm blaen a chodi gwallt fy mhen. Nerfau fel lastig, trefnu a chau'r trap mewn gwaed oer. Misoedd o ymarfer yn Aldershot a Bannau Brycheiniog a Kasr El Nil yn dwyn ffrwyth (ond nid am y tro cyntaf) ym mherfeddion diarffordd y Jebel.

Ymhen deugain munud, yr oeddym ar ein ffordd i'r ail storfa, ac yn ein *galabyeh* edrychem fel pererinion ar eu ffordd i Mecca.

Dim ond pump ohonom, ymhell o bobman, yn ceisio gwthio Rommel i'r Med. gyda sachaid o ffrwydrynnau a chloc larwm i ffrwydro'r cwbl. Yr oedd y syniad yn chwerthinllyd, ond y mae pob cocosen yn bwysig i effeithiolrwydd yr olwyn.

Criw afrywiog, mentrus, wedi'n ffurfio yn dîm drwy hap a damwain. Ni wyddem fawr am obeithion a dyheadau ein gilydd, yr awydd i oroesi'r rhyfel oedd yr elfen gryfaf yn ein cwmnïaeth. Cyfnewid ambell i damaid am gefndir ein gilydd, nid er mwyn cryfhau cyfeillgarwch y presennol ond i sicrhau ein hunain nad oedd teulu a chynefin a thyfu i fyny yn rhy sydyn wedi syrthio i ebargofiant.

'Faint ydi hi o'r gloch yn Nottingham rŵan, Taff?'

'Dim syniad, boio—min nos, hwyrach.' O leia mae'n swnio yn fwy rhamantus.

''Nhad yn mwynhau peint yn y Feathers. Bob amser yn rhoi coler lân cyn mynd am beint. Gafodd o ei ffeinio unwaith, w'sti, am reidio beic heb olau, pan oedd o'n hogyn—'

'Faswn i ddim yn meindio tase'r beic gen i rŵan, ma 'nhraed i'n gythrel o flinedig.'

'A mi fydde'r teiars yn gyrbibion ar ôl canllath ar y sgri melltigedig 'ma—' Nid oedd sentiment yn perthyn i Shiner.

Ond ni fynnai Nobby roi i fyny.

'Mam, fel arfer, adre wrth y tân yn trwsio sane, synnwn i ddim, neu'n darllen y *Christian Herald*. Eglwys bob Sul i Mam. Fforman yn ffatri Mellor ydi 'Nhad.'

Cymerai Nobby yn ganiataol y gwyddem am ffatri Mellor. Fe gymerir llawer yn ganiataol, adeg rhyfel.

'Julie yn gneud 'i *homework*, mae'n debyg—rydw i'n clywed siffrwd y golau nwy y funud 'ma,' ac ochneidiodd yn dawel.

Aethom ymlaen yn ddistaw, pawb yn clustfeinio am siffrwd y nwy. Ddim yn annhebyg i sibrwd gronynnau tywod yn sglefrio dros wyneb y Jebel. Unwyd ni yn y distawrwydd. Rhannu ac anghofio.

Didrafferth fu'n prysurdeb yn y ddwy storfa nesaf. Neb yn gwarchod. Ci yn udo yn y pellter. Symud yn ddisgybledig a chyflym. Tîm ar ei orau. Penderfynu gorffwys am awr mewn caban ar y maes. Temtio ffawd. Dyna yw haerllugrwydd digywilydd. Gwawr binc fel cragen glan môr yn ein denu, a chythru ymlaen i gysgod creigiau tan fin nos. Un noson arall. Fe wyddem bod milwyr yno. Goddiweddwyd fi gan gryndod gwirion. Hwn fyddai fy nghyfle. Yr oeddwn yn oer fel rhew.

*Mehefin 21*

Colli'n ffordd neithiwr! Mor awyddus oeddym i gyrraedd y storfa olaf nes i mi anwybyddu fy nghwmpawd am blwc. Tynnodd Mohammed fy sylw at rychau ac ôl traed anifeiliaid yn y tywod. Carafán o gamelod wedi llusgo eu ffordd ar draws y llain yma ryw awr neu ddwy o'n blaenau. Fe wyddem nad oeddym wedi dilyn y llwybrau anweledig sy'n adnabyddus i'r nomad, rhag tynnu sylw atom ein hunain. Gwyro i'r dde fyddai orau, ym marn Mohammed. Wedi'r cwbl, ei gynefin ef oedd y bryniau crych yma. Cael ein hunain ar wely wadi caregog, hollol sych, ar wahân i ambell i bwll, yn syllu ar lun y lleuad. Nid oedd dim amdani ond swatio yno, ac wedi i ni gyrraedd cilan o raean bras, amneidiais mai yno yr arhosem tan heno. Fred yn flin iawn,

'Wedi laru ar y loetran 'ma—'

'Hanner munud, Fred, hwyrach y gall y Bedowin loetran am oes yn unigedd yr anial 'ma, ond prin y medri di ddeud ein bod ni wedi loetran am ryw fymryn o dri chan milltir.'

'Cytuno â Taff, Shiner. Gormod o bwdin dagith gi—fe fyddwn fwy ar flaenau'n traed heno ar ôl gorffwys. Heblaw hynny, ar ôl y blydi *fireworks* ryw bedair awr yn ôl, a chythrel o siou oedd hi hefyd, ma'r milgwn allan yn chwilio amdanom.'

'Os yden nhw'n un darn,' ychwanegodd Nobby yn goeglyd. 'Bydd y Messerschmits o gwmpas bore fory—na, cuddio fyddai orau am ychydig.'

Fe gytunwn â Nobby, ond gwiriondeb fyddai creu amheuon. Diogi y bore 'ma am awr neu ddwy, yna fe symudwn ar hyd wely'r wadi i'r cyfeiriad iawn.

Newydd gael braw! Yr awyr yn orlawn o furmuron bygythiol. Ofni fod rhyw dduw anweledig yn paratoi i'n cosbi am anrheithio llyfnder a llonyddwch ei deyrnas. Chwilota am arwyddion yn y nen a chanfod cwmwl du yn hofran fan draw. O'i grombil, deuai cliciadau cynhyrfus fel gweill. Plymiodd y cwmwl i'r ddaear fel saeth ar yr unig lannerch gwyrdd am bellteroedd. Fel haid o blant difanars mewn parti ymroesant ati yn orffwyll i fwyta pob glaswelltyn ar y llannerch. Yr oedd eu hafradlonedd yn ddychryn ac o fewn tri munud yr oeddynt wedi difodi gwyrddlesni'r llannerch. Neidient yn wallgof dros ei gilydd yn y gobaith bod un gwelltyn diniwed eto i'w gnoi, cyn codi'n gwmwl swnllyd a diflannu i lannerch newydd.

Chwaraeais â'r syniad o rannu jôc am Ioan Fedyddiwr a mêl gwyllt, ond ofnais mai ar dir diffrwyth y disgynnai! Rhyfeddu at allu deifiol y locustiaid i lowcio mor gyflym. Gan nad oedd yr un awyren wedi taflu ei chysgod drosom, dringasom allan o'r wadi a mwynhau awel dyner min nos wrth anelu am y targed olaf.

*Mehefin 22*

Wn i ddim ble i ddechrau, ofer yw ceisio cuddio na gwadu fy euogrwydd. Mae'r cwbl yn hunllef.

*Mehefin 23*

Rhwng y gwres a'r cryndod a'r arswyd, bûm yn gwbl ddiymadferth ers tridiau. Erys fy meddwl a dilyniant y digwyddiadau yn gythreulig o gymysglyd. Mae'n hanfodol i mi wynebu'r ffeithiau yn onest os wyf am gadw fy hunan-barch. Yna bydd yn rhaid i mi wynebu fy uwch swyddogion. Gwaedd Mohammed a gyffrôdd bawb.

Ni chawsom broblem i gael hyd i'r storfa yn y gwyll, a phenderfynwyd llochesu am awr neu ddwy nes y byddai'r milwyr wedi noswylio. Storfa enfawr o ddrymiau 40 galwyn o betrol—cannoedd ohonynt—wedi eu hadeiladu fel nifer o byramidiau ar chwâl. Fel arfer, yr oedd manylion Mohammed yn gywir—yr oedd yn gydymaith dibynadwy iawn. Eidalwyr oedd yn gwarchod y lle, yn ôl Mohammed, ac o brofiad, fe wyddem nad oedd ganddynt lawer o flas am frwydr. Ein cynllun ar y sgawt olaf hon oedd gosod y ffrwydron fel arfer yn ofalus, a'u hamseru i chwalu mewn pedair awr. Ond y noson hon, cyn ymadael, yr oedd dau ohonom yn mynd i ymosod ar y caban, saethu os byddai raid, gan obeithio mynd â charcharor yn ôl. Fred i ddewis un tryc dibynadwy yr olwg, a'r ddau arall i osod ffrwydron yn y lorïau eraill a'r caban radio. Adolygais y trefniadau gyda hwy, a theimlwn yn ddigon difater ynglŷn â'r cynllun. Nid oedd Jerries yma. Fy nghyfle wedi mynd.

*'Shaweesh!'*

*'Ayweah.'*

*'Kaebir falak.'*

*'Aynae?'*

Edrychais yn wyllt o'm cwmpas. Yr oedd Mohammed yn gywir. Lori fawr yn nesáu o'r gorllewin, a byddai raid iddi basio heibio i ni i gyrraedd y gwersyll.

Cyffro. Chwalu allan. *Grenades* yn barod. Damio! Mwy o filwyr yn cyrraedd. Sadio fy hun. Dim gair! Neb i danio! Yr oedd yn fawr. Cyn ein cyrraedd, gwyrodd i'r chwith. Ochenaid o ryddhad. Nid oedd to o gynfas arni. Diolch byth! Tanc dŵr. Ymlaciodd pawb.

Fred ar danio sigarét i ymdawelu. Allan, y cythrel gwirion! Ailedrych. Os felly, dau filwr ar y mwyaf ynddi. Rhythu'n ofalus.

'Jerries!' Dychryn cymaint o glywed fy sibrwd uchel fy hun, nes neidio ar fy nhraed. Roedd y marciau yn eglur! Jerries oedd yn y gwersyll, nid Eities. Jerries! Gwthiwyd fi'n ôl ar fy wyneb i'r tywod a'r cerrig mân yn frwnt gan Fred.

'Bydd ddistaw, Taff—byddi'n rhoi'r gêm i ffwrdd.'

O'r diwedd. Dial. Anwesais y pistol ym mhlygion y *galabyeh*. Croen gŵydd drosta i. Cwch gwenyn yn fy mhen. Gweddïais yn fyrbwyll ar i'r lleuad ddiflannu—am i'r diawliaid fynd i'w gwelyau—am i mi gael y cyfle i dalu'r pwyth—am i'r hanner awr nesaf lithro heibio fel eiliadau—am—gweddïo ar bwy—pam—Collais fy mhen yn lân. Dyna'r gwir. Wir yr—cris croes tân poeth—

'Pum munud, hogie—tawelwch—ffrwydro mewn dwyawr—Shiner a minnau i ymosod ar y caban—Mohammed a Nobby i danio'r lorïau—Fred wrth yr olwyn. Iawn?'

Ugain munud i osod y ffrwydron yn y pyramidiau. Diosg y *galabyeh*.

'Iawn?'

'Ydi, myn uffern!' gan fy ateb fy hun.

Mohammed i efelychu cri ddolefus ibis, ymhen ugain munud.

'Reit, hogie—fel llygod—cofiwch!'

Y chwerthin a'r hwyl yn y caban yn fiwsig i'n clustiau fel y symudem yn gynnil o domen i domen, dadbacio, tyllu, cuddio, gosod y ffiws, tomen arall, gwenu wrth ddychmygu anferthedd y ffrwydrad—ac aros. Dau funud ar ôl.

Cri ddolefus ibis yn agor y fflodiart. Llamu fel ewig, Mohammed wrth fy sodlau. Yn syth am y caban. Cic iddo. Pump yn chwarae cardiau mewn cwmwl o fwg. Lager ar y bwrdd, aroglau traed chwyslyd, stôf yn hisian fel neidr, darlun dau eiliad, a saethu.

Saethu heb lol.

'Un carcharor, Mohammed.'

Cardiau'n chwyrlïo fel plu, y stôf yn fflamio, pedwar yn syrthio fel doliau clwt, haleliwia yn fy mhen. Yr oedd mor hawdd, rhy hawdd. Pa un a saethais i—p'run oedd fy aberth i? Tric! Yr oeddwn eisiau edrych ym myw ei lygaid marw a chwerthin. P'run? Rhy gynhyrfus i benderfynu. Pump—dau yn y lori—dim ond tri yn gofalu? Rhai yn cuddio yn rhywle! Dyna fo. Un arall i mi—fy un i.

'Aros, Mohammed—cadw lygad ar hwnne—' Un byr, boldew a braw wedi ei fferru.

Allan i'r nos. Ar flaenau fy nhraed. Daeth i'r golwg o gefn caban. Lluchiodd ei ddwylo i'r awyr. Llefnyn main fel golwyth o facwn. Ei gap llwydwyrdd fel cap hogyn ysgol. Gwallt golau. Ei lygaid yn frawychus o las. Ei liniau'n gwegian. Cerddais ato. Safodd. Edrychais ym myw ei lygaid gyda holl gynddaredd fy nghalon a'm henaid. Codais y pistol. Syllodd yn gegrwth. Saethais ef rhwng ei lygaid. Am eiliad glynodd wrth ryw edefyn anweledig. Syrthiodd yn swp i'r tywod. Gwyliais gyda rhyfeddod y gwaed yn llifo o'i geg. Chwydais drosto. Wedi fy sodro i'r ddaear, syllais ar ei waed a'm chwydfa yn ceulo wrth uno yn ffrwd araf.

*Mehefin 24*

Mae'r cofnodi diflewyn-ar-dafod yma yn mynd ar fy nerfau i. Ar wahân i'r ffaith nad wy'n cofio'n union be ddigwyddodd am ddeuddydd wedyn. Ofer ceisio dadansoddi fy nheimladau. Un funud rydw i'n yfflon o euog, y funud nesaf yn cael fy nhemtio i weiddi canu—

O! na byddai'n haf o hyd . . .

Fe gofiaf Nobby yn cymryd y pistol o'm llaw, ac yn ysgyrnygu rhwng ei ddannedd,

'Mi welais i be wnest ti'r diawl gwirion!'

'Pwy arall sylwodd?'

'Neb.'

Fe ddylai'r geiriau fod wedi cynnig cysur neu ddihangfa. Wnaethon nhw ddim. Bwled am fom; rhyw Hans diniwed am fywyd Mam. Gweld ei fywyd yn toddi o'i lygaid cyn i mi danio. Ai am ei fam yr oedd o yn meddwl y funud honno? O leiaf fe gafodd o gyfle i ddeud 'Mam' yn 'i galon. Ches i ddim. Nid rhyddhau y mae rhyfel ond caethiwo hiraeth ac euogrwydd am oes.

Lled gof clywed uffern o ffrwydrad ganol nos pan orweddem yng nghanol dryslwyn hynod o annifyr. Yr awyr ar dân a phŵer y fflamau yn creu cysgodion fel nadroedd yn gwau trywydd drwy'r tywod.

Y lleill mor brysur yn ailadrodd eu stori, nid yn frolgar ond fel mater o ffaith, fel na fu iddynt sylwi fy mod mor dawedog.

Ceisio lliniaru fy euogrwydd drwy roi bwyd a sigaréts i Wolfgang, ein carcharor. Sgwrsio drwy lygad a bysedd. Myfyriwr o Essen, meddygaeth, dwy chwaer, hoffi gwyddbwyll, wedi bod yn Llundain, wedi clywed am Gymru, yr *Iron Cross* ar ei siaced, rhwymo ei draed rhag ofn. Roedd yn falch bod y rhyfel drosodd iddo fo. Tybed a welodd o rywbeth?

*Mehefin 25*

Cyrraedd yn ôl i'r ogof wedi ymlâdd. Yn unfarn ein bod am ddychwelyd i fywyd mwy heddychlon—o hyn ymlaen—yn y blydi armi, a mynd yn ôl i'r hen uned. Parêd a disgyblaeth, yn reit sydyn, yn apelio mwy na sgawtio'n benrhydd yn y Jebel. Y camelod wedi mynd—*clifti wallah*—cefn gwlad wedi cael bargen. *Maleesh*! Be 'di'r ots. Chwarae mig gydag eroplên sy'n chwilio amdanom. Ni thaniwyd arnom. *Maleesh*! Llithro i gysgodion yr ogof gyda Nobby. Hyd yn oed yn yr anialwch, teimlwn bod llygaid y byd ar y cachgi o *Form Five*.

'Gwell i ni gael sgwrs, Taff.'

'Oes gen ti sigarét, Nobby?'

Tynnu'n araf a phwyllog arni wrth geisio rhoi trefn ar fy nheimladau.

'Rwyt ti wedi gneud cythgam o smoneth, Taff. Be gythrel ddaeth drosot ti, y blydi ffwlbart?'

Syniad Nobby o fynegi ei gydymdeimlad â mi.

'Nid damwain oedd hi, Nobby.'

'Fe wn i hynny—ond be am y *Geneva Convention*, Taff?'

Chwilio am reswm i esbonio'r digwyddiad.

'Wrth gwrs y gwn i—ond fe wyddwn yn union be oeddwn i'n ei wneud.'

Prin y medrwn godi'r sigarét i'm gwefusau. Yr oedd fel rhew-gell ym mylldra afiach yr ogof.

'Taff, rydym yn ffrindie ac yn yr un tîm—mi roedd hi'n holics gwyllt—hawdd mynd dros ben llestri yn y cynnwrf—nid lladd Jerries oeddym ni, w'sti, ond ein hamddiffyn ein hunain—yr ysfa i gadw'n fyw. Fedra i ddim anghofio, Taff—fe saethaist y boi bach 'ne mewn gwaed oer—llofruddiaeth, Taff—' a cherdd-odd i geg yr ogof, ei ben wedi suddo i drymder ei ysgwyddau.

Daeth drosof ryw awydd i gerdded yn ôl i'r storfa. Hwyrach ei fod yn fyw? Gwaed yn waeth na'r briw, weithiau. Clywn ef yn griddfan, gwelwn ef yn ymdrechu i godi ar ei draed. Rhuth-rais i geg yr ogof gan wthio Nobby i un ochr yn fy mrys. Rhuthrodd ar fy ôl. Taflodd ei fraich am fy ngwddf. Gwingais a gwaeddais,

'Falle ei fod o'n fyw ac—'

'Â thwll yn ei dalcen? Synnwyr cyffredin!'

Tawelais a gollyngais fy hun yn swp i lwyn pigog. Pigwyd fi gan filoedd o chwain. Ildiais i gysur y fflangelliad wrth droi a throsi drwy ddryswch y llwyn. Ceisio carthu'r cywilydd. Ond yn ofer.

'Nobby, does gen ti ddim dewis—rhaid i ti osod cyhuddiad yn fy erbyn pan ddychwelwn i H.Q.'

Cerddodd Nobby oddi wrthyf yn araf, a llyncwyd ef gan y gwyll.

Nid oedd daw ar glebran y pistyll yng ngheg yr ogof.

## 1949

*Gorffennaf 4*

Dydd Sadwrn, diolch i'r drefn. Mor hyfryd yw medru gorweddian yn fy ngwely a gwrando ar dincian poteli llefrith a rhygnu oer y tram a chorn y fferi ar yr afon. Cymysgfa o synau bob dydd sy'n mynd i mewn drwy un glust ac yn llithro allan drwy'r llall. Ond ar ddydd Sadwrn. Dyna pryd y byddaf yn eu corlannu o dan y cwilt a rhoi siâp i bob sŵn. Pwt o ddyn tew, rhadlon yw'r dyn llefrith, ei geg gron bob amser yn hanner agored fel pe'n gwneud ei gorau i lyncu ei fwstas cringoch. Wrth blygu i roi'r poteli ar lawr wrth ddrws y fflat, bydd ei gap pig nefi-blŵ yn disgyn dros ei lygaid, ac wrth gerdded yn ôl i'r stryd bydd yn ei wthio yn ôl ar ei war. Ryw ddiwrnod bydd wedi gwisgo twll yn ei dalcen. Cap pig fflat fel pennog sy gan bob dreifar tram yn Lerpwl. Boed ei wyneb yn un hir, neu sgwâr neu fochgoch neu'n ddim ond clustiau, mae'r cap pig yn ddigyfnewid. Fe berthyn i'r cap hwn ryw bwysigrwydd hoffus sy'n magu hyder yn y trafaelwyr a'u sicrhau eu bod yng ngofal dyn a ŵyr be 'di be. Mae'n debyg fod a wnelo'r ruban coch sy'n cydio'r pig a'r pen wrth ei gilydd rywbeth â hyn. Bron mor bwysig â'r gloch y mae pob dreifar yn ei chloncio gyda'i droed. I rybuddio'r gweithwyr rhynllyd sy'n aros am y 19A ar gornel Sleepers Hill ei fod yn dod, a'i bod yn ddigon posib y bydd yn rhygnu heibio heb aros os bydd wedi codi'r ochr chwith i'r gwely. O oes, y mae awdurdod yn sglein y cap pig.

Wrth gwrs, i gapten y fferi y perthyn yr awdurdod pennaf. Y brêd aur sy'n gylch am ei ben ac sy'n rhedeg i lawr llabedi ei siwt ddu gan orffen yn gwlwm ar ei arddyrnau sy'n gyfrifol am hyn. Fe allaswn i dybio bod barf drwchus yn rhan orfodol o'r iwnifform, er nad oes frêd aur ar ymylon y farf. O'i safle arbennig ar y bont a thu ôl i olwyn bwysig yr olwg mae'n gallu edrych i lawr ei drwyn o gysgod pig ei gap ar y bobl od sy'n mynnu cerdded a cherdded yn ddi-stop o gwmpas dec y fferi ar ei mordaith ar draws yr afon. Rydw i'n amau weithiau ei fod yn cael ei demtio i gyflymu'r sgriw, dodwy môr o drochion ym mhen ôl y fferi a'i throi fel chwrligwgan yng nghanol yr afon. Ac wrth wylio'r hetiau caled ar eu gorymdaith foreol, bydd yn dychmygu sawl un sy'n cario breuddwydion ei fod yn fôr-leidr, yn ei brîffces, yn gymysg â'i frechdanau amser cinio. Fel atodiad i'r cap pig mae ganddo gorn oer ei alwad, sy'n codi calon ei deithwyr ar fore o haf ac sy'n codi ofn arnynt ar fore niwlog.

Erbyn meddwl, mae'r ddinas yma'n doreth o gapiau pig. Yn rhy aml ni cheir mynediad i leoedd heb yn gyntaf ymostwng i awdurdod cap pig. Y sinema, ysbyty, swyddfa'r siwrin, Neuadd y Dre, ysgol, gwestai, yr heddlu, y frigâd dân, ffatrïoedd, y dociau, neuaddau, carchar—wel, fûm i ddim wyneb yn wyneb â rhai ohonynt, wrth gwrs, ond yr argraff a adewir arna i weithiau yw mai isgorporal yn y lluoedd oeddynt, yn glynu'n ofer wrth yr awdurdod pitw a olygai'r streipen.

Diolch i'r drefn am gyfle i ramantu tipyn ar fore Sadwrn!

I'r clwb tenis ar ôl cinio, fel arfer. Gêm dda—curo Mei Llanrwst! Cyngerdd yn neuadd y ddinas fin nos (dau gap pig yno!). Schumann a Vivaldi. Cael pleser o wrando ar y Pedwar Tymor—rhannau cyfareddol. Yn arbennig nwyfusrwydd yr Haf. Mae irder fy haf inne yn dechrau pylu, hefyd! A mwy o wallt yn ôl nag ymlaen!

*Gorffennaf 5*

Oedfa'r bore. G. J. L. yn pregethu gyda mwy o arddeliad nag arfer. Wedi dod heb ei nodiadau! Llyfr y Pregethwr—'Amser i ryfel ac amser i heddwch', oedd ei destun. Sôn am broblemau ailafael mewn byd heddychlon, yn arbennig felly mewn dinas fel hon, lle mae creithiau rhyfel ar gornel pob stryd heddiw, dros dair blynedd ar ôl diwedd y rhyfel. Heddwch digon brau ydi o hefyd. Araf iawn y mae fy nghraith inne yn gwella. Myfyrio dros yr hanes am y milfed tro, wrth wylio'r tatws yn berwi a gwrando ar y cig yn sislo at ginio yn y fflat yma.

Oni bai am Nobby, briw agored a fyddai hyd heddiw. Rydw i yn gwbl argyhoeddedig o hynny.

'Rydw i wedi dod i benderfyniad, Taff,' meddai yn ddistaw wrthyf un pnawn fel yr eisteddem yn Groppi's yn Cairo.

Mae ail-ddeud y geiriau wedi mynd yn bader gen i.

Ddywedais i ddim, roeddwn yn gwbl ddifater. Yr oedd fy euogrwydd wedi llethu unrhyw awydd i ddod allan ohoni. Llofruddio mewn gwaed oer oedd o a dim llai.

'Tydw i ddim am greu uffern arall i ti.'

Edrychais arno'n hurt a gadael i fy ffefryn, *Tropical Ice*, ddiferu dros fy nillad.

Fe ddylwn fod wedi dadlau ag o. Wnes i ddim. Yn od iawn, yr oedd y ffaith fod Nobby wedi penderfynu peidio dwyn cyhuddiad yn f'erbyn yn waeth na phe bai llys wedi fy nghael yn euog. Wrth gwrs, ni allai fod ond un dyfarniad. Rhaid i mi fyw gyda thristwch mud y llygaid gleision am byth. Cleddyf Damocles uwch fy mhen.

'Mae un uffern yn ddigon, Nobby.'

Gosodiad smỳg ar y diaw'. A dauwynebog.

'Ddaru mi 'rioed ofyn i ti, Taff. Pam? Ond fe wn fod yna ryw wallgofrwydd neu ddial wedi dy gorddi di. Mi fase esbonio yn waeth na'r weithred i ti, erbyn hyn. Fe fyddai'n anodd i ti dy hun ei dderbyn.'

Llyfais yr hufen iâ yn fyfyriol. Ddeufis ar ôl ysgwyd llwch y Jebel o'n dillad.

Y ffaith syml yw bod blas hufen iâ godidog Groppi's yn tynnu dŵr i fy nannedd y bore 'ma.

Paratoi gwersi ar ôl cinio. Cyfarfod Liz fin nos. Gwrthod dod yn ôl gyda mi i'r fflat.

*Gorffennaf 6*

Cerdded drwy'r parc i'r ysgol. Peiriant wrthi'n torri gwair o gwmpas y llyn. Hwyaid ac alarch yn crychu wyneb y dŵr. Aroglau'r gwair newydd yn llenwi fy ffroenau â hen bersawrau. Gwair y ddinas yn cael ei fwydo i'r ceffylau gwedd y byddaf yn eu hedmygu ar y Dock Road wrth eu gwylio'n tynnu wagenni llwythog o fyrnau o gotwm, sacheidiau o siwgr a drymiau o olew. Trawiad egr eu pedolau a'u gweryriad yn codi hiraeth. Medru dianc i'r wlad ar godiad bys yr atgof teneuaf! Brwdfrydedd bore o haf yn fy sbarduno i brysurdeb ysgol. Ymarfer gyda'r tîm criced amser cinio, ennill yn erbyn Chatty Junior School ar ôl yr ysgol. Practis côr am chwech. Cyfarfod Liz a mynd ar y tram allan i Gorse Woods.

'Sut ddiwrnod, Liz?'

'Od o brysur. Matron ar ein sodlau drwy'r dydd. *Surgery* ar ddydd Llun, troliau i mewn ac allan fel trêns. Pump op. ar ein ward ni yn unig. Ddaeth un ddim drwyddi, hen greadur clên o Chwilog.'

Yr oedd ei chlywed yn taflu hen ŵr o'r neilltu mor ddifater yn fy nghynhyrfu. Un yn llai. Oeraidd. Ac euogrwydd. Un yn llai oedd yr hogyn gwallt golau i minnau. Yn baradocsaidd, cynyddu fy euogrwydd y mae clywed Liz yn cyfeirio mor ddifater at farwolaeth un dyn. Marw ydi marw, beth bynnag fo'r amgylchiadau. Esgus o ddadl. Y ffaith yw bod yr atgof yn glynu fel gelen.

Daw rheidrwydd drosof ar adegau fel hyn i gyfaddef. Carthu.

'Colli un—ar bwy—?'

'*Ward sister* ydw i, *theatre sister* sy'n gyfrifol am—'

'Liz, nid awgrymu roeddwn i—' yn ymddiheurol.

'Bydd yn fwy gofalus, 'te.'

Rheswm digonol dros gau fy ngheg. Daw cyfle i gyfaddef eto.

'Gad i ni eistedd ar y fainc yma,' pan sylwais fod golygfa hyfryd dros yr afon. Edrychodd yn ddigon sbeitlyd ar y fainc.

'Gwell i ti ei sychu gyda dy hances poced—edrych ar y llwch!'

Yn ufudd, gwnes hynny. Fedr hi ddim anghofio ei bod yn *Sister*. Llithrais fy mraich am ei hysgwydd a chlosiais hi ataf. Gwthiodd ei phenelin rhyngom.

'Paid â chymryd dim yn ganiataol, Elwyn,' gyda chynildeb miniog sgalpel yn agor stumog. Ofnais am fy stumog fy hun.

Chwiliais am ei gwefusau yn feiddgar. Yn gyndyn, ymlaciodd a chusenais hi yn dyner, gyda mwy o ofal nag o nwyd. Falle bod a wnelo arogl T.C.P. ar ei dwylo rywbeth â'r diffyg brwdfrydedd.

'Tyrd yn ôl i'r fflat, Liz—coffi a Drambuie?'

'Rhy boeth neu rhy oer ydi hi i ti fan hyn?' gyda'r bwriad, yn ôl tinc ei llais, o wthio thermomedr rhwng fy nannedd.

Darllenodd y siom yn fy llygaid.

Yn ffyslyd, rhedodd ei dwylo drosof mewn ffug anwyldeb. Cyffyrddiad oerllyd nyrs yn paratoi i wneud archwiliad llwyr a deimlais i. Fe aethom yn ôl. Glynais wrth yr awgrym o goffi a Drambuie, er nad oeddwn wedi bwriadu ei ddehongli yn llythrennol.

Cipiodd gusan sydyn wrth y drws.

'Nos dawch, Elwyn.'

'Nos da, Liz.' Rhwng dau feddwl a ddyliwn i roi potel o Dettol yn bresant bach iddi hi.

*Gorffennaf 7*

Mynd i'r ysgol mewn hwyl ddigon drwg. Rydw i'n mwynhau fy ngwaith. Dosbarth o 25, hogiau tair ar ddeg oed, Sheldon Sec. Mod. Y rhelyw ohonynt o gartrefi ar y stad uwchben y dociau, eu tadau yn y cotwm, *Leverson Shipping*, *United Warehousing* a mân ffatrïoedd a gweithfeydd amrywiol. Tai teras, ac ambell i TJ a WH neu DE wedi ei gerfio ar y distiau yn cofnodi gwaith seiri Cymraeg. Cymdogaeth Gymreig ar un adeg, mae'n debyg, ond bellach, Capel Soar wedi mynd yn *Hill Street Methodist Church*, a'r Genhadaeth ar gornel Tyler Street bellach yn *Chinese Mission*. Ambell i nain yn troi i mewn. Cerdded heibio stafell y Boss i esbonio wrthyf pam nad yw David yn yr ysgol, ac esgus i sgwrsio'n frysiog yn Gymraeg am fagu ieir a phluo gwyddau a the'r Ysgol Sul erstalwm yn Nyffryn Clwyd. Mae hi'n clywed ieir yn clwcian a moch yn gwichian, yn siarad a giglan yr hogiau drwy gil y drws. Minnau'n gweld lliw perllan yn ei llygaid.

'Dyna ddigon, ewch ymlaen â'ch gwaith!'

Dim llawer o ymdrech. Maen nhw'n gwybod mai plant aillaw ydyn nhw—wedi methu pasio'r sgolarship. India corn i'r colomennod yn nes i'w byd na thyfu gwenith yn Manitoba neu reis yn Burma.

*'Arrh aey, serr.'*

'Gorffennwch eich gwaith—neu dim ffwtbol.'

*'Arrh aye, serr, 'snot faer.'*

Mae'r sialens yna bob dydd. Eu her yn trethu fy mrwdfrydedd. Dipyn o gêm. Nid wy'n siŵr ai eu hieuenctid hwy sy'n fy symbylu i, ynteu fy ieuengrwydd i sy'n gogleisio eu brwdfrydedd hwy. Mae fy haf yn dihysbyddu ei hun fel haul ar wlith. Rwy'n gyndyn o ollwng gafael arno. Glynu gerfydd fy ewinedd yn afiaith fy arddegau a'm hieuenctid, a'i gyfieithu i bob math o weithgareddau gyda'r hogiau yma. Neu hwyrach fod cefndir llwm eu cartrefi yn crefu am gyfran o hwyl a miri cymdogaeth ehangach na blerwch y warws a hagrwch y *bommies*—olion y bomio. Y fi ydi'r catalydd, ac mae'n bodloni yr hunan ynof. Dyna pam y trefnais wythnos o wersylla yn y wlad cyn diwedd tymor.

'Dyna welliant. Deng munud heb yr un gair, cyn clirio i fyny. Dewch i ni gael cip ar y gwaith.'

Cyril a Jos a Clarkie yn taflu llaw ddifater dros y papur. Neil, Raymond a rhai o'r ychydig brwdfrydig yn gwneud eu gorau glas i ddal fy llygad drwy dorsythu, a *'serr'* main drwy eu dannedd!

Am funud, o leiaf, yr oeddynt fel clai yn fy nwylo. Gwylanod yn chwerthin am eu pennau wrth ddeifio i ddrewdod y farchnad bysgod ar lanfa'r Clarendon.

Y gloch yn canu.

'Fe gawn ni gip ar y gwaith fory, gosodwch eich darluniau ar y bwrdd mawr ar eich ffordd allan.'

*'Arrh aye, serr, mine's t'best drorin,'* gan roi hergwd i Ronnie am nad oedd wedi cael sylw. Hogyn anystywallt, a'i lygad croes mor fygythiol â'i fryntni yw Raymond. Ond ble arall y caiff o sylw! Ei dad yn y clinc a'i fam yn gwerthu ei hun i'r Lascars a'r West Indians.

'Rhaid i ti aros tan fory, Raymond, fel pawb arall.'

*'Me Uncle Jack 'll batterr youz.'*

Rhwygodd y papur a'i daflu i'r fasged.

Cerddodd allan gan chwibanu'n foddhaus. Cafodd sylw.

Nid yr ateb oedd ei rwystro rhag cael gêm o ffwtbol. Byddai'n well iddo gael gwared â pheth o'i egni.

Sgwrs dawel amser cinio fory.

Dilynwyd fi drwy'r dydd gan yr hwyl ddrwg.

Colli wrth chwarae tenis fin nos. Wedyn i'r Clwb—colli ar y bwrdd snwcer hefyd. Pitïo fy hun dros hanner peint yn y Jolly Miller. Dianc i gynnwrf rhai o storïau Hemingway. Methu cael blas ar ddim.

*Gorffennaf 8*

Yr anniddigrwydd yn codi ar unwaith â mi. Cymryd asprin, er nad oes gen i'r llychyn lleia o ffydd mewn tabledi.

Liz sydd wrth wraidd fy nhymer ddrwg. Gyda'i hyder iachus a'i chorff siapus, pwy all ei hanwybyddu? Rydw i'n hoff iawn ohoni. O hyd braich, mae ei hanwyldeb yn aflonyddu anghenion fy nghorff. Ac nid yw Drambuie yn ddim llai na thamaid i aros pryd. Ond bob tro y cytuna i ddod i mewn, mae hi'n llwyddo i sipian Drambuie heb i'r gwydryn gael ei wagio am hydoedd. A minnau'n berwi drosodd.

'Rhowch y gwydryn i mi,' gan estyn fy llaw yn obeithiol.

'Ma gen i ddiferyn ar ôl,' a'r gwydryn yn hanner llawn.

'Ma gen inne fwy na diferyn ar fy ngwefusau,' yn chwareus o glyfar wrth geisio cipio'r gwydryn o'i llaw.

'Elwyn, byddwch yn ofalus—bron i mi golli'r cwbwl dros y ffrog newydd 'ma,' mewn llais cyhuddol. 'Mae 'ne amser i bopeth.'

Damio hi! Rhaid bod ei chloc hi yn un gwahanol i fy un i. Dyna'r broblem gyda hi. Mae hi mor gythreulig o glinigol, hyd yn oed wrth garu. Mae ei chusan hi'n aml fel rhimyn o blastar.

Wrth chwerthin hefo fi fy hun am ben y gymhariaeth, torrais fy moch gyda'r rasal. Rhyngddi hi a'i photes.

Bwyta'r *Daily Post* gyda'r *cornflakes*, a gwneud rhestr siopa i Mrs. Lindo. Y *'daily'* wythnosol ydi hi. Mae hi'n dda am dynnu llwch a thorri cwpanau. A fedr hi ddim sefyll ar ben cadair—penysgafnder, medde hi. Felly, fedr hi ddim rhoi papurau glân ar y silffoedd ucha, ac yn ystod y gwyliau mi fydda inne yn darllen newyddion pedair blwydd oed wrth eu newid nhw. Gwell graen ar ansawdd papur y *Daily Post*, ond mwy o hel straeon yn y *Free Press*.

Cadw f'addewid i'r hogiau. Adolygu gwaith arlunio ddoe. Y testun, i'w bortreadu mewn *tempera*, oedd 'Symud'. Ond petawn i wedi gofyn am furlun addas i'r eglwys gadeiriol, yr un fyddai dehongliad y rhan fwyaf. Milwyr yn tanio gynnau. Cannoedd ohonynt yn pledu miloedd o fwledi yn ddotiau diderfyn fel enfys. Yn union fel catrawd yn piso dros wal anweledig.

'Gormod o ddu, James—byddwch yn gynnil bob amser gyda'r du; diddorol, Roy—mae'r llun yn symud; gormod o ddŵr, Phil; wel, Sam, coesau fel sosej gan dy filwyr di; rydw i'n hoffi manylion siâp y tanc, da, Maxi—'

'Fuoch chi yn y rhyfel, Mr. Pugh?'

'Do, Hughie,' heb lawer o frwdfrydedd.

'Ym mhle, Mr. Pugh?'

Mewn eiliad, amgylchynwyd fi gan y dosbarth.

'Y Dwyrain Canol—y Sahara a—'

'Faint o Jerries ddaru chi ladd, Mr. Pugh?'

'Mae'r gelyn yn aml o'r golwg, hogie, does neb a ŵyr.'

'Bang, bang, phutt—ping—zzzzt—' dros y stafell.

'Dim un, Mr. Pugh?'

Gwridais at fy nghlustiau. Pesychais yn euog. Brysiais at y ddesg.

Ar ôl saith mlynedd, fe lŷn yr euogrwydd a'r cywilydd mor filain ag erioed. Fe anghofiwn dros dro. Yna fe ddywedir rhywbeth yn ddigon diniwed gan rywun. Fel heddiw. Sbort bechgyn yn ailagor briw. Doedd o fawr hŷn na'r criw swnllyd o'm blaen, a'r freuddwyd yn dal yn hunllef. Yr un bob tro. Rywle ym meddalwch fy ymennydd fe glywaf sŵn dŵr yn diferu yn ddidostur o undonog fel pe bai'n benderfynol o ailagor briw yn boenus o araf. Cyflyma'r curiad a throi yn sŵn maleisus pistyll. Yr wyf yn ôl yng ngheg yr ogof, ac yn gwneud fy ngorau glas i gael gwared â'r haen o dywod a lyna dros fy nghorff, drwy gropian o dan oerni pleserus y pistyll. Mae ias yn mynd drwof wrth deimlo dwylo yn golchi fy nghefn. Edrychaf dros fy ysgwydd. Gwena Jerry ifanc arnaf wrth fowldio ei fysedd dros fy nghefn yn ofalus. Estyn ei ddwylo allan i gronni dŵr yng nghledr ei ddwylo. Llenwi â gwaed o'r pistyll y mae ei ddwylo.

Rhaid bod yr olwg frawychus yn fy llygaid wedi llonyddu'r bechgyn. Safent yn gegrwth o'm cwmpas, eu llygaid holgar yn amau arwr y Sahara.

'*Serr*, ga i orffen fy narlun yn lle ffwtbol?'

O dan fy nhrwyn safai Micky, a phot jam yn ei law. Yr oedd yn hanner llawn o ddŵr a phaent coch. Dallwyd fi am eiliad gan fellten. Hyrddiais y jar o'i law a sgeintiwyd y cochni dros y llawr bloc.

*'Arrh aye, serr, 'snot faer,'* yn gorws dig.

Fel y rhuthrwn allan, Tommy Spinks a ddywedodd y gwir o dan ei wynt.

*'Bastard!'*

Ymguddiais yn y toiled i geisio dwyn y cryndod o dan reolaeth. A oeddwn yn colli arnaf fy hun? Suai'r gair 'seilam' yn fy nghlustiau. Toc, euthum i stafell y Boss i gyfaddef fy ymddygiad, heb awgrymu rheswm.

'Straen diwedd tymor, Mr. Pugh. Anffortunus. Anghofiwch am y peth.'

Y ffŵl.

*Gorffennaf 9*

Fy ngorfodi fy hun i fynd i'r ysgol. Ambell i olwg slei. Neu hwyrach mai fy nychymyg i oedd yn chwarae triciau. Mynd allan o'm ffordd i anghofio drwy fwy o brysurdeb. Ond ai prysurdeb i leddfu fy mhoen fy hun, ynteu brwdfrydedd i ennill teyrngarwch yr hogiau ydoedd? Creu manylion i roi mwy o gyfle i mi chwyddo fy statws yn eu golwg hwy. Trefniadau'r funud olaf ar gyfer y gwersyll.

Brysio i'r dref o'r ysgol a gwario yn ddifeddwl ar ddillad dianghenraid. Nonsens. Dychymyg. Straen, fel y dywedodd y Boss. Mi af i weld y meddyg. Rŵan, a dau grys o dan fy nghesail. Dianc adref. Omled i de.

Paula yn galw. Ei hosgo yn awgrymu digon.

'Coffi?'

'Os nad oes gen ti syniad gwell,' gyda'i choegni arferol.

Mân sgwrsio a chnoi bisgeden.

'Sgiws mi, El,' ar ei ffordd i'r bathrŵm.

Roedd pob symudiad o eiddo Paula yn gnawdol. O lif ei gwallt a hanner guddiai ei llygad chwith i feddalwch synhwyrus ei thîn fel y llithrai gerdded ar sodlau uchel.

Dychwelodd i'r gegin ar gwmwl o bersawr cynnil ei awgrym.

'Ma'r soffa 'ma'n galed iawn.'

'Un newydd ar gyflog athro?'

Prynwraig yn *High Fashions* yw Paula. Byw yn foethus ar gyflog da. Ac wedi hen arfer cael ei ffordd ei hun.

'Mi fase'r gwely yn fwy cyfforddus na hwn.'

'Ma hwnnw'n galed hefyd.'

'O! felly ma hi i fod heno!' Ymwthiodd ei bronnau allan i'm herio.

'Ie.'

'O wel—dos ati i baratoi ar gyfer dy hogie bach del, 'te.'

Gyda chlep flin ar y drws, aeth allan.

Lluchiais fy hun yn ôl ar y soffa a chuddiais fy wyneb o dan glustog.

*Gorffennaf 10*

Rhuthr o ddiwrnod. Teimlo'n well o'r herwydd. I'r banc i nôl pres poced y bechgyn. Deg ar hugain o'r drydedd flwyddyn yn mynd i wersyll Coed Duon fory. Tom Gribbin yn dod gyda mi. Ar ei flwyddyn gyntaf y mae o, a fi fydd yn gyfrifol. Yn hanu o'r Potteries, a hwn fydd ei brofiad cyntaf o'r wlad. Braidd yn ddi-asgwrn-cefn. Ydi hynny yn gwneud dau ohonom?

Galw'r parti am ddau o'r gloch. Cynnwrf disgwylgar yn eu sgwrsio. Eu profiad cyntaf hwythau o wyliau yn y wlad. Syrthio rhwng dwy stôl. Un funud yn rhy swyddogol wrth fanylu ar ddillad, sgidie cryfion—fe gawsoch y rhestr ers mis—dim cyllyll, côt law ysgafn, mae hi yn glawio hyd yn oed yng

Nghymru weithiau, dim smocio—neu adre ar y bỳs cyntaf. Neb i sleifio allan o'r gwersyll, nofio gyda Mr. Gribbin neu fi, a byhafiwch wrth y bwrdd bwyd—dau gant yn y gwersyll, cofiwch. Y funud nesaf yn gwamalu, milltir o ras cyn brecwast, shorts yn unig, glaw neu hindda—*arrh aye*—cawod oer ar ôl hynny—*arrh aye*—nid gwyliau ond gwaith yn y caban—dwyawr o gerdded yn y tywyllwch—*arrh aye Ei'm scerred, serr*—rhaid cyrraedd copa Moel yr Hebog cyn dau o'r gloch bnawn Sadwrn, neu fe fydd y *chippie* ar y copa wedi cau—*arrh aye, starrvin', serr*—'

Rhoi modfedd i'r rhain—mi gymerant lathen o leiaf. Dros ben llestri. Bygwth eu cadw yn yr ysgol—dim gwersyll. Bygythiad gwag, ac fe wyddent hynny. Gwneud y gorau o'r gwaethaf.

'Pawb yma erbyn hanner awr wedi naw bore fory, dim fferins na lemonêd ar y bỳs.'

Roedd gen i ormod o brofiad o allu bechgyn i wagio eu stumogau ar fỳs—ei orchuddio â haen o flawd llif a'i hel yn uwd tew drewllyd i fwced. Hel fy mhac fy hun, fin nos. Gwrthod y crysau newydd, wythnos o ddillad cerdded a loetran mewn hen ddillad fydd hi. Gwych.

'Marion?—El sy 'ma. Sut hwyl? Tyrd draw am lymaid.'

Distawrwydd am eiliad.

'Iawn—rho hanner awr i mi—peintio'r gadair wellt ydw i—'

'Paid â phoeni—pwy sy'n poeni am ddillad?' yn awgrymog.

'*Tally ho*!' a rhoddodd y ffôn i lawr.

Brysiais i dacluso a rhoi'r gwydrau ar y bwrdd coffi yn ymyl y Tia Maria. Llamodd i mewn heb ganu'r gloch, yn hoedennaidd a hwyliog. Lapiodd ei hun amdanaf mewn anwyldeb cwbl naturiol. Does dim ffug o gwmpas Marion. Wyneb agored, trwch o wallt du yn flêr dros ei chlustiau a'i thalcen, a thric bach o gribo'r cwbl gyda'i bysedd pan fyddai'n chwerthin. Llaciodd ychydig ar ei gafael a rhedodd ei thafod fel gwawn ar hyd fy ngwefusau cyn toddi ei gwefusau yng ngwres fy angerdd innau. Fe wyddai pam y ffoniais hi. Gwelwn innau y parodrwydd diamwys yn nyfnder ei llygaid.

'Tia Maria?'

Nid munud i'w ruthro oedd hwn.

Taflodd ei blows o liw hufen i'r awyr, ymledodd, a syrthiodd yn gwrlid ysgafn ar fy ngharped llwydaidd. Gwneuthum innau yr un peth gyda fy nghrys glas, ymledodd a syrthiodd fel bwgan brain wrth ochr y blows. Am eiliad, tawelwyd ni gan ddoniolwch y patrwm. Syllasom i lygaid awchus ein gilydd cyn cofleidio'n ddiffwdan.

'Oes raid cael gwely?' yn slei bach.

Chwilota'n gynnil am fotymau ein gilydd a mwynhau arafwch disgwylgar y dinoethi. Giglan a chwerthin bob yn ail wrth golli'r ffordd mewn plygion ac elastig. Saib i ymdeimlo â gwefr ein gilydd mewn cusan hir, a'n cyrff yn gwasgu'n rhwydd yn erbyn awydd y naill am y llall.

Llithro i'r carped, ein hysgwyddau ochr yn ochr ar y flows. Tynerwch ein hanwesu yn erfyn am yr ildio llesmeiriol sy'n rhan o ystwythder ei charu. Gorweddian mewn llawenydd cynnes, a lolian ym mreichiau ein gilydd.

'Plîs gaf fi fy mlows yn ôl?' wrth redeg bysedd fel pry cop drosof.

Yn gyndyn, codais a thynnais hi ar ei thraed cyn ei chymryd yn fy mreichiau.

'Rwyt ti'n gariad!' ym mrwdfrydedd y ffresni iach a redai drwy fy nghorff. Irder ei hanwyldeb a'm cynhyrfai yn fwy na dim. Nid oedd yn orffwyll yn ei chofleidio synhwyrus, ond cynigiai i mi ryw ynni newydd glân a lwyddai i olchi yr euogrwydd ohonof. Dros dro, o leiaf.

'Hwyl i ti yn y gwersyll, a thywydd braf,' gan bowdro ei hwyneb.

'Rydw i yn barod am unrhyw broblem rŵan. Mae yna fwy o flas ar fywyd ar ôl i mi rannu munudau mor felys hefo ti.'

Nid oedd raid cusanu wrth y drws.

*Gorffennaf 10*

Hanner awr yn hwyr yn cychwyn. Sheamus O'Connor, fel arfer, yn hwyr. Methu cael hyd i'w drywsus newydd, yn ôl ei fam. Dim rhyfedd, a naw o blant yn y tŷ. Bŷs llawn o chwerthin a thynnu coes. Cadw llygad barcud ar y bagiau—fe wyddwn bod fferins a lemonêd yn llercian yng nghanol dillad a llyfrau. Ar ôl rhyw awr o ymlwybran ar y ffyrdd o'r ddinas i Gymru, disgynnodd tawelwch ar y bŷs. Nid ar y parc yn ymyl yr ysgol yr oeddynt yn syllu bellach, ond ar ehangder dieithr y wlad. Fe welwn amheuaeth yn llygaid ambell un, pob munud yn eu pellhau o'u cartrefi wrth edrych ar gaeau anferth a thai pell-ennig, heb na *jigger* na thŷ teras am filltiroedd. Hogiau cryfion ardal y dociau mawrion a'r warysau uchel, ar goll rhwng gwrychoedd isel a chaeau bychain. Felly y teimlwn innau unwaith yn y Jebel.

'Ylwch, *serr*, buwch!'

'Nage, tarw, 'sgen buwch ddim cyrn,' llais gwybodus Cullum.

'Be 'di nacw—dafad?'

'Nage, bwch gafr—yli cyrn 'run fath â buwch.'

'Tarw sy gen gyrn, 'te, *serr*.'

'Ydi tarw yn cael llo bach, *serr*?'

'Ffŵl, buwch sy'n cael llo.'

Llifai'r sgwrs dros fy mhen, ac ymlaciais yn ddioglyd. Byddai digon i'w wneud ar ôl cyrraedd.

Arafodd y bŷs wrth gwt gyr o wartheg godro. Tua deg ar hugain ar eu ffordd i'r buarth. Syfrdanwyd y bechgyn. Ni welsent erioed gymaint o anifeiliaid.

''Run fath â ffilm cowbois, *serr*,' a'u trwynau yn fflat yn erbyn y gwydr.

Ffrwydrad o 'bang, zzth, shshsh, whizz, bang!' a gwylio'r sheriff yn chwalu'r *rustlers* gyda chymorth y *posse*. Hwyl anfarwol. Nid oedd y wlad mor beryglus wedi'r cwbl.

A dyma hi yn hanner nos a sŵn fel ffair ganol dydd yn y caban.

Chaf fi na Tom ddim llawer o gwsg heno.

*Gorffennaf 11*

Sŵn ffair a stondinau a gwerthwyr am hanner awr wedi pedwar y bore 'ma. Micky wedi gwlychu'r gwely. Tim yn cysgu drwy'r cwbl, Mal am fynd adre—mae newydd sylweddoli mai dydd Sadwrn a gêm o ffwtbol i dîm y Scouts yw. Jimmy K. eisiau i mi fynd ag o i weld y gwartheg eto. Brecwast o facwn ac wy a thôst a the poeth mewn cwpan a soser. Amryw yn ei wrthod. Eisiau *jam butty* gan Mam. Cadw'n glòs at ei gilydd drwy'r bore, amharod i chwarae llawer. O'i gymharu â iard yr ysgol, y stryd a'r *jigger* yng nghefnau'r tai, mae rhyddid a maint y lle yn codi ofn arnynt. I ben bryn cyfagos ar ôl cinio, a cherdded drwy goed y goedwigaeth am ddwyawr i'w blino cyn heno! I'r pwll nofio ar ôl te, mwy o redeg, awr yn y dosbarth i gofnodi digwyddiadau'r dydd, gêm o ffwtbol cyn swper, ein tro ni i bigo sbwriel o gwmpas y lle ar ôl swper, ac yn araf eu corlannu yn eu gwelyau tua hanner awr wedi naw. Chwarter awr o ddarllen comics, ar yr amod eu bod yn cadw'n ddistaw. Frank yn chwydu dros ei wely tua un ar ddeg o'r gloch. Deffro pawb a chreu gwaith i Tom a minnau. Cwsg wedi mynd, a cherdded o gwmpas y caban gyda sliper i'w temtio i fyd breuddwydion. Paned am ddau o'r gloch y bore. Gwely am dri. Dyna fydd y patrwm am wythnos. Ydi hi'n werth yr ymdrech?

*Gorffennaf 12*

Gwasanaeth yn neuadd y gwersyll yng nghwmni'r grwpiau o'r ysgolion eraill. Canu digon aflafar, ond pawb yn canu gydag arddeliad. Ar ôl deuddydd y mae

*All things bright and beautiful*

yn rhan o'r profiad newydd y mae'n werth canu amdano.

Maent yn fwy mentrus heddiw, a rhoi penrhyddid iddynt grwydro o fewn terfynau'r gwersyll. Dychwelyd gyda phob math o ryfeddodau! Cyw bronfraith wedi anafu ei adain, Neil am fynd ag ef at y nyrs. Ffwng a dotiau cochion arno—a oedd yn iawn i'w fwyta? Caws llyffant—wel, fe awn allan ar ôl iddi dywyllu un noson i gae yn ymyl. Os byddwn yn ddistaw iawn, cawn weld llyffaint yn sboncio o gwmpas, mabolgampau, ac eistedd ar y stôl fechan i ganu gyda'i gilydd—yn fwy aflafar na'r bechgyn sy gen i a Mr. Gribbin yn ein gofal!

*'Orrh aye, serr*—ddaru ni ganu'n dda bore heddiw!'

'Do, chwarae teg—ac os byddwn ni'n lwcus fe gawn weld rhai llyffantod yn chwarae ffliwt.'

Braidd yn amheus, ond y mae ysblander y wlad yn ddigon o ddirgelwch iddynt i sbarduno eu brwdfrydedd. Treulio hanner awr ar ôl cinio yn anfon eu cardiau at eu rhieni. Pawb gyda'r un neges ganolog—

*'It's smashin', the food's orful, can youz send more money, tell me mam*—' er mai ati hi y cyfeiriwyd y cerdyn.

Mae llawer o'r hwyl a'r miri yn cuddio hiraeth. Dagrau distaw o dan y gynfas cyn cwsg. Noson dawelach.

*Gorffennaf 13*

Teimlo mor heini â wiwer, a neidio o'm gwely'n gynnar. Newydd-deb y gwersylla wedi denu cwsg trymach yn y dormitori. Gadael iddynt. Rhedeg i lawr i'r pwll nofio. Anadlu'n araf awyr iach y dyffryn a meddwl mor hurt ydw i yn aros yn y ddinas a'i smog. Dim i'm cadw yno, siawns na fyddai cyfle am swydd yn y gogledd—fy hen gynefin, hwyrach. Poenydio fy nghefn yn ffyrnig gyda thywel wrth eistedd ar foncyn coeden. Llugoer oedd fy adwaith i'r syniad o ddychwelyd i Gymru er bod gogoniant y dyffryn yn gyfareddol yng ngwawl pelydrau haul cynnar.

Onid y bore hwn oedd y cyfiawnhad cyfoethocaf dros aros yn y ddinas? Nid o'm rhan fy hun, ond er mwyn y bechgyn. Cadw'n ifanc yn eu cwmni, cymryd cam gyda hwy dros orwelion newydd o fwg y ddinas i darth hyfryd bore o haf. Eu helpu i osod sylfeini, rhoi'r hyder iddynt nad oedd gen i yn blentyn, deffro eu chwilfrydedd ym myd natur, a dangos iddynt fod mwy ym myd natur na *mickies* mewn colomendy pren ar wal gefn y tŷ teras a *moggie* lwglyd yn byw ar lygod yn y warysau grawn. Yr oedd yn hawdd darbwyllo fy hun o'm swyddogaeth.

Yn droednoeth, daethant i fyny yn haid swnllyd dros y glaswellt.

'Gawn ni fynd i'r dŵr?'

'Ffwrdd â chi, a chdithe Tom. Rydw i wedi cael trochfa.'

Brawychais am eiliad—yr oeddwn yn gyfrifol, yn llythrennol, am y criw yma yn eu harddegau. Am wythnos. *In loco parentis*. Y Cyfarwyddwr Addysg, y Boss, goruchwyliwr y gwersyll, y rhieni i gyd yn cuddio tu ôl i'r tri gair. Y fi sy'n gyfrifol. Sgwariais fy ysgwyddau yn foddhaus. Wrth gwrs mai yn y ddinas yr oedd fy lle!

'*Serr*, Robbo wedi torri ei droed ar wydr.'

Pawb yn hanner llusgo Robbo ataf. Yn union felly. Y fi wrth law i osod fy awdurdod ar yr argyfwng.

Sbio awchus wrth i mi fodio ei droed. Nid i weld y briw ond i fwynhau'r gwaed. Delio â'r sefyllfa yn ddidrafferth. Teimlo'n ifanc ac yn bwysig.

'Dwy linell, ar unwaith, pawb â'i bac. Cymerwch y cwdyn picnic—does dim angen y pwlofar, Smithy, fe fydd yn boeth wrth ddringo'r mynydd. Dim crwydro.'

Symud fel neidr gantroed ar hyd y ffordd drol at droed y mynydd. Ar ôl awr o gerdded, yr oedd rhai wedi ymlâdd yn barod.

'*Eyy serr, can I go back, me feet are bloody—sorry, serr—'urtin'.*'

'Yn ystod y rhyfel yr—' tewais wrth gofio.

'Ydi'r mynydd yn uwch nag Everest, *serr?*'

Chwerthin afreolus. Diniweityn oedd Charlie Smock.

'Ddim cweit, Charlie, ond os na chymeri di ofal fe rewith blaen dy drwyn di.'

Mwy o chwerthin gwirion. Yn ddig wrthyf fy hun am wneud jôc ar gorn un diniwed.

'Ymlaen â ni! Y cyntaf i'r copa—wel, gaiff far o siocled o'r siop—os bydd hi ar agor pan gyrhaeddwn!'

Chwerthin dirmygus.

Bellach yr oedd rhyfeddod y wlad yn pylu iddynt, a'u parodrwydd y diwrnod cyntaf i lyncu ofnau'r anhysbys yn cael ei ddisodli gan haerllugrwydd parod eu cynefin.

I brofi fy ynni a'm gallu i gadw i fyny â hwy—Tom oedd yn y gynffon—cythrais ymlaen gan chwifio cadach poced coch ar bigyn ffon.

'Mr. Pugh—am funud!' Llais Tom, yn defnyddio ei gyfarchiad swyddogol ym mhresenoldeb y bechgyn.

Wrth daflu cip yn ôl, sychais y chwys oddi ar fy wyneb yn slei. Eisteddai pedwar o'r bechgyn yn y grug yn dadlau yn swnllyd gyda Tom.

'Be 'di'r broblem, hogie?' yn gyfeillgar.

'Dim cam pellach—Mr. Pugh, *serr,*' gan herio fy awdurdod yn fwriadol gyda'r ddau gyfarchiad.

'Nid ysgol babanod sy gen i?' a'm haeliau yn llyfu fy nhalcen.

Dim ateb, golwg surbwch ar eu hwynebau.

'Dyma ddiwrnod gorau'r wythnos—concro mynydd!' er nad oedd gen i lawer o ffydd fy hun yn y gosodiad.

Codasant fel un a chychwyn i lawr y mynydd.

'Dowch yn ôl ar unwaith—picnic mewn deng munud wrth y tŵr acw.'

Blacmêl oedd hyn.

'Hei, ryden ni am fynd i'r top,' oddi wrth yr hogiau eraill, 'tyrd yn ôl, Frankie.' Frank oedd arweinydd cydnabyddedig y pac.

Am eiliad, arafasant. Poerodd pob un ei ddirmyg i'r graean. Aethant ymlaen.

'Dydw i ddim yn barod i rannu'r parti—pawb neu neb—' gan erfyn am gefnogaeth y gweddill. Nid oedd ganddynt ddigon o blwc.

Troesom yn ôl, a chyn hir, cawsom hyd i'r pedwar.

'Diolch, syr,' yn gyfoglyd o wên deg, 'hogie'r dref yden ni, dim traed at fynydda.'

Gan eu bod wedi cael eu ffordd eu hunain, yr oeddynt yn barod gyda'u cyfrwystra cynhenid i fod yn ffrindiau.

Yr oeddwn wedi colli'r dydd. Ofer fu yr holl fyfyrio cyfleus wrth rwbio fy hun gyda'r tywel ben bore. Twyll yw'r holl faldodi. A thwyllo fy hun.

Ym mêr fy esgyrn, mi wn mai ymdrechu yr wyf i garthu fy euogrwydd a'm cydwybod hyd y dydd heddiw am saethu'r Jerry ifanc mewn gwaed oer. Gall plant fod yn greulon, fel y gwn yn rhy dda. Maent yn gweld drwydda i ac yn chwerthin am ben fy ymdrechion i fod yn frwdfrydig a chefnogol i bob dim a wnânt. Edrych arno *fo*! Cymryd arno'i fod o'n ifanc. Glywi di o'n crecian fel hen olwyn ddŵr? Gofyn iddo fo faint o fedalau enillodd o hefo'r *Desert Rats. RATS Rats rats ra*— Taflu llwch—llwch—tywod—go dda—i lygaid pobl a phlant, was. Ffŵl wyt ti, Elwyn Pugh. Ffŵl. A llai o'r hunandosturi.

'Tom, dos ar y blaen—fe gei di 'u harwain nhw'n ôl i'r gwersyll.'

Rhois fy mhwys ar lidiart hanner agored, oedd â haen o gen ar y 'styllod bregus. Ymestynnai yr hiraeth yn fy nghalon am dawelwch y cwm islaw. Cwm Tawelwch. Am y milfed tro, dyma fi yn crefu am gael gwared ar argyfyngau fy mywyd, a cherdded i Gwm Tawelwch. Am y milfed tro dyma fi yn cael yr un ateb. Curiad ysgafn y tabyrddau ym mhen pellaf y cwm yn fy sicrhau y byddaf yn cyrraedd y cwm ryw ddiwrnod. Cyn wired â'r pader.

Ymunais yn chwaraeon y min nos gyda 'mrwdfrydedd arferol.

*Gorffennaf 14*

Canfod fod dau wedi sleifio allan neithiwr i chwilio am rai o enethod y pentref. Un o athrawon parti arall wedi eu gweld. Cael gair tawel â hwy ar ôl iddynt gyfaddef iddynt droi'n ôl yn sydyn gan fod ganddynt ofn y tywyllwch.

'Yr un lamp yn unlle, fel y fagddu, fel selar tŷ ni.'

Chwerthin i osgoi cweryla. O leia mae ganddyn nhw ofn rhywbeth. Cywaith mewn grwpiau heddiw, a'u hanfon allan. Rhai i gasglu deiliach, rhai i gyfrif pryfetach mewn llathen sgwâr, rhai i ddal llamprai a llysywen yn Afon Clych, rhai—drwy ganiatâd—i chwilio am ffosiliau yn y chwarel carreg galch dros y bryn. A Charlie yn mynd i 'sgota. Daethai â'i wialen gydag ef, a bu'n pledio drwy'r wythnos. Ei rybuddio nad oedd i fynd allan o'r gwersyll. Tom a minnau yn crwydro o grŵp i grŵp. Mewn awr, dod ar draws Charlie yng nghanol yr afon, ei *wellies* yn llawn o ddŵr, a'i wialen a phin ar ei blaen yn nofio ar wyneb y dŵr. Yr oedd yn crio.

'Be 'di'r mater, Charlie?'

*'I wann'er go 'ome to me marm, serr!'* Yr oedd ei drwyn yn rhedeg hefyd.

'Dim ond diwrnod arall, Charlie, ar ôl fory.'

*'I aint goin tho', serr,'* wrth geisio rhedeg y lein.

'Dyna'r union ateb yr oeddwn yn gobeithio ei gael, Charlie.'

Gartref yr oedd ei dad yn cysgu, ond yn byw yn y siop fetio. Ei fam yn slwt yn magu pump o blant a thair cath yn y tŷ butraf y gelwais ynddo. Roedd Charlie yn gwneud i fyny am y pedwar ar y mynydd. A finne'n teimlo'n well. Mabolgampau rhwng y pum ysgol ar ôl te. Digon o hwyl, a Jono yn rhoi cweir i hogyn o ysgol arall yng nghefn y toiledau, am feiddio ennill ras. Dod yn drydydd yn ras yr athrawon a chwilio'n atgofus am wobr o bishin chwech! Cysgaf fel twrch, siawns, heno.

*Gorffennaf 15*

Trip i lan y môr i wario'r geiniog olaf. Yr un hen stori. Mynd ati i fod yn ffrindiau hwyliog gyda'r hogiau ar y traeth ac wrth y stondinau i greu atgofion parhaol am yr amser cofiadwy a gawsom gyda'n gilydd yn y gwersyll—ac yna fore Llun yn gorfod troi min arnynt am gymryd mantais ar y cyfeillgarwch arwynebol. Dawn arbennig yw llwyddo i ennill hyder sy'n pontio chwerthin a chweryl rhwng athro a disgybl. Bregus iawn yw'r bont a droediaf i.

Cyfle i Tom a minne i ymlacio am awr. Mae'r bechgyn yn llawer mwy cartrefol yng nghanol berw peryglon tref nag yn nhawelwch peryglon y wlad. Yr heddlu yn aros amdanom pan ddychwelodd Tom a minne at y bỳs i lwytho'r criw am bedwar o'r gloch. Suddodd fy nghalon.

'Chi sy'n gyfrifol am y bŷs yma?' mewn llais â mwy o sglein arno nag ar y tair streip newydd ar ei lawes.

'Nage, ddim ond am y parti—gwersylla heb fod ymhell oddi yma.'

Nid oedd y ffaith fy mod yn gwamalu ac yn annelwig yn ei blesio.

'Cwynion o dair siop, pethau wedi cael eu dwyn ac—'

'A oes prawf mai fy mharti i sy'n gyfrifol?' gan edrych yn awgrymog ar y dwsin neu fwy o fysiau yn y maes parcio.

'Mae gennym ein rhesymau dros—' Peidiais â gwrando. Un o'r rheini oedd o.

Gyda phocedi gweigion a phacedi llawn, daethant yn ôl yn feddw ar *candyfloss* a *crisps* ac *ice cream* a lemonêd, wynebau fel Indiaid Cochion cyn dawns ryfel ac esgidiau fel talp o'r Sahara.

Nid oedd wynebu *scuffer* yn newydd i rai ohonynt, ac nid oedd celwydda gydag arddeliad yn drafferth iddynt.

'Reit, bob yn un, agorwch eich pecynnau.'

Cymharu cynnwys y pecyn â rhestr y plismon.

'A! dyma un—*Dinky fire-engine with extending ladder and bell*—' a chipiodd y rhingyll y tegan o law Smithy.

'Hanner munud—fedrwch chi ddim profi—reit, Smithy, ble cefaist ti'r Dinky yma?'

'Gan Robbo, am dri swllt, *serr*.'

'Robbo, yma—ble cefaist ti'r Dinky yma?'

'Ei brynu gan Moggy Morris am hanner coron—wir, *serr*.'

Llusgo Moggy o'r bŷs.

'A ble cefaist ti'r Dinky yma, Moggy?'

'O'r siop wrth yr *Amusements, serr*.'

'Faint dalaist ti amdano fo, Moggy—y gwir, cofia.'

'Ddaru mi ddim, *serr*,' gyda diniweidrwydd trawiadol.

'Pam?'

'Dim pres ar ôl, *serr*.'

'Pa hawl oedd gen ti i'w—'

'Presant i 'mrawd bach, *serr*,' a'i wyneb yn ennyn cydymdeimlad.

'Ond does gen ti yr un presant rŵan.'

'Nac oes, *serr*, ond mi gaf y pres yn ôl gan Robbo i brynu un arall, *serr*,' yn obeithiol.

'Oes gen ti Dinky i roi i Robbo?'

'Fe bryna i un iddo fo yr wythnos nesa, *serr*.'

Am awr a hanner, aeth y chwilio a'r didoli ymlaen.

Dychwelodd y plismon gydag un Dinky, pedair o bensiliau, breichled i fy chwaer fach, ladi Gymreig o blastar i Mam, a thri llyfr. Rhois innau'r ffidil yn y to.

*Gorffennaf 16*

Cynnwrf troi am adref yn eu deffro'n gynnar. Rhai wedi cael blas ar fywyd y wlad, eraill yn ysu am gael mynd yn ôl i sŵn y tramiau a mylldra'r smog. Archwilio pecyn a bag a dychwelyd crys a wats a hosan a manion eraill i'r gwir berchennog. Neb yn hawlio hosan las, tei, tywel, slipren a blwch sebon!

'Diolch Tom, am bob cymorth.'

'Wedi mwynhau fy hun. Mae'r rhain yn gwybod mwy o driciau na phac o fwncïod. Maen nhw'n reit driw hefyd, Taff—'

'Mae gen ti lawer i'w ddysgu, Tom—gwyn dy fyd di!'

Trafaelio'n ôl yn dawedog, anwybyddu'r gwartheg a'r bryniau a'r caeau. Hwrê fawr i'r cip cyntaf o'r afon a'r warysau hyllig.

Dadlwytho a didoli am y tro olaf. Mewn chwinciad, yr oeddynt wedi diflannu i'r strydoedd cefn a'r *jiggers*, heb air.

Chwarae teg, yr oedd Mrs. Higgins, mam Cyril, wedi aros.

Cerddais atynt yn barod i gydnabod ei diolch.

*'He's a little bugger, but I missed 'im,'* heb dynnu ei sigarét o'i cheg.

Cerddodd hithau i lawr y stryd yn ysblander ei chyrlars a'i slipars nos.

*Gorffennaf 17*

Erbyn deg o'r gloch y bore yma roeddwn i yn dechrau amau a fûm yn y wlad yn gwersylla am wythnos. Gosod paent allan, paratoi papurau arholiad, goruchwylio amser cinio, talu fy *sub* i'r *pools*, a'r blerwch arferol yn y *staffroom*. Mwy o smog yn hon nag ar y stryd. Fawr o holi am hwyl a helynt y gwersyll.

'Braf oedd cael wythnos o wyliau ganol tymor.' Talbot Physics.

'A lawr i'r *pub* ar ôl rhoi'r diawliaid yn eu gwelyau.'

Fe deimlwn y gwallt ar fy ngwar yn codi'n araf.

'Pam na wnaethoch chi'ch dau gynnig dod gyda mi, os oedd yn wyliau mor dda?'

Tinc o euogrwydd yn eu chwerthiniad.

'Wel, Taff, ddigon hawdd i chi, dim gwraig, penrhyddid, mynd a dod fel y mynnoch. Ond am Ted a minnau—o dan fawd y *missus*, yntê Ted?' Yr un pryd yr oeddynt yn eiddigeddus. Ac yn awyddus i godi hen gnec pan ddeuai'r cyfle. Yma bellach ers pedair blynedd, ond does gen i yr un ffrind da yma. Am wn i nad wy'n adnabod brîffces rhai ohonynt yn well na'r perchennog. Mynd a dod, hwyl fawr dros ysgwydd, llawn sgwrs wrth anelu am sigarét, a thipyn o seboni cyn gofyn am *sub* bach hyd at ddydd tâl, ddiwedd y mis—does dim rhaid i'r hen lanciau ifainc, rhwng chwerthiniad coeglyd, boeni dim am gadw teulu, a diwedd mis! Minnau yn rhoi, gerfydd gwallt fy mhen. Na, celwydd. Onid un ffordd o ennill ffrindiau yw? Talu'n ôl yn slei a hwyliog, rhag ofn y bydd raid gofyn eto. Mor debyg i ddyddiau ysgol, ar gyrion y criw bob amser. Hwyrach na fydd i mi byth dyfu i fyny.

## 1960

*Awst 4*

Linor yn galw heibio. Wrth gwrs fy mod yn falch o'i gweld. A'i hen gartref hi ydi'r lle yma, hefyd. Ond y mae cael tri o blant yn rhedeg a rafio drwy'r tŷ yn brofiad dieithr i mi. Gareth, sy'n chwe blwydd oed, yn annwyl iawn, ac wrth ei fodd yn cael eistedd ar fy nglin. Teimlad digon newydd i mi ydi dygymod â phlentyn yn cropian drosta i!

'Rwyt ti wrth dy fodd ar lin Yncl Elwyn, yn dwyt ti, cariad?' a Linor yn dweud yn anuniongyrchol wrtha i mor falch y mae hi ei fod o ar fy nglin i. Cyfle iddi hi gael awr o lonyddwch a sgwrsio. Eirwyn a Llinos allan yn y berllan. Dringo'r coed mae'n debyg.

'Rydw i'n falch dy fod wedi prynu'r hen gartre, El.'

'Fedrwn i ddim gadael i'r lle fynd â'i ben iddo, a mi fydd yna ddigon i mi i'w wneud i roi trefn arno fo.'

'Wel, fedrai Oswyn a finne ddim fforddio ei brynu o—tri o blant yn ormod o faich hefo'r tŷ. A—'

'Pregeth Mam, Lin—methu fforddio oedd ateb Mam i bob problem, a chwarae teg, mi roedd hi'n galed ar 'Nhad a hithe. Er nad oedd 'Nhad yn poeni llawer!'

'Llosgi ei bryderon yn ei getyn y bydde 'Nhad.'

Ein chwerthiniad atgofus yn ein closio at ein gilydd.

Ar ôl priodi deintydd o Exeter, fe symudodd Linor o'r ardal, ac anaml y buom yn gweld ein gilydd am rai blynyddoedd. Y hi yn magu'r plant a finne yn profi i mi fy hun, os nad i neb arall, ei bod hi'n haf o hyd yn fy mywyd i! Rhuthro ar wyliau i'r Alban i ddringo, i'r Llynnoedd i gerdded, i Efrog i gynadledda, i'r Eidal i ryfeddu, ac yn ôl i'r ddinas i chwarae tenis a golff. Brwydro yn erbyn fy mlynyddoedd.

'Ond dyma ni yn ôl yn yr hen le.' Fwy na heb wrthyf fy hun.

'Ie, a mi fydda i yn hawlio pythefnos o wyliau yma bob haf!'

'Nid ym mis Awst, Mrs Gidlow, cyfnod gorffwys ac ymlacio dirprwy brifathro fydd hwnnw! Fe fydd hyd yn oed tri o blant yn ormod i mi.'

'Dyna adeg gwyliau'r ysgol, El, a bydd yn rhaid i mi gadw at y rheini. Mae Oswyn yn awyddus iawn i'r plant gael addysg dda.'

'Croeso i chi fel teulu ddefnyddio'r hen gartref, ond nid yn ystod mis Awst—mi fydde'n well i ni ddeall ein gilydd o'r dechrau, Lin.'

Taflwyd y drws yn agored, a rhuthrodd Eirwyn a Llinos i mewn, ac allan drwy'r drws ffrynt, ac wrth eu cwt, Sponge, eu sbaniel.

'Wnawn ni ddim ffraeo ar ddiwrnod cyntaf fy ngwyliau, Lin,' a cherddais at y drws cefn. Agorais ef yn anwesol o araf. 'Wyddost ti be, Lin, diwrnod mwya Mam oedd y diwrnod y cafodd hi dŷ a drws cefn iddo fo.'

*Awst 5*

Mewn un ystyr yr oedd ddoe yr un mor bwysig i minne. Cysgais yma am y tro cyntaf neithiwr. Yn naturiol, yr oedd atgofion yn llifo drwy fy meddwl effro a'm breuddwydion. Pleser oedd cerdded allan i'r berllan, ac arogleuon gwyddfid a blodau gwylltion yn cosi fy ffroenau. Fy adwaith cyntaf oedd euogrwydd, fel arfer, nad oeddwn yn gwisgo fy nhracsiwt ac yn rhedeg o gwmpas y berllan—fel hogyn ifanc! Gan na allaf yn hawdd ymlacio, teimlaf fod llygaid pawb arnaf, yn gwneud yn siŵr na wnaf eu siomi.

Nid oedd plygu gwrych yn un o bleserau 'Nhad, ac o'r herwydd, tyfasai gwrych trwchus o gwmpas y berllan fechan. Yr oeddwn ymhell o sŵn y byd. A'i lygaid busneslyd.

Am y tro cyntaf ers dyddiau ysgol, rhoi'r diwrnod i ddiogi. Eistedd yn nhawelwch y coed, gwrando ar y ji-binc a'r fronfraith a'r penfelyn, a cherddded yn nhraed fy sanau yn y glaswellt. Wrth gwrs bod gwaith i'w wneud i dacluso'r lle, ond nid heddiw.

*Awst 6*

Yr oeddwn yn fwriadol wedi osgoi'r cwt yng nghefn y tŷ. Yno y byddai Mam yn cadw'r foiler olchi a'r mangl, ac yno y byddai 'Nhad yn cadw ei feic a'i offer gwaith. Ym mhen draw'r cwt, llechai ei gaib a'i raw a'i fforch, ac oni bai am Mam, yno y llechent drwy'r flwyddyn

Ni allwn aros yn hwy. Agorais y drws yn nerfus, a'r colfachau yn gwichian yn boenus. Heb eu haflonyddu ers blwyddyn neu ddwy. Trochais fy hun am amser yn arogleuon erstalwm. Linsîd oil, paent, calch, tail sych, col-tar, wynwyn—roedd y rheffyn ar yr hoelen o hyd—powdwr golchi, carbeid hen lamp beic, a'r arogleuon cynnil rheini sy'n gwrthod datgelu eu hunain. A thros y cwbl haen o arogl llwydni cartrefol, yn aros i groesawu rhywun adref.

A dyma fi wedi dod yn ôl. Tynnais y drws ar fy ôl, ac oedais cyn symud, i roi cyfle i'r rhimyn o oleuni a dreiddiai drwy'r rhigolau ysgafnu'r cwt. Nid fod yna neb o gwmpas i darfu arnaf. Cymerais drywel oddi ar silff, symudais hen gist o haearn o'r gornel bellaf, a ffrâm hen feic fy nhad, cyn dechrau tyllu. Yr oedd y pridd yn llychlyd a gwnaeth i mi disian. Sychais fy nhrwyn a thorchais fy llewys. Oedi yn fwriadol yr oeddwn. Hidlais y pridd yn araf drwy fy nwylo fel yr awn yn is, yna teimlais y blwch. Torsythais i sadio fy hun cyn tynnu'r blwch yn ofalus o'r twll.

Gyda gofal, llithrais y blwch o'r rhimyn o sach, a thorrais y llinyn. Daliais fy ngwynt wrth godi'r caead. Ar un o hen gadachau poced coch fy nhad, gorweddai'r gadwen.

Llanwyd y cwt ag arogl hynafol, llawer cryfach na'r llwydni a'r llwch. Ni allwn dynnu fy llygaid oddi arni. Gorweddai'n dawel, yn aros i mi ei chodi o'r blwch. Cyffyrddais â hi, a llifodd gwres anghyffredin o gynnes, ond nid chwilboeth, i fêr fy esgyrn.

Fe wyddwn na fyddai yn dychwelyd i'r twll. Cleddais hi yma cyn i mi fynd i'r fyddin, un min nos pan oedd pawb yn y capel. O dro i dro pan ddychwelwn adref, fe fyddwn yn sleifio i'r cwt. I wneud yn siŵr. Heb dyllu.

Mae yn fy llaw y funud yma, a minnau yn sgwennu o dan goeden eirin. Rhaid iddi arfer, mae'n dod gyda mi yn ôl i'r ddinas. Nid i ddwyn lwc dda i mi. Bydd yn fy nhywys i Affrica. Wrth gwrs fy mod yn sicr. Fe wyddwn mai ar drothwy hydref fy mywyd y byddai yn fy mharatoi at fy siwrnai.

Nid aros ei chyfle y mae hi, ond aros am yr amser iawn. I ni'n dau. Sawl tro yn ystod y blynyddoedd diwethaf y bu yn fy ymyl, yn curo'n ysgafn ar y tabyrddau?

Mae'n hardd yng ngoleuni min nos. Fe awn i'r tŷ, rŵan.

*Awst 7*

Fe gymer ychydig o amser i mi arfer â hi. Nid oeddwn yn sicr ar ôl dod i'r tŷ neithiwr ble i'w rhoi. Meddyliais am y silff-ben-tân—na, rhy amlwg; rhwyg bach yn y fatres newydd—na, fydd hi ddim yn aros; drôr isa'r seidbord—ie, i'r dim; wrth law—a drôr rhy drom i'w symud gan neb arall. Well i mi wneud yn siŵr.

Wedi i mi godi'r bore yma, agorais gil y drôr. Yr oeddwn wedi ei rhoi ym mhlygion lliain bwrdd gorau Mam. Popeth yn iawn.

Hanner dwsin o gynlluniau yn rhedeg drwy fy meddwl—i wella'r tŷ, a thacluso dipyn. Yn ystod ei flynyddoedd olaf, bu'n fusgrell, a chysurai ei hun gyda'i getyn. Eisteddai yn yr haul ar hen fainc gneifio a brynodd am hanner coron gan Wil Cae Du pan roddodd heibio ffarmio. Y stori ydi mai torri wnaeth o. Wrth gwrs, nid oedd y berllan yn perthyn i'r tŷ pan symudodd 'Nhad a Mam yma. Un ddarbodus oedd Mam, ac ar ôl iddi golli ei chelc cyntaf, ymrôdd ati i hel un arall, pan ddaeth gwell byd. Heb roi gwybod i 'Nhad fe brynodd y berllan gan Huwcyn Rolant y Pant am hanner canpunt. Chwarae teg iddi! Fase Mam wedi hoffi cael ei chladdu yno, rwy'n siŵr. Meddwl rydw i mai'r fainc hanner coron oedd cyfraniad fy nhad at y budd-soddiad!

Rydw i'n meddwl mai papuro'r gegin yma fydd y gwaith cyntaf. Ond mae hi yn rhy boeth o lawer i grafu papur wal!

*Awst 8*
Torheulo y bûm drwy'r dydd! A pham lai? Bu'n dymor prysur a chaled. Nid bod cyfrifoldeb y swydd yn newydd, rwy'n ddirprwy bellach yn Badger's Rake Comp. ers pedair blynedd. Pwl olaf y brwdfrydedd gwyllt oedd yr ymdrech honno. Ar wahân i ran y Boss yn y stori. Gweld y wialen fedw yn y distiau y bore yma a ddaeth â'r peth yn ôl i'm meddwl. Mwynhau brecwast tawel o frechdan a marmalêd cartref. (Presant gan Mrs. Ifans y Fferm, pan glywodd 'y mod i'n cartrefu yma.) Ond am y Boss. Un broblem fawr iddo oedd *saggio*—chwarae triwant i ni, bobl y wlad, a dyma fi bellach yn hawlio'r statws.

Daliwyd pymtheg o'r hogiau yn chwilio am *mickies* mewn hongled o warws yn Tyson Street, a daethpwyd â'r cwbl i'r ysgol ym modur yr heddlu. Gorchmynnwyd yr athrawon i ymgasglu gyda'r disgyblion yn y neuadd. Leiniwyd y pymtheg ar y llwyfan a cherddodd y Boss i mewn a chansen yn ei law. Dibynnai lawer ar y gansen, a byddai yn ei chwifio o gwmpas wrth areithio fel petai'n arwain cymanfa. Y si ar y pryd oedd ei fod yn ymddeol cyn hir, dyn tal a golwg guchiog arno. Yr oedd hefyd yn bur gloff, anaf y Rhyfel Mawr.

'Rhaid gneud esiampl,' dechreuodd yn ffyrnig, 'o'r rheini sy'n mynnu torri'r rheolau. A hynny yn gyhoeddus. Dwy ar bob llaw i bob un.' Cerddodd i fyny ac i lawr y llinell fel petai'n arolygu parêd milwrol. A'r bechgyn am y gorau yn poeri'n wyllt ar eu dwylo ac yn eu rhwbio'n galed yn erbyn eu cluniau.

Synhwyrais anniddigrwydd fy nghyd-athrawon. Yr oedd rhywbeth yn farbaraidd yn y fath seremoni, fel crogi cyhoeddus yr hen ddyddiau. Cofiais hefyd fel y byddai gennyf ofn drwy 'nhîn hyd yn oed weld y gansen yn dod i'r golwg. Yn gwbl annisgwyl, trodd y Boss ataf o'r llwyfan.

'Mr. Pugh, fe gewch chi weinyddu'r ddisgyblaeth, dyn ifanc i roi slaesen iawn iddynt.'

Edrychais o'm cwmpas yn wyllt. Nid oedd gennyf mo'r awydd na'r argyhoeddiad i'w disgyblu mor galed, er mai crymffastie digon brwnt oedd rhai ohonynt. Ysgydwais fy mhen. Chwifiodd yntau'r gansen yn flin i 'ngalw ymlaen. Cerddais yn araf i'r llwyfan. Clywais ergyd yn y pellter. Roedd hynny'n ddigon. Ni allwn gyflawni gweithred arall mewn gwaed oer. Sefais o'i flaen heb gymryd y gansen.

'Mae'n ddrwg gen i, Mr. Eaves, mae'n groes i 'naliadau personol i i ddisgyblu'n gyhoeddus fel hyn—does dim urddas yn y fath driniaeth.'

Meddyliais am eiliad ei fod am fy waldio i gyda'r gansen.

'Rwy'n eich gorchymyn—mae disgyblaeth yn rhan o'ch cyfrifoldeb, Mr. Pugh.'

Yr oedd y neuadd yn ferw o anniddigrwydd, a'r athrawon yn syllu'n bryderus.

'Mae'n ddrwg gen i, Mr. Eaves, rhaid i mi wrthod.'

Cerddais o'r llwyfan yr un mor araf. Argyfwng arall yn fy hanes. Fe ffonodiodd y Boss hwy'n ddidrugaredd.

Drannoeth fe aeth dirprwyaeth ohonom i weld y prifathro. Fe wyddwn y byddai'n rhaid i mi symud.

Hen stori, bellach. Dyna fy mywyd i. Dial yn fy niraddio, argyhoeddiad yn rhoi cryfder i mi. Pam bod yna elfen o anaeddfedrwydd, o anwastadrwydd yn ei wthio ei hun i'm bywyd o hyd? Ofer i mi geisio dadansoddi fy nghyfansoddiad. Ond fe wn y daw heddwch. Storm o fellt a tharanau fin nos. A glaw trwm. Darllen tipyn a gwrando ar y radio. Beth am y papuro? Rydw i'n ddigychwyn.

*Awst 9*

Ailafael. Rhwygo'r papur oddi ar y waliau a chanfod hen bapur hyll oddi tano. Mwy o waith. Damio! Mwynhau fy unigedd.

Ar ôl cinio euthum ati i dorri gwrych yr ardd a throi'r pridd i ladd y chwyn. Cofiais nad oedd gennyf dorth, a neidiais i'r Ffordyn am y pentref. Sgwrs gyda hwn a'r llall, am fy mod yn fab i'r hen Pugh. Mae'r lle yn dieithrio i mi.

*'Hello, long time no see!'* llais hudolus, ysgafn.

Taflwyd bysedd dros fy llygaid o'r tu ôl i mi.

*'Guess who!'* wrth wasgu'n ogleisiol.

Yr oedd yr acen ysgol breifat yn ei bradychu—mewn ffordd neis, rhaid i mi gyfaddef.

'Celia!' wrth lithro drwy ei dwylo.

*'Tell me all about yourself,'* yn rhy nawddogol.

'Cymraeg, Celia! Troi allan gerddorion mae'r Academi, nid Saeson.'

Merch James Solihull, arwerthwr, oedd Celia, yn astudio'r soddgrwth yn Llundain, gyda chryn lwyddiant. Braidd yn sidêt, yn iau na mi, ac yn hynod o ddeniadol mewn ffordd eiddil. Ei gwallt yn belen dynn ar ei gwar.

'Y lle 'ma'n farwaidd, tywydd braf neu beidio—tyrd am dro.'

Gadawsom y Ffordyn wrth lidiart y mynydd a cherddasom yn hamddenol drwy'r rhedyn. Holi am hwn a'r llall. Chwerthin wrth gofio am ambell i dro trwstan. Cydio yn ei llaw pan lithrodd, a dal fy ngafael. Yn gynnil iawn, gweodd ei bysedd i'm bysedd innau. Ofer oedd cerdded ymhellach, ac eisteddasom mewn hafn fwsoglyd. Llithrodd ar ei chefn i syllu ar yr haul drwy amrannau tryloyw. Wrth blethu ei bysedd tu ôl i'w phen tynhawyd ei ffrog gotwm yn dynn ar draws ei bronnau. Rhyfeddais mor gynnil oeddynt. Pan fentrais ei chusanu, yr oedd ei gwefusau mor dynn ag un o linynnau ei soddgrwth.

'Llacia fymryn ar y llinyn, Celia. Mi gei di well tiwn.'

Edrychodd yn slei, cyn taflu ei phen yn ôl a llithro ei thafod rhwng ei gwefusau. Cyn i mi fedru cipio'r gusan, crychodd ei gwefusau yn galed. Chwarddodd yn gnawdol. Lluchiais innau fy hun ar fy nghefn ac yn araf rhedais fy mysedd am ei chanol. Dotiais eto at eiddilwch ei chorff, fel dernyn cywrain o borslen. Yn araf, rhedodd ei phen-glin dros fy nghlun a chymerais ei hawgrym. Gallwn innau fod yr un mor dyner, a chyffyrddais â'i phen-glin arall. Dirdrôdd fel mellten a thrapiwyd fy llaw. Yr oedd ei chwerthiniad yn ddigywilydd o gnawdol.

'Nid yr ystum yma fydd ar dy goesau di wrth chwarae'r soddgrwth,' wrth geisio rhyddhau fy llaw.

Fel llysywen, llithrodd o'm gafael a neidiodd i'w thraed yn ysgafn. Ni allwn ddioddef y direidi creulon yn ei llygaid.

Chwarae â mi yr oedd. I bwy arall y byddwn i yn gocyn hitio? Tawedog oedd ein sgwrs wrth ddreifio'n ôl.

'Wn i ddim beth am fy soddgrwth i, ond mae'n hen bryd tiwnio'r Ffordyn yma!' a hergwd iawn i'm hasennau.

Ar ôl cyrraedd adref, edrychais arnaf fy hun yn y drych. Wyneb main, cernau uchel, llygaid brown yn ddwfn yn eu socedau, trwyn cynnil a gwefusau llawn. Lliw iachus, clustiau main a llinell fy ngwallt gwinau yn pellhau. Ddim yn ddrwg. Merched yn closio ataf yn rhwydd, ond yn rhy aml yn gwingo o'm gafael.

B.O.? Dannedd drwg? Anwylo trwsgl, cofleidio afrosgo? Dyna ti eto, El. Bob amser yn rhy barod i gynnal cwêst.

*Awst 10*

Haul y bore yn llacio ei afael, a tharth dioglyd yn loetran fel curyll coch uwchben yr afon. Linor yn cyrraedd gyda'r plant. Eu sŵn plentynnaidd yn fy rhoi ar bigau'r drain.

'Cerwch i'r berllan, blant!' yn ddigon tawel.

'Pam na chân nhw aros yn y tŷ? Mi wyddost eu bod nhw'n licio bod gydag Yncl El,' heb lawer o argyhoeddiad.

Fu Linor a mi erioed yn rhy agos at ein gilydd. Y fi yn glynu wrth Mam, a Linor yn tueddu at fy nhad. Roeddynt yn aros mewn ffermdy ym mhen draw'r dyffryn.

'Rhy ddrud o lawer, El. Digon o le yma.' Yn barod am ffrae.

'Am fynd i'r gwynt am funud, tro o gwmpas y berllan.' Gafaelodd Llinos yn fy llaw a daeth gyda mi. 'I hel blode,' medde hi.

Nid oedd taw ar ei pharablu. Tynnu ychydig o ddant y llew a throi yn ôl am y tŷ.

Nid oedd smic o'r gegin. Diolch byth. Cerddais i mewn. Fferrais ar garreg y drws. Yr oedd y ddau yn eistedd ar lawr yn chwarae gyda'r gadwen.

'Linor!' gan frasgamu i'r ystafell, a sefyll yn fygythiol uwchben y plant. 'Be 'di ystyr hyn?'

Daeth i mewn drwy'r drws cefn a dysgl blastig yn ei llaw. Yn union yr un osgo â Mam, oni bai am y ddysgl.

Cyfeiriais fy mys yn gyhuddol i gyfeiriad y drôr agored.

'O, rhyw hen gadwen y cawson nhw afael arni hi yn y drôr, rhywbeth i'w diddori nhw am—'

'Fy nrôr i ydi hi, fy seidbord i, fy nhŷ i,' mewn cynddaredd, 'a phwysicaf oll, fy nghadwen i!'

Cipiais y gadwen yn wyllt o'u dwylo diniwed, a gwesgais hi i'm llaw chwith.

'El, be 'di'r broblem? Ti piau'r gadwen?—hen degan geneth fach—er nad oes gen i gof chwarae hefo hi,' mewn llais ffwrdd-â-hi.

'Pa hawl oedd ganddyn nhw i agor y drôr?' a chodi fy llais yn gwerylgar, 'ar fenthyg mae'r tŷ yma i ti, bellach.'

Cipiodd Linor y plant i'w breichiau, a'r olwg ar ei hwyneb yn awgrymu fy mod yn colli arnaf fy hun.

Tawelais ychydig.

'Treulio seibiant diwedd haf yn ailfowldio fy hun i gymeriad yr hen gartref, gneud fy hun yn gartrefol, a chanfod bod dwylo busneslyd yn—'

'Dyna ddigon! Os mai fel'na rwyt ti'n teimlo, mi awn ni, a chadw dithe dy gadwen, y babi dwl!'

Goddiweddwyd fi gan y pwl arferol o euogrwydd wrth glywed y plant yn crio, a gweld dagrau yn llygaid Linor. Gwyliais hwy yn casglu eu teganau a'u llyfrau, Linor yn gwthio cardigan a bwydydd i'w bag ac ar ei ffordd allan yn cipio llun ohoni ei hun ar gefn mul yn Rhyl, oddi ar yr harmoniym.

Ni ddywedwyd gair, a gwrandewais ar leisiau siomedig y plant yn pellhau. Am rai munudau nid oedd dim yn llenwi gwacter y gegin ond tipiadau'r cloc bach ar y silff-ben-tân. Tipiadau mân, ffyslyd. A thoc, yr un curiad yn cael ei bigo i fyny gan rythmau tabyrddau pell.

Gyda gofal, lapiais y gadwen mewn darn o ddefnydd siec a orweddai ar waelod y drôr, a gosodais y parsel bach yn fy brîff-ces. Llyfr neu ddau ar ei waelod, pad arlunio a phensiliau o wahanol drwch, ond symudais hwy i un ochr i wneud lle i'r gadwen. Nid yma yr oedd ei lle bellach. Na minnau. Yn frysiog, teflais y pethau yn ôl i'r drôr a rhois hergwd iddi gyda'm sawdl.

Paned, ac fe fyddwn ar fy ffordd yn ôl i'r ddinas. Cnoc ar y drws.

'Dowch i mewn.'

Fy ymwelydd cyntaf. Teimlo'n gynnes wrth sylweddoli mai gen i yr oedd yr hawl i agor a chau drws fy nhŷ i.

A sŵn y glicied mor dderbyniol ar ôl caniad cloch y fflat.

'Jest galw i'ch croesawu yn ôl i'r hen gartref. Gwynoro Philips, gweinidog y gylchdaith yma.'

'Diolch i chi am alw,' ac ysgwyd llaw yn herciog. Nid oeddwn yn siŵr a oedd gen i lawer o awydd i gyfarfod gweinidog. Ac yr oedd y ffaith ei fod yn gwisgo crys agored, pwlofar lliwgar a llodrau gwynion yn fy rhoi o dan anfantais. Nid oeddwn wedi arfer â'r brîd newydd hwn o'r weinidogaeth. Fe wyddwn ble y safwn yng nghwmni coler gron.

'Mi fyddwch wrth eich bodd yma, Mr. Pugh,' a dechreuodd glapio ei ddwylo yn frwdfrydig a llusgo ei sandalau ar draws y llawr. Arhosais am yr haleliwia. Dechrau hymian 'Kwmbaia' drwy fwg ei sigarét a wnaeth. Tanlinellodd guriad ystwyth y diwn drwy guro'r bwrdd gyda bysedd ei law dde. Daeth ton o anesmwythyd drosof.

Syllai arnaf yn eiddgar, gan wthio mwng cwbl ddireol o'i lygaid a thros ei dalcen i ymuno â'r gweddill o'i wallt a orffwysai yn donnau dros ei ysgwyddau. Hwyrach mai am ei dalcen y gwisgai ei goler gron, ar y Sul yn unig, i gadw trefn ar ei wallt.

'Fe gawn eich cwmni, gobeithio, clwb gitâr ar nos Wener o Fedi ymlaen, a snwcer yn y festri ar nos Lun, os—'

'Fydda i ddim yma—ar fy ffordd—'

'I fyd gwell, Mr. Pugh,' ei chwerthin afreolus am ben ei jôc wan yn fy nghynhyrfu.

'A oes yna fyd arall, Mr. Philips?'

'Gwynoro ydi'r enw—wel faswn i ddim yn yr ofalaeth yma oni bai fy mod yn credu hynny, Elwyn, os caf eich galw felly.'

'Mae'n well gen i Mr. Pugh. Ond ydech chi yn credu'n bod wedi treulio un bywyd ar yr hen ddaear yma yn barod, a'i bod yn ddigon posib y byddwn yn ailymddangos mewn rhyw ddyfodol pell? Mae o'n bosib?'

Anadlodd yn annifyr ar wydrau ei sbectol cyn eu glanhau gyda'i gadach poced pinc.

'Gwyddoch be ydi neges y Beibl a'r Efengyl, gyfaill, hyder a—'

'Gwn—bywyd ar ôl marwolaeth. Os felly, onid yw'n bosib bod yna fywyd cyn geni—bywyd llawn, cyfoethog, i'n paratoi am y bywyd hwn?'

'Cwestiwn diddorol, gyfaill,' gan ailafael yn ei ddawns fel ceiliog dandi, 'testun gwych i'r grŵp trafod yn yr hydref—cewch chi agor ar y testun—'

'Mi fydda i wedi mynd—'

'Diwrnod rhy boeth i destun mor drwm, Mr. Pugh,' gyda rhyddhad. 'Ond dowch i'r mabolgampau pnawn. Cewch weld hen ffrindiau—a chewch fy ngweld inne mewn trywsus byr yn y ras hanner milltir,' wrth gerdded allan yn hyder ei hwyl ei hun.

Ton o euogrwydd eto—mi fûm yn rhy galed arno.

Naddo. Mae fy ymchwil a 'mhererindod fy hun yn crefu am arweiniad. Rhaid i mi ymbaratoi cyn y caf fynd yn ôl at wreiddiau rhyw fodolaeth arall. Mae'r angen am ddehongliad yn fy nghynhyrfu, ond mae sicrwydd fy mhererindod yn fy nhawelu.

Mi es i'r mabolgampau, rhag creu rhyw deimlad drwg. Helô fawr ganddo wrth ruthro heibio yn ei drywsus gwyn. Mwynhau gwyrddlesni ffres y dyffryn ar ôl dwy noson o law taranau trwm a storm enbyd. Aroglau priddlyd digyfnewid y maes yn llyncu asbri'r ifanc a'r gweinidog cyfoes yn amyneddgar.

Tin-droi am awr neu ddwy. Cyfarch a sgwrsio, naturioldeb y gorffennol yn ein hosgoi, chwilio am eiriau. Yr oeddwn yn ôl ar gyrion y gymdogaeth. Prynu tocyn raffl, yfed paned, cogio rhannu'r cynnwrf pan ddaeth Gwynoro Philips yn ail yn y ras, a cherdded yn ddisylw at y llidiart.

'Da ych gweld chi, Elwyn Pugh,' adnabod ei wyneb, ond nid ei enw.

'Diwrnod hyfryd i'r plant.'

'Biti na fase 'ne gystadleuaeth coetio.' Rhaid ei fod yn o hen.

'Wel, haf ardderchog—ar waetha'r mellt a tharanau.'

'Ond tydi haf ddim yn haf heb dipyn o derfysg.'

Aeth yn ei flaen ar bwys ei ffon. Cerddais innau'n fyfyriol drwy'r giât i gyfeiriad yr hen gartref.

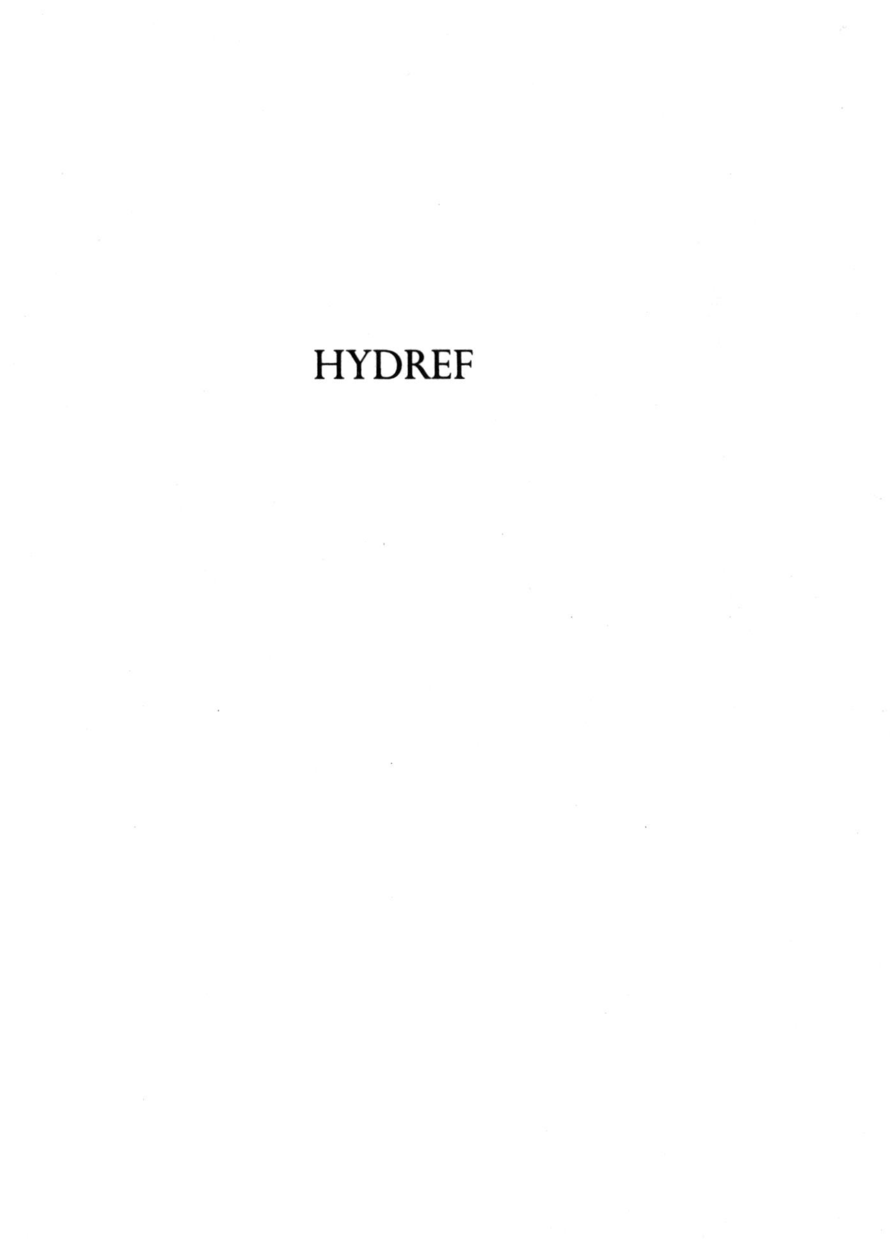

HYDREF

## 1965

*Medi 5*

Rhoddais fy mhwys ar y rhaw a thaniais fy nghetyn. Tynnais arno yn bwyllog wrth wylio robin goch yn diogelu ei domen drwy ehedeg yn llawn ffrwst o bostyn y llidiart i'r llwyn celyn ac i do y tŷ gwydr. Gwarchodwr gwirfoddol fy ngardd. Ac nid oedd yn fyr o'm hatgoffa, gyda'i 'tic-tic-tic' cyffrous cyn hedfan i'r llecyn nesaf. A hefyd i rybuddio tresbaswyr nad oedd croeso iddynt yn ei ardd ef. Arhosodd a'i ben yn gam i wrando am sialens rhyw heriwr digywilydd o ardd gyfagos. Wedi iddo fodloni ei hun nad oedd, torsythodd yn foldew a phynciodd ei tsweee, tsweee gyda thrawiad uchel, prysur. Taclusodd ei blu cyn sboncio i'r pridd. Syllodd arnaf yn unllygeidiog.

'Tsit—tsit?' yn dyner a holgar.

'Helpa dy hun, 'rhen fachgen. Ti ydi'r mistar tir.'

Gyda chwilfrydedd merch yn chwilota yn ei bag llaw, ymrodd ati i bigo pryfetach o'r tir. Gwenais yn foddhaus arno drwy len o fwg dioglyd.

'Gwaith a gorffwys wedi mynd yn un, dwi'n gweld!'

Llais Now Gelli Fedwen, mor hamddenol dawel ag erioed.

Gollyngais fy ngafael ar y rhaw, a chamais yn fras i'r llwybr.

'S'mai, Now, ers cantoedd!' a chael blas arbennig wrth ddefnyddio'r hen gyfarchiad. Ni fyddai'n swnio yr un fath y tu allan i Sainsbury yn y ddinas.

'Ar i fyny,' achan.' Yr un mor barod i sodro'r hen gyfeillgarwch.

'Ar dy wyliau yn y Gelli?'

'Nage, y pentre 'ma'n rhy dawel i'r wraig, Scarborough ar ddiwrnod gwyntog ydi'i syniad hi o wyliau. Ma hi wedi mynd ar gwrs i Bristol. Physiotherapi ydi'i maes hi. Cyfle i minne ddianc am dipyn o wynt y wlad. Be 'di dy hanes di, El?'

'Stori hir, 'achan, tyrd i mewn am baned.'

Ar ôl crafu'r pridd oddi ar fy sgidie wrth y drws cefn, berwais y tegell. Clywais Now yn gweiddi o'r gegin,

'Tydi'r lle 'ma ddim wedi altro dim, El—rhan o'r ewyllys, ie?'

'Talu rhent roedd 'Nhad, a mi prynais i o cyn iddo fo farw i neud yn siŵr y bydde ganddo fo gartre. Si yn yr ardal bod rhyw Saeson a'u llygad arno fo, a fedrwn i ddim meddwl amdano fo yn cael ei adael ar y clwt.'

Er fy mod braidd yn ddig wrth Now am gyfeirio at y ffaith nad oedd fawr ddim wedi altro, roedd o yn llygad 'i le.

'Rhaid i mi gyfadde nad ydw i ddim wedi moderneiddio llawer yma—wedi cael gwared â'r sinc lestri pridd; dŵr poeth a thoiled newydd. Digon i'w wneud eto, Now.'

'Siŵr gen i dy fod ti yma bob penwythnos yn diogi a thorheulo—a phalu'r ardd.'

'Tydw i ddim llawer o arddwr, mwy na 'Nhad, ac anaml y bydda i yn dod yma.'

'Choelia i ddim be wyt ti'n ddeud—nefoedd fach yn y dyffryn hardd yma, a thithe'n troi dy gefn arno fo!'

'Pan fydda i yn y ddinas, rydw i'n gyforiog o resymau dros ddod yma. Ar ôl cyrraedd, hawdd meddwl am resymau dros fynd yn ôl! Un od ydw i w'sti, Now!'

'Dim rhyfedd, a thithe'n syrthio rhwng dwy stôl fel'na. Be 'di dy swydd di—cyfarwyddwr addysg neu—'

'Ddim eto,' yn goeglyd. 'Prifathro ysgol gyfun, rhyw fil a hanner o blant, ar un o stadau mawr y ddinas.'

'Mae gen ti ddigon ar dy blât felly—'

'Dyna'r broblem, athro ydw i—wrth fy modd yn dysgu, delio hefo'r plant. Arlunio ydi 'mhrif ddiddordeb i, ond mewn ysgol mor fawr, gweinyddwr ydw i, a llai a llai o gyfathrebu gyda'r plant.'

Nid dyma'r funud i gyfaddef fy mod yn well gweinyddwr nag athro. Nid oedd ennyn brwdfrydedd plant at y testun yn broblem, ennill eu hyder oedd y gamp. A'm hansicrwydd i a'r euogrwydd a'm dilynai fel cysgod oedd y rheswm. Roeddwn bob amser yn wyliadwrus, a chyda'u cyfrwystra creulon, buan y gwelai'r plant drwydda i. Fel prifathro, mae'n syndod faint o hyder y mae eistedd y tu ôl i ddesg yn ei roi i ddyn. Hysbyseb wael wyt ti i dy broffesiwn, Elwyn.

Llanwyd y distawrwydd drwy wylio crachen ludw yn sglefrio ar draws y gegin.

'Fase gwraig ddim yn caniatáu rhyw giamocs fel'na,' gan gyfeirio at y grachen. 'A be ddigwyddodd i'r "ElaDil" ar y bŷs erstalwm?'

'Ie, erstalwm. Ffrwmpen oedd Dilys, os cofi di, a'i llygaid ar rywbeth gwell na mab gweithiwr cownsil—wnawn i mo'r tro.'

Rydw i'n gwrido wrth sgwennu—rhoi'r bai ar Dil—cachgi, fel arfer.

'A dy chwaer Lin, pishin fach oedd Linor. 'I ffansïo hi fy hun ar un adeg.'

'Wedi priodi, w'sti. Rhyngot ti a mi, dipyn o styffîg rhyngom ni ynglŷn â'r tŷ. Fuo Lin a minne ddim yn rhy agos at ein gilydd, y fi yn nes at Mam, a Lin at 'Nhad. Ffrae deuluol, wirion, a fuom ni ddim mewn cysylltiad â'n gilydd ers pedair blynedd. Ffolineb—fe wyddost mor groendenau y gall merched fod.'

Fy chwerthiniad eiddil i yn fwy dauwynebog nag un iach Now.

'Stori unochrog ydi hon. Be 'di dy hanes di, Now?'

'Dau o blant. Teipydd ydi un a'r mab yn y brifysgol yn Keel. Anaesthetydd ydw i yn Ysbyty Caeredin—mae gen i feddwl mawr o'r Sgotyn. Wn i ddim be sy ganddo fo o dan ei gilt, ond mae ene ddigon yn ei ben o.'

'Dwed i mi—' ac aeth y sgwrs ymlaen am hydoedd.

Now yn aros gyda'i fodryb heno, a ryden ni am gyfarfod i ginio yn y Three Bells fory.

Ymlacio yng nghwmni Brahms gyda'i *Variations on a theme of Haydn*. A'm galluogi i droi cefn ar fy nghelwyddau.

*Medi 6*

Glaw mân yn golchi llwch y sychwr oddi ar y dail a rhoi sglein dyner diwedd haf arnynt. Hwyaid a ieir dŵr yn cymhennu eu plu, a llwyd y to yn ymdrochi, ei adenydd ar led, ar y lein ddillad. Pensaer o'r Cyngor Sir, neu beth bynnag ydi'r enw y dyddiau yma, yn galw i drin fy nghynlluniau i ailwampio tipyn ar y tŷ. Gŵr ifanc slic, yn rhagymadroddi pob awgrym ynglŷn â'r gwelliant drwy ddyfynnu Cymal Tri o Adran Un, is-gymal (c) (1 1) o is-ddeddf 1962 yn ymwneud â lliw y llechen, ac os na fyddwn yn barod i gydymffurfio, gellid fy ngorfodi drwy'r pwerau a fuddsoddwyd yn y Cyngor o dan Ddeddf Cadwraeth y Saboth (neu rywbeth tebyg) 1954 Adran B Cymal 3c, is-adran c. Neu felly yr oedd yn swnio i mi. Y syndod i mi oedd bod y tŷ wedi aros ar ei draed am gymaint o flynyddoedd heb gynhaliaeth cyfrolau o ddeddfau lleol. Ond yr oedd gan yr hen seiri meini a'r briclars lygad dda.

Ymhen hir a hwyr, cefais ar ddeall y cawn ganiatâd i fodern-eiddio'r tŷ, ac y cawn grant at y gwaith. Gwgu fuasai Mam.

'Os na fedri di fforddio'r peth-a'r-peth, gwna hebddo fo.' Mi glywaf ei llais yn cario drwy'r drws cefn y funud hon. Doedd gan Mam druan ddim dewis.

'Pryd y bwriedwch ymddeol i'r wlad, Mr. Pugh?'

'Ddim am beth amser, ond fe fydd yn barod gen i pan ddaw'r amser. Rhyngoch chi a fi, rydw i'n bwriadu mynd i Affrica.'

Mwynheais wefr o bleser wrth ddweud wrtho mor ddifater am fy mwriad. Hwyrach ei bod yn haws dweud wrth un dieithr. Ond cam ymlaen.

'Cysylltwch â mi, Mr. Pugh, fel y bydd galw. Diolch am y coffi.'

Roeddwn yn dechrau cymryd at y lle.

Now a minne yn cytuno i gael cinio bach yn y bar. Telais am *bitter* iddo ef a lager a *lime* i mi fy hun. Cinio'r arddwr a ddewisais i, gan nad wy'n fwytawr mawr, ond dewisodd Now bastai stêc ac aren.

Ein dau yn canolbwyntio ar fwyta, am blwc.

'Synnu clywed dy fod am fynd i Affrica.'

Bu bron i mi dagu. Lai nag awr yn ôl y dywedais i, wrth ddyn cwbl ddieithr i mi!

'Sut ar wyneb y ddaear y—'

'Y frân wen! Ti'n cofio fel y bydde hi yn cario pob stori i'n mamau ni erstalwm! Elfed Williams, pensaer o'r Cownsil—mae o'n perthyn i Modryb o bell—fe alwodd, a fo dorrodd y stori.'

'Rydw i wedi fy syfrdanu, Now!'

Collais bob archwaeth am fwyd.

'Peth braf ydi cael cyfle i grwydro'r byd. Be sy gen ti mewn golwg, Elwyn?'

Cymerodd hanner awr i mi ddweud wrth Now, heb gadw dim yn ôl, heb unrhyw ymdrech i wahaniaethu rhwng ffaith a ffansi. Ar lawer ystyr yr oedd mwy o ffansi nag o ffaith. Heb dynnu ei lygaid oddi arnaf, gwrandawodd Now yn astud. Aeth i'r bar i archebu chwisgi i ni'n dau.

'Rwyt ti'n haeddu hwn—iechyd da—yn y byd nesaf!'

'Wyt ti'n fy nghredu i, Now?' yn ochelgar.

Oedodd ac anadlodd yn bwyllog, 'Ydw.'

Ysgydwais fy mhen yn anghrediniol, 'Y gadwen, y drwm, y sicrwydd.'

'Rydw i'n derbyn yr hyn rwyt ti yn ei ddeud, ond dydw i ddim yn honni fy mod i'n deall y cwbwl.'

'Ac i orffen, Now, fel y mae'r amser yn nesáu—mis neu ddwy flynedd, dim ots, ond fe ddaw, mae'r freuddwyd yn digwydd yn amlach.'

Cymerais ddracht o'r chwisgi cyn mynd ymlaen.

'Breuddwydio, na, teimlo fy mod ynghrog uwchben y ddaear, yn hofran fel aderyn ac yn cael fy nwyn ar yr awel drwy ddyffrynnoedd a thros fynyddoedd. Yn uwch ac yn uwch. Ac yn ara' deg teimlwn fod y "fi"—yr enaid, yr ysbryd—pa enw arall alla i gynnig?—yn llifo o 'nghorff—y sgerbwd—ac yn gwbwl annibynnol arno. Doedd dim angen corff—roeddwn i'n llifo i fodolaeth arall—i'r bywyd oedd o'm cwmpas yn yr awyr—yn anweledig, eto yn hollbresennol. A'r teimlad o hedd yn llesmeiriol. Annaearol, eto mor gysurus o real. Breuddwyd, Now, ond mae'n rhan o brofiad hefyd. Pan ddeffroaf, rwyf mor ysgafn â phluen. Ffantasi?'

'Nid yn fy marn i. Diddorol iawn, a real i'r sawl sy'n ei brofi. Lawer tro mae cleifion o dan ddylanwad anaesthetig yn mynd drwy brofiadau tebyg. Ac yn bwysicach, gwn am fwy nag un sy'n berffaith siŵr iddyn nhw ymweld â rhyw fodolaeth gyfrin arall pan beidiodd eu calonnau â churo am rai eiliadau, ac yn dychwelyd pan lwyddasom i ailgychwyn y galon.'

'Dew, rydw i'n falch o'r cyfle, Now. Medru sgwrsio yn agored hefo dyn deallus ac un sy'n derbyn drwy ei brofiad ei hun bod y fath beth yn bosibl.'

'Fe wyddost am yr hen ddywediad fod popeth yn bosibl! Rydw i'n edmygu dy amynedd di, yn chwilio am—'

'Ie, yn union, Now. Mi rydw i'n berffaith siŵr. Hoffwn i ddangos y gadwen i ti—ond mae hi o dan glo yn y ddinas. Un peth wn i. Mi ddof i wyneb yn wyneb â pherchennog ei chymar yn Affrica. Dywed 'mod i'n siarad drwy fy het os mynni di, wnaiff—'

'Amser, gyfeillion!'

'Maddau i mi, Now, dros ddwyawr—hunanol ar y diaw'!'

'Paid â phoeni, rhaid i ni gadw mewn cysylltiad. Nid yn unig mae'r profiad i ti yn unigryw, ond mae yna fwy o esbonio i'w wneud hefyd. Fe gei fy rhif ffôn cyn i mi fynd.'

'Yli, Now, amser—fel y deudodd y barman rŵan—pan ddaw'r breuddwydion a sŵn y drymiau, a phan fyddaf yn cyffwrdd â'r gadwen, rydw i'n ymwybodol o ryw nerth yn fy nhynnu allan o amser fel y meddyliwn ni amdano yn nhermau cloc—a 'nghodi i, wel—yng ngeiriau'r emyn—uwchlaw cymylau amser.'

Ac i atgoffa'n gilydd fod gennym amser ar ein dwylo, cerddasom yn hamddenol rhwng gwrychoedd a oedd yn gynnil o hydrefol, ac yn rhy swil i ddangos eu gogoniant.

'Sôn am emyn, Now. Er nad ydw i'n gapelwr, mae crefydd yn rhan o batrwm 'y mywyd i: Duw, credu yn Nuw a—'

'Aros, El, un peth ydi credu yn Nuw, peth arall ydi adnabod Duw. Fy nghred i ydi bod yn rhaid i ddyn adnabod ei hun cyn y gall adnabod Duw.'

'Ie, Now, tangnefedd a heddwch—mae'r gair heddwch yn ganolog i'r deall sy gen i ar hyn o bryd o'r profiad sy'n dŵad i mi. Adnabod fy hun—yn siŵr i ti, proses cymhleth ydi o, cyn belled ag yr ydw i yn y cwestiwn.'

'Onid ydi hynny yn wir amdanom ni i gyd, Elwyn?'

Cyn y medrwn ateb, aeth Now yn ei flaen.

'A'r ddolen gydiol rhwng Duw a dyn—wel, Crist. Os wyt ti'n derbyn Crist, mae'n gwbwl naturiol wedyn—yn hanfodol, dy fod yn cyfieithu cariad Crist yn weithred. Gwasanaethu dy gymdeithas a'th gymdogaeth.'

'A'r byd erbyn heddiw yn un gymdogaeth.'

'Yn gymaint â'i wneuthur i un o'r rhai bychain hyn—'

'Yn Affrica.'

*Medi 7*

Anwybyddu'r rhaw wrth gerdded o gwmpas yr ardd bore heddiw. Chwarter erw neu lai o ardd wedi tyfu'n wyllt. Mieri a chwyn a hen begiau pys yn cystadlu am le yng nghanol gwiail mafonen. Gwawr binc dwyllodrus cylch y perthi yn tagu pob planhigyn a llwyn yn ddiwahân os meiddiant sefyll yn eu ffordd. A dant y llew gyda'i wên dawel yn ymddiheuro am y fath lanast. Nid bod y robin goch yn poeni dim. Fel ddoe, roedd yn sboncio'n brysur o un rhych i'r llall wrth bryfeta ac, o dro i dro, yn erlid swidw neu dresglen a feiddiai dresbasu ar ei lannerch ef.

A'm stad innau. Teimlo y dylai bod gennyf giât i roi fy mhwys arni wrth gysidro fy ngoruchwyliaeth o'r stad. A chetyn i dynnu myfyrdod ohono. Mae'r lle yn dechrau tyfu arnaf, ac yn fy ngwadd i aros yma. Fel y robin goch, rydw i'n amharod i neb arall roi ei fys yn fy mrywes i. Pe bawn i'n gwisgo gwasgod, hawdd fyddai i mi wthio fy modiau i'w phocedi i haeru fy hawliau perchenogol ar yr eiddo! Wir, mae o'n magu hunanfodlonrwydd digon pleserus—gardd a pherllan i'w harolygu wrth fy mhwysau! Bydd yma yn aros amdanaf pan ddaw'r gaeaf. Ar ôl cinio cynnar—grym arferiad! Yn y ddinas, byth yn meddwl cymryd tamaid cyn un o'r gloch, ac yn ddigon aml, yn cymryd dim! Yn ôl yn fy nghynefin, rwyf yn fy nghael fy hun yn llithro i arferion fy mam, a ffermwyr y cylch! Wrth gwrs, roedd codi cynnar yn dipyn o sialens drwy'r ardal. Mater o egwyddor i Dafydd Huw y Foelgron oedd cynnau tân tua hanner awr wedi pump y bore, yn enwedig yn yr haf, er mwyn i'r ardal weld bod mwg y Foelgron yn cyrlio i'r awyr o flaen mwg o gorn pawb arall. Brecwast cynnar, cinio cynnar, godro cynnar, torri gwair yn gynnar, cneifio'n gynnar, a chlwydo'n gynnar. Breuddwydio, weithiau, yr hoffwn i fod wedi bod yn rhan o'r patrwm hwnnw. Ond bywyd caled, anwadal oedd o, ac ar waethaf y rhamantu am 'yr hen ddyddiau', a thân yn y parlwr, does gen i ddim stumog at droi'r cloc yn ôl. Ond sôn yr oeddwn am ginio cynnar—wy wedi ei ferwi'n galed a sleisen o fara brown. Wedi i mi glirio, euthum am dro i'r ffridd. Cnoi afal wrth y gamfa ac eistedd wrth Ffynnon Alis. Ffynnon Alis! Yr oeddwn wedi anghofio'n lân am y fflyrtio diniwed gyda Dilys. Rhaid fy mod yn mynd yn hen! Fe ddeuwn yn aml erstalwm i faldodi fy hun â sentiment poenus cariad cyntaf, wrth oeri fy nhraed yn nŵr y ffynnon. Mor anaeddfed oedd ein hemosiynau! Mor wahanol i'r cynhesrwydd rhwng Paula a Marion—na, na, sentiment—symptom arall o oeri'r gwaed! Cyfarfod Hugh John ar y ffordd yn ôl. Ei fab yn dreifio Massey Ferguson newydd, a Hugh yn gorweddian ar dwr o sachau ar y treiler. Clywais Hugh yn gweiddi ar y mab,

'Stopia, i mi ga'l gair ag Elwyn.'

Neidiodd i lawr a rhoddodd arwydd i'r mab—be ydi'i enw fo, tybed?—i gario ymlaen.

'Sut hwyl?' gan syrthio yn sydyn ar ei dîn i'r gwrych, fel pe bai'r ymdrech o orweddian ar y treiler wedi ei lethu'n lân.

'Mwynhau'r tywydd braf yma. Byd da ar y ffarmwrs, dwi'n gweld,' a gwyro 'mhen at newydd-deb y tractor.

'Y banc manijar pia fo, w'sti, El,' gyda winc hael. 'Ma bois y dre, fel ti, yn meddwl ein bod ni at ein crothau mewn arian—'

'Gwir bob gair, Hugh. Tydech chi'r ffarmwrs byth yn teimlo'n iach os na fyddwch chi'n cwyno, a myn diaw'—'

'*Hold on*, prin bod y sybsiseidi yn talu am—'

Chwarddais yn iach, yr oedd ei eirio mor ddoniol, a minne'n cael hwyl wrth ei bryfocio. Dechreuodd gnoi gwelltyn yn ddifater.

'Am faint rwyt ti'n aros, 'rhen El, a'r holl wyliau hir sy gennoch chi'r athrawon?' gydag edrychiad slei.

Rhyfedd fel y mae pawb yn gofyn pryd rydw i'n mynd yn ôl. Yr un cwestiwn a gawn ddyddiau coleg, *leave* o'r fyddin, ac ar hyd y blynyddoedd. Awgrymu y cawn ddod yn ôl o dro i dro, ond i mi beidio aros yn rhy hir. Wedi'r cwbl, y fi ddaru droi 'nghefn ar yr ardal.

'Troi'n ôl fory.'

'Taw!' a dyna ddiwedd ar y mater!

Colli trywydd y sgwrs, a syrthio'n ôl ar yr hen ffefryn,

'Sut mae'r teulu, Hugh?' Wyddwn i ddim a oedd o'n briod!

'Iawn, 'achan. Wel, rhaid i mi fynd, wedi addo mynd â'r *missus* i gyfarfod Merched y Wawr, a mi ga' inne lonydd i wylio *Western* ar y bocs. Hwyl!'

Mor agos, eto mor bell oddi wrth ein gilydd.

Pam yr ydw i yn mynd i'r drafferth i sgwennu yn yr hen lyfr 'ma bob dydd? Ar gyfer pwy?

Heddiw—diwrnod da i ddim!

*Medi 8*

Fe ddylwn lanhau a thacluso tipyn cyn i'r adeiladwyr ddod yma, ond gan y bydd yma lanast a llwch, waeth i mi heb â thrafferthu! Rhesymu da. Fe gaiff Evan Roberts a Lloyd George a'r iâr botyn a *Monarch of the Glen* fynd gyda'r llestri pridd i'r cwt yn yr ardd. A mân geriach eraill. Mor ychydig yr ydw i wedi newid ar y tŷ! Mi fuo 'Nhad am gyfnod yn eiddgar iawn gyda'i *fretwork*. Eisteddai ar fin nos gyda'r llif ffret yn tyllu patrymau cymhleth mewn darnau o bren, wrth wneud ffrâm neu rac catiau, a'u gorffen gyda phapur llathru. Dotio y byddwn i at ei allu i dynnu mwg o'i getyn o ochr dde ei geg, ac ar yr un pryd chwythu'r llwch o'r pren wrth lifio o ochr chwith ei geg.

Roeddwn yn reit siŵr bod yna biston rywle ym mhen draw ei wddf!

Wel, ers dros ddeng mlynedd ar hugain, mae'r rac catiau wedi hongian wrth ochr y tân, y pren yn felyn a'i gatiau yn gwneud cartref o'r gegin. Does gen i ddim calon i'w symud.

Ellis Builders sy'n mynd i wneud y gwaith a Beti Rowlands y Byngalo sy'n mynd i ofalu am yr allwedd. Gwraig fusneslyd fu hi erioed, a mi glywaf Mam yn deud am rai fel hi,

'Mi dyffeia i hi a'i thebyg i sbecian rownd y lle 'ma bob cyfle gaiff hi.'

Digon tebyg ei bod hi'n iawn, ond mae hi'n perthyn i'r hil gymdogol y mae rhai fel fi yn dibynnu arni.

Loetran rydw inne—mae'n debyg fy mod yn gneud y gorau o arafwch bywyd yn y pentre cyn fy nhaflu fy hun i brysurdeb hunanol tref fawr. Aros tan fory. Bodio drwy lyfr Muriel Spark a dychmygu sut chwerthiniad ydi *'hacking—hecking laughter'*, a 'hac-hec-hoo!' Arbrofi, i styrio dipyn ar y tawelwch sy'n drymllyd heno. Dim llwyddiant. Nid chwerthiniad Cymreig ydi o! Ambell i stori afaelgar.

Ailafael yn *The Prime of Miss Jean Brodie*, a dyfalu sut y byddai ei *crème de la crème* yn ffitio i mewn yn fy ysgol i! Iau anghymharus, mae gen i ofn, fel *The Old Boys* yn llyfr rhagorol William Trevor. Pendwmpian nes i sŵn y llyfr yn disgyn fy neffro.

*Medi 9*

Batri'r Hillman yn fflat. Aros i Harri'r Garej bicio i'r dref i brynu un newydd. Oni bai am hynny, fe fyddwn wedi ymadael cyn i Linor gyrraedd. Eistedd wrth y bwrdd yn yfed coffi a phendroni dros groesair y *Guardian* yr oeddwn, pan glywais glicied y drws yn codi.

'Tyrd i mewn, Harri—coffi cyn yr ei di i fol y car?'

'Y fi sy 'ma.' Lluchiais fy hun i wynebu'r drws. Y peth cyntaf a'm trawodd oedd gwelwder ei hwyneb a'r llacrwydd od fel pe bai'r esgyrn wedi cael eu tynnu allan. Yr ail argraff oedd ei bod yn rhy ddigalon i sefyll ar ei thraed.

'Linor, be 'di'r mater?' wedi anghofio am y gweryl a'n dieithriodd sawl blwyddyn yn ôl. Gwaed yn dewach na dŵr.

Taflodd ei hun yn swp i'r gadair freichiau—ffefryn 'Nhad—a thorrodd ei chalon. Un peth ydi cael merch yn wylo ar eich ysgwydd mewn cariad, peth arall ydi chwaer yn beichio crio mewn anobaith. Yr oeddwn fel iâr ar slecyn poeth. Edrychais drwy'r ffenest fel pe bawn yn disgwyl i'r batri newydd ddatrys y broblem.

'Coffi?'

Teflais lwyaid o Maxwell House i'r cwpan a'i doddi gyda dŵr o'r tegell. Gafaelodd yn dynn gyda'i dwy law yn y cwpan ac anadlodd yn feichus wrth sipian. Gohirio'r funud yn niogelwch y cwpan. Yr oedd yn amlwg ei bod wedi bod yn crio cyn cyrraedd. Aros iddi dawelu fyddai orau. Llithrodd i'w chwman a'i dwylo dros ei hwyneb. Rholiodd y cwpan i'r llawr gan adael rhimyn o goffi ar y carped. Er mwyn cael rhywbeth i'w wneud, gosodais y cwpan ar yr harmoniym. Toc, gydag esmwythder cath yn dad-ddirwyn ei hun o'i chwsg wrth y tân cododd ar ei thraed, ac wrth iddi ymestyn ei braich fe welwn bod ei chrafangau allan.

'Oswyn.'

Yr oedd ei llygaid yn bytheirio. Syllais arni'n ddisgwylgar.

'Ma ganddo fo ddynes arall—y sopen bowld!'

'Cymer bwyll, eistedda a dywed wrtha i—sut y gwyddost ti?'

Camodd yn ôl i'r gadair. Fe wyddwn ei bod yn brwydro i fagu digon o blwc i ddeud wrthyf. Ar ôl dechrau, nid oedd taw arni.

'Bob dydd Iau mi fydda i yn mynd i'r *Tech*, ar ôl cinio, i ddosbarth cwiltio. Yno y bydda i yn ymlacio. Ddaru'r athrawes ddim troi i fyny, ac ar ôl gneud 'chydig o siopa, mi gerddais i adref. Fel arfer, mi es i drwy'r syrjeri, i gael gair hefo Sue, y *receptionist*, ond doedd dim golwg ohoni hi nac Oswyn na'r nyrs. Mi synnais i braidd. Dim cwsmer, meddyliais, a phawb wedi mynd adre. Drwodd i'r gegin, ac mewn eiliad neu ddwy mi ddaeth Oswyn i mewn yn 'i *dressing gown*, "Os, be 'di'r mater, wyt ti'n sâl?" '

Plwc o grio.

'Wn i ddim sut i ddeud wrthat ti, El.'

Rhoddais broc i'r grât oer.

' "Rwyt ti wedi'n dal ni," medde fo. "Yn y gwely hefo Sue," mewn llais distaw, fel tase fo'n deud bod ganddo fo gur yn 'i ben. Mi roedd y stafell yn troi. Wyddwn i ddim be i ddeud na'i wneud. Ein dau yn rhythu. "Sori," medde fo, a cherdded allan. Fedrwn i ddim meddwl na symud. Mewn munud neu ddau, dyma fo i mewn i'r gegin a Sue yn 'i gwt o. Wedi gwisgo ar frys, yn amlwg, ei gwallt hi fel draenog a botymau ei blows hi ar agor. Roedd ene un *ear-ring* ar goll a *ladder* yn ei *tights* hi . . . Rhyfedd fel rwyt ti'n sylwi ar y pethe odia' mewn argyfwng. Mi safodd Sue yno heb ddim cywilydd. Bron nad oeddwn i'n disgwyl iddi hi ofyn i mi oedd gen i *appointment*. "Rydw i dros 'y mhen a 'nghlustie mewn cariad hefo Os," medde hi yn blwmp ac yn blaen. A deud y gwir, fedrwn i lai na'i hedmygu hi—mor glaear! Roedd Os ar bigau'r drain erbyn hyn, 'i ddewrder cynta fo wedi mynd, ac yn symud o un droed i'r llall. Mi ddois at fy nghoed, "Ers pryd ma hyn yn mynd ymlaen?" medde fi. "Blwyddyn," medde Os. "Deunaw mis," medde Sue. "A pha mor amal?" "Bob hyn-a-hyn—cael cyfle," medde Os. "Bob wythnos," medde Sue.

'Wyddost ti be, El, roeddwn i'n dechrau meddwl 'mod i'n hen sopen yn sbwylio eu sbort bach nhw. "Sori, Linor," medde Sue, reit ddifater. "Ryden ni'n ffrindie, wel, roedden ni'n ffrindie." Y ddau yn rhythu arna i a minne'n dal fy nhir.'

Cuddiodd ei hwyneb yn ei dwylo llipa. Aeth ymlaen drwy ei bysedd.

'W'st ti be, El, roeddwn i'n teimlo fel cwningen wedi'i pharlysu gan wenci—mae'r holl beth yn hunlle i mi.'

Wel, meddyliais, fe wn innau am hunllef—fedr y peth beidio â bod yn y teulu fel y bydde diciáu a llau erstalwm, yn ôl Mam?

'Coffi arall?'

Cyfle iddi gael ei gwynt ati—roedd hi wedi ymlâdd yn lân. A chymaint o gwestiynau i'w gofyn. Buom yn trafod hyd oriau mân y bore.

'Lin, anghofia'r hen helynt wirion honno—os wyt ti'n siŵr dy fod am ei adael—wel, i chi'ch dau gael meddwl dros y sefyllfa—croeso i ti ddod yma, fel ag y mae o. A mi fydd y dynion yn gweithio yma.'

'Fedr Cynthia ddim cadw'r plant am fwy na rhyw ddeuddydd eto—a fedra i ddim mynd yn ôl i'r tŷ i gysgu, ar ôl i'r slwt ene gyplu yn 'y ngwely i.'

'Dwn i ddim be ddaw ohonoch chi'ch dau ar hyn o bryd . . . Aros yma. Fydda i ddim yn dod yn ôl am—' nid dyma'r amser i ddweud dim am fy nyfodol.

'Diolch, El. Yr unig beth y mae Os wedi'i addo ydi na fydd dim yn digwydd rhyngddyn nhw yn ein tŷ ni. Mae Sue wedi ymadael. Ond wnaiff Os ddim addo eto, ishio amser i feddwl, medde fo, wnaiff o ei rhoi hi i fyny.'

'Mae'n ddrwg calon gen i, Lin. Dwyt ti ddim yn haeddu hyn.'

Fe welwn ei bod yn ail-fyw yr holl ddigwyddiad yn ei meddwl, am y milfed tro, mae'n siŵr.

'A wyddost ti be ddeudodd y *bitch* cyn mynd allan?—"Well i mi roi 'chydig o *lipstick* i sbriwsio fy hun." '

'Dos di i 'ngwely i am ddwyawr neu dair i orffwys. Mi arhosa i yma tan fory. Mi wnaiff yr hen soffa'r tro am heno. Ffwrdd â thi.'

Gogor-droi yr oedd hi.

'Rydw i wedi holi a stilio fy hun gymaint, wedi dadansoddi ein bywyd priodasol ni, wedi croesholi fy hun—nes yr ydw i yn teimlo yn euog—y FI yn euog!'

Dyna'r cyfan yr oeddwn am ei glywed—ein dau yn rhannu yr un euogrwydd!

Euthum allan at Harri i'w helpu i roi bywyd yn y car.

*Medi 10*

Dwbl chwisgi i Lin neithiwr. Mi gysgodd, ac mae ei lliw yn ôl y bore yma. Sgwrsio yn fwy hamddenol dros baned. Osgoi cynnig atebion arwynebol. Gwneud trefniadau rhyngom. Am fynd yn ôl heddiw yn y Fiat i hel ei phethau, a dod yn ôl hefo'r plant cyn y Sul. Y distawrwydd rhyngom yn ein closio at ein gilydd.

Llwythais y car. Omled gyda'n gilydd amser cinio. Tro o gwmpas y berllan cyn cychwyn. Sylwi fod yna olwg hydrefol, lipa ar y coed. Taswn i wedi edrych yn ofalus yn y drych wrth shafio, dyna'n union faswn i wedi'i sibrwd wrthyf fy hun.

Tresglen yn canu'i hochor hi ym mrigau uchaf llwyfen yng ngweirglodd Ffos Helen.

*Medi 11*

Fel yr âi'r pnawn heibio, anos bob munud oedd gadael Lin. Cytuno i gael gair ar y ffôn yn aml. Mynd i'r pentre i lenwi ffurflen i gael ffôn i mewn i'r tŷ. Gadewais hi cyn te, a chyrhaeddais yma tua wyth neithiwr. Y domen arferol o lythyrau, rhai'n gofyn am bres i setlo biliau, eraill yn cynnig ffortiwn ond i mi ddychwelyd dilyniant o ffigyrau ar unwaith i ddiogelu fy ffortiwn! Ar ôl y trawma o rannu profiadau hallt Linor, mae tawelwch y fflat yma yn annifyr. Dadbacio'r pentwr o sgetsys a fu'n hel llwch ym mharlwr Brynllwyn. Wn i ddim be yn union alla i ei wneud â hwy. Brasluniau mewn pensil a phastel wedi eu llunio wrth eistedd ar gamfa neu ym môn gwrych o gwmpas yr ardal yw'r rhan fwyaf. Cip ar yr Efail, hen sgubor y degwm, Bwthyn Meudwy (mae'r enw ei hun yn deffro darlun yn y dychymyg) cyn iddo fynd â'i ben iddo, llwyn cyll a haul bore o haf yn britho'r dail, a sgets o Bob Graigwen yn plygu gwrych. Fel y byddai Mam yn newid blanced gaeaf am gynfas haf ar y gwely mawr, felly y mae cymeriad a phatrwm yr hen ardal yn newid o flwyddyn i flwyddyn. Ac ar un cyfnod yn fy mywyd fe gymerais arnaf fy hun i roi anadl y gymdogaeth ar bapur. Yn ddistaw bach, yn gobeithio hefyd y diogelid y darluniau yn adran archifau y Llyfrgell Genedlaethol fel fy nghyfraniad personol i ar gyfer hanesydd y dyfodol. Ond yn domen flêr yn y twll-dan-staer y'u gadawyd hwy. Dim hyd yn oed arddangosfa o waith un o'n bechgyn ni, a wnaeth gymaint o enw iddo'i hun ym myd y celfyddydau, ar furiau llaith yr hen 'sgoldy, a gadewch i ni roi croeso arbennig i'r cyfaill dawnus, Elwyn Pugh. Wrth gwrs, fe fyddwn wedi ymddangos mewn crys fflamgoch, crafat pinc a beret du. Prin y byddai'r ardalwyr diniwed yn medru gwerthfawrogi fy arddull gyntefig er, hwyrach, y byddai gohebydd *Y Cronicl* wedi defnyddio'r term *'primitive art'* i ddangos ei wybodaeth i'w ddarllenwyr.

Bob tro yr eisteddwn i arlunio yng nghysgod coeden neu ar bwys hen feudy ar y llethrau, yr oeddwn yn ymwybodol o ryw gyffro dieithr a llaw gyntefig yn llywio'r bensil a'r pastel ar draws y papur. I mi yr oedd yn deimlad cwbl naturiol ac yn fy symbylu i uniaethu fy hun â dylanwadau hynafol a berthynai i fodolaeth gynharach. Nid rhywbeth i boeni amdano oedd i mi ond ffaith i'w derbyn. Yn naturiol yr oeddwn yn ddigon haelfrydig i anwybyddu cyfeiriadau dan dîn rhyw lembo fel Dic Postman: 'Diaw', ryw siop shafins o lunie ydi'r rhain,' neu sbeit Gladys Olwen: 'Ydi'r llun 'ma a'i dîn i fyny dywed?' drwy fwy na llond ceg o ddannedd gosod.

Dyma ti yn rhamantu eto, Elwyn Pugh.

Wel, os na ddof yn ôl o Affrica, caiff rhywun chwerthin am ben fy hobi wirion.

*Medi 12*

Ailagor yr ysgol. Cymaint o brysurdeb fel nad yw'n glir iawn be wnes drwy'r dydd. Cyfarch y disgyblion newydd, wrth gwrs. Er eu bod wedi dod yma o chwech neu saith o wahanol ysgolion, edrychant fel rhes o bys yn eu hiwnifform newydd a'r olwg ofnus yn eu llygaid. Croesawu chwech o athrawon a dwy athrawes newydd, un yn Gymro a'r ddwy athrawes yn Gymry. Dymuno'n dda iddynt a chael gair preifat gydag athro newydd yr adran arlunio nad wyf yn rhy hapus gyda staff sy'n fflawntio pwlofar melyn hyd at ei bengliniau a thwll mawr yn y penelin.

Fe deimlwn yn ofnadwy o amlwg a hen ffasiwn yn fy siwt lwyd a'r streipen wen. Dychwelyd i'm hystafell i argyhoeddi fy hun nad oeddwn yn mynd yn hen!

*Medi 13*

Dyma dymor y cynadledda a'r pwyllgora a'r is-bwyllgora a'r gweithgor. Am ddau o'r gloch, prysurais i'r Ganolfan Iechyd i bwyllgor cymunedol, lle buom yn trafod mwy o gyfathrebu rhwng y gwahanol adrannau yn y sector gymdeithasol. O'r munud cyntaf yn yr ystafell, yr oeddwn yn ymwybodol o ferch dal a eisteddai ar fy nghyfer. Nid oedd yn arbennig o olygus. Wyneb llwydaidd, ei gwallt wedi ei dorri'n fyr a'r ên braidd yn sgwâr. Ond yr oedd yn amhosib i mi anwybyddu ei llygaid. Llygaid brown, llonydd yn orlawn o gynhesrwydd annwyl. Eu gonestrwydd yn amlygu personoliaeth addfwyn. Llygaid dyfnion na fedrwn eu hanwybyddu. Eisteddai'n dawel, gan wneud nodiadau o dro i dro gyda beiro las, neu edrych am ryw wybodaeth yn ei ffeil. Yna, fe godai ei golygon a throi ei llygaid yn hamddenol o wyneb i wyneb, fel pe bai'n chwilio am anwyldeb ei llygaid ei hun yn wyneb rhywun arall o gwmpas y bwrdd. Yr un mor gynnil oedd y wên a wyliai ei chyfle ar gyrion gwefusau a oedd braidd yn rhy fain i fod yn gnawdol. Cymerais arnaf astudio'r cofnodion yn fanwl, ond llithrai fy ngolygon i'w chyfeiriad yn rhy aml. Anodd oedd peidio â chyrraedd ar draws y bwrdd i gyffwrdd ei hwyneb—yr oedd gennyf eisiau teimlo'r anwyldeb. Sylweddolais cyn hir bod ei llygaid hithau'n crwydro i'm cyfeiriad i, ac erbyn cyrraedd y bedwaredd eitem ar y rhaglen yr oedd ein llygaid yn cyfarfod yn rhy aml i'w anwybyddu. Codais fy aeliau yn awgrymog ac aeddfedodd y wên ryw ychydig. Yr oeddwn yn fodlon ar hynny hyd ddiwedd y cyfarfod. Mae'n lwcus nad oes gofyn arnaf i gadw'r cofnodion!

Nid oedd yr un ohonom ar frys. Fe wyddem y byddem yn cyfarfod ar ôl ffugio sgwrs gyda hwn a'r llall.

'Os nad wy'n eich 'nabod, rydw i yn awyddus i ddod i'ch 'nabod chi.'

'Na, dyma'r tro cyntaf i mi fod yn y pwyllgor yma,' a'r wên yn gynnil iawn.

'Elwyn Pugh, prifathro ysgol gyfun.'

'Mae'n dda gen i'ch cyfarfod chi. Tina Naseby, gweithiwr cymdeithasol.'

'O'r brif swyddfa yn Orville Street?'

'Na, o swyddfa Clarendon Avenue—y tŷ mawr Fictoraidd ar y gornel—Albert Villa.'

'Mi wn i amdano—mae'r ysgol yn eich cylchdaith chi.'

Darbwyllais fy hun i mi sylwi ar fflach o ddiddordeb yn ei llygaid. Ond y mae ei llygaid mor olau a bywiog fel na allwn fod yn siŵr. Nid oeddwn ar frys i'w gadael, a chwiliais am destun sgwrs.

'Un o'r ddinas?'

'Nage, o Sir Gaerfyrddin yn wreiddiol, ond—'

'Siarad Cymraeg?' Y gofyn yn Gymraeg yn swnio fel *pidgin English* yn fy nghlustiau!

'Dipyn back! Bore da!—dyna'r cwbwl.'

Gwenodd yn ymddiheurol o swil. Ni allai lai na sylwi ar fy acen.

'Wel, fe fedrwn i gywiro'r diffyg mewn amser,' yn awgrymog, ond heb fod yn rhy flaengar.

'Ar ôl ymddeol o'r fyddin, fe brynodd 'Nhad fferm ryw chwe milltir o'r dre, bum mlynedd yn ôl. Magwyd fi yn y Cotswolds, felly dim ond crap sy gen i ar y Gymraeg. Wrth fy modd yn gwrando ar y canu Cymraeg.'

Cefais hi'n anodd i dynnu fy llygaid oddi arni. Swynwyd fi gan naturioldeb ei hosgo a'i sgwrs. Tynhaodd ei gafael yn ei brîffces fel arwydd ei bod ar fynd.

'Siawns na chawn gyfarfod eto, Mr. Pugh.' Fe wnawn i yn siŵr y gwnaem! Er ei bod yn dal, cerddai yn ysgafndroed, heb dynnu sylw ati ei hun.

*Medi 14*

*Medi 15*

Grym arferiad neu 'styfnigrwydd—dydw i ddim yn siŵr. Pe bawn i yn ailddarllen fy hen ddyddiaduron, y tebygrwydd yw y buaswn wedi hen alaru ar ddigwyddiadau anniddorol fy mywyd. Unwaith y dechreuais gadw dyddiadur mewn *copy-book* dwy geiniog o siop Ffowcs, yr oeddwn yn gyndyn o roi'r arferiad heibio. Anodd i mi ddweud ai grym arferiad ynteu amharodrwydd i gael fy nghuro gan fy ansicrwydd a'm diogi i fy hun sy'n gyfrifol.

Nid oes gen i yr awydd lleiaf i fynd drwy'r dyddiaduron—maen nhw yn bentwr taclus mewn hen focs tun yn y llofft fechan yn y fflat yma. Am flynyddoedd, fe'u cedwais yn yr hen fasged wellt lle tybiwn pan oeddwn tua wyth oed bod Bwana yn cuddio. Falle nad yw Bwana yn y fasged wellt bellach, ond yn ddi-os mae ei bresenoldeb yn fy nghynhyrfu hyd heddiw. Rwy'n ymwybodol hefyd bod yr amser yn nesáu pryd y deuaf wyneb yn wyneb â'r profiad a fydd yn rhoi cnawd ar sgerbwd yr annealladwy. Ta waeth am hynny, am funud. Sôn yr oeddwn am y fasged wellt. Dirywiodd (fel finnau!) ac mae'n rhy fregus i ddal dim ond llwydni! Synnwn i ddim na fydd Linor yn ei thaflu allan. Doedd gen i ddim calon, rywsut. Mae yna ryw elfen o sentimentaleiddiwch yn ymledu drosta i fel cen ynglŷn â'r dyddiau cynnar.

Ond ynglŷn â'r dyddiaduron, mi fentra i nodi nad oes ond un tro arall pan aeth diwrnod heibio heb i mi gofnodi dim byd. A'r diwrnod hwnnw oedd Mehefin 5, 1942 pan dderbyniais y newydd am farw Mam. Tristwch a laddodd bob awydd ynof i sgwennu dim.

Iwfforia ydi'r rheswm am y papur glân ddoe!

Fedrwn i ddim cael Tina Naseby allan o'm meddwl!

*Medi 16*

Dirprwyaeth o rieni yn galw i'm gweld y bore—drwy drefniant. Er fy mod yn awyddus i gadw drws agored i rieni'r plant, fe'm gorfodir yn rhy aml i drefnu amser, yn arbennig os bydd nifer yn galw. Os yw rhiant yn poeni am ei phlentyn, gorau po gyntaf iddi gael cyfle i wyntyllu'r broblem. Gorau oll os galwant fi ar y ffôn i gychwyn i wneud yn siŵr fy mod ar gael. Os deuant ar sbec, y perygl yw y bydd Mrs. Wardle, fy ysgrifenyddes, yn hudo'r broblem o bryder y fam, a hynny heb fawr ddim cydymdeimlad. Un felly ydi hi. Gwrandewais yn astud ar y ddirprwyaeth, ac addewais eu cyfarfod yr wythnos nesaf. Gwyliais hwy'n cerdded i lawr y coridor cyn brysio at y ffôn.

'Helô? Ydi Miss Tina Naseby ar gael, tybed?'

Distawrwydd am eiliad.

'Ai am Mrs. Naseby yr ydych yn holi?'

Ateb annisgwyl iawn!

'Mae'n ddrwg gen i—ie, Mrs. Naseby.'

'Hanner munud.'

Taflwyd fi oddi ar fy echel, ond glynais wrth fy nghynllun.

'Bore da, Mrs. Naseby—Elwyn Pugh sy 'ma. Hoffwn gael gair gyda chi am un neu ddwy o broblemau sy gen i. Fedrwch chi alw i mewn?'

'Ar bob cyfrif—pnawn heddiw?'

'Dau o'r gloch—bydd paned yn barod.'

Bûm yn gogor-droi weddill y bore. Dyfalu pa broblemau y dylwn eu cynnig iddi! Fy unig reswm dros ffonio oedd rhoi cyfle i mi gael syllu ar ddyfnder ei llygaid nwyfus. Gweithiwr trefnus ydw i, yn hoffi pob ffeil yn ei lle, a'm desg yn daclus. Nid yn rhy daclus, wrth gwrs, rhag rhoi'r argraff nad oes dim gwaith ar y gweill. Cuddiais y *Guardian* yn y drôr, er nad oeddwn wedi gorffen y croesair, a gadewais y llyfr swmpus yr olwg *The School and the Community* ar erchwyn y ddesg. Un o'r llyfrau rheini a welir yn aml ar ddesg prifathro, y cefn yn glaerwyn a'r clawr yn felyn! Ryw ddydd mi af ati o ddifrif i'w ddarllen. Yn wir yr oedd yn agored o'm blaen pan hysbysodd Mrs. Wardle fi fod yna ryw Mrs. Naseby wedi cyrraedd. Pan ddaeth Mrs. Wardle i mewn yn gynharach fe sylwodd ar y llyfr, a gwyddai yn dda fod yna ymwelydd pwysig ar y ffordd.

Dyna pryd y dywedodd, 'Dau goffi, felly.'

Rhoddais Mrs. Naseby i eistedd ar gadair yn wynebu'r ffenestr, i mi gael mwynhau y llygaid hyfryd. Yr oedd y mân sgwrsio fel y rownd gyntaf mewn gornest focsio—mwy o sbarian ysgafn na dim arall. Yr oedd ei thawelwch yn fwy heintus o lawer yn fy ystafell breifat i nag ym mwrlwm yr ystafell bwyllgora. Heb ei chôt fe welwn bod ei chorff yn siapus iawn ac yn meddu yr un cynildeb ag a welwn yn ei gwên.

'Bisgeden arall, Mrs. Naseby—mae'n ddrwg gen i'ch galw yn Miss Naseby ar y ffôn bore 'ma,' mewn llais a mwy o siom ynddo nag ymddiheuriad pan sylwais ei bod yn gwisgo modrwy.

Glynodd wrth ei gwên gynnil. Tua'r pymtheg ar hugain oed, plant yn yr ysgol, hwyrach.

'Mae yna gryn bwysau ar eich amser, siŵr gen i—galwadau'ch gwaith a magu plant.'

'Na, does gen i ddim plant.' Unigol ac nid y lluosog. Atebodd mor dawel fel na fedrwn fachu ar ddim awgrymog yn ei hateb.

Roedd yn rhaid i mi gael gwybod.

'Gobeithio nad yw'r gŵr yn un o'r rheini sy'n hawlio ei fwyd ar y bwrdd am bump o'r gloch ar y dot,' a'm chwerthiniad yn ffals. Gwridais wrth sylweddoli mor Fictoraidd oedd fy chwilota naïf!

'Fe laddwyd y gŵr ar rig oel flwyddyn yn ôl.'

'Mae'n *wir* ddrwg gen i,' gan gyffwrdd ei braich yn ystyriol, a'm calon yn sboncio fel y robin goch yn yr ardd.

Chofia i fawr am weddill y sgwrs! Ni allwn guddio fy edmygedd, chwaith. Prin gyffwrdd problemau'r plant ac nid oedd hithau'n pwyso.

Oerodd yr ystafell pan ymadawodd, ar ôl addo y byddai'n galw eto yn fuan. Yr oedd yn awyddus, yn awyddus iawn, i gryfhau'r cysylltiadau gyda'r ysgolion.

*Medi 17*

Pan aeth y ffôn tua wyth o'r gloch neithiwr, meddyliais yn siŵr mai Tina Naseby fyddai ar ben arall y lein. Yn naturiol, braidd yn llugoer oeddwn pan glywais lais Linor. Gwrando arni am hanner awr, a sylweddoli mai fi fyddai'n talu'r bil. Braidd yn annheg. Linor yn dadlwytho ei dicter a'i hansicrwydd. Oswyn yn gwrthod rhoi ateb pendant, eisiau mwy o amser, y plant yn holi ond yn medru anghofio drwy gyfeillachu â phlant y pentref, a chwarae yn y berllan. Linor yn methu cysgu, un munud yn barod i faddau iddo er mwyn y plant, y munud nesaf yn ffieiddio'r sefyllfa. Minnau'n gwneud synau a oedd yn debygol o fod yn cynnig cydymdeimlad, ond heb lawer o syniad pa ateb i'w gynnig.

'Anodd i ti ddeall fy nheimladau hwyrach, El. Dwyt ti ddim yn ferch, a hen lanc wyt ti.'

Hogynnaidd oedd y gair a redai drwy fy meddwl i.

Gadewais y llyfr yn gyfleus ar fy nesg er mwyn i mi gael cyfle i freuddwydio am Tina. Aeth â'm bryd yn gyfan gwbl. Sawl tro yr euthum drwy ein sgwrs, air am air, chwilio am awgrym fan hyn, dehongli gair ac ynganiad fan draw, a'i chynildeb tawel yn creu cyffro pleserus ynof. Ar fy ffordd adref o'r ysgol, dreifiais heibio Albert Villa a sionciais drwof pan welais ei Fiat yn y maes parcio. Arhosais am ychydig, gan obeithio y deuai allan. Ac y cawn ei hedmygu o bell.

*Medi 18*

Nid oedd Mrs. Naseby ar gael pan ffoniais ei swyddfa y bore 'ma. Na, nid oedd neges, fe alwn yn nes ymlaen.

Troi i'r *Directory*—K—L—M—N—Nabock—Nadler—Naseby —tri ohonynt.

'3426. Tom Naseby, *Butchers*—' Rhoi'r ffôn i lawr yn dawel.

'9046—Naseby, *Delicatessen, Morley Street.*'

*'Sorry, wrong number!'* yn flin.

'21, *Sausage skin manufacturers, Lyle Street,* Jack Naseby.'

*'Something wrong with this damned line.'*

Stwffia dy sosej, Jack.

Mae rhai merched yn gwbl ddifeddwl—hunanol ydi'r gair gorau.

'Na, Mrs. Wardle, does gen i ddim amser i weld cynrychiolydd llyfrau Macmillan.'

Wrth gwrs! Dyna'r ateb! *Ex-directory*!

Gwraig mor hoffus a deniadol—dynion ar ei hôl fel gwybed!

'Na, Mrs. Wardle, dywedwch wrth y Cyfarwyddwr 'mod i'n goruchwilo profion.'

Pa siawns sy gen i: Pump a deugain, hanner set o ddannedd gosod, trwyn cam ac esgus o wallt.

'Na, Mrs. Wardle, does gen i fawr o awydd trafod maes addysg grefyddol newydd Mr. Edmunds—fory hwyrach. Ydw, Mrs. Wardle, rydw i'n berffaith iach, diolch.'

A! Fe af i lawr i'r Green Dragon am hanner peint. Yno y bydd staff Albert Villa yn hel am ginio. Yn groes i'm harfer, euthum allan ganol dydd. Dim golwg ohoni.

Wrth gwrs bod ganddi edmygydd! Bwrdd bach i ddau mewn *pub* allan o ganol y ddinas, o leiaf, o olwg ei chydweithwyr. Galw heibio'r King Harry, Black Bull, Wheatsheaf a'r Laughing Fiddler.

Ar ôl hanner peint ym mhob un, ac yn teimlo'n flin ac yn sâl, dychwelais i'r ysgol.

Ymweliadau yn y bore, gwaith swyddfa y pnawn. Dyna'r patrwm yn aml. Un ymdrech arall.

'Gair gyda Mrs. Naseby, os gwelwch yn dda.'

Fe glywn ei henw yn cael ei basio o lais i lais.

'Na—does neb yn siŵr ble mae hi. Neges iddi?'

'Ddim diolch. Gair personol. Hen ffrind iddi ydw i, digwydd bod yn y cyffiniau—a fyddai'n bosib i chi roi ei rhif ffôn i mi—ei chartref?'

Mwy o sibrwd a thrafod.

'Mae'n groes i'r rheolau—pwy sy'n siarad?'

'Rydw i'n deall—am roi syrpreis iddi—byddwch yn gariad, del.'

Fe'i cefais, rhwng pyliau o giglan swil.

'938 49223—a nid y fi roddodd y rhif i chi.'

'Dim gair, diolch o galon!'

Mae'r rhif ar y papur o'm blaen ar fwrdd y gegin. Mewn cyfyng-gyngor. Fe wyddost am yr hen air, El—does yr un ffŵl fel hen ffŵl.

*Medi 19*

Roedd meddwl am fynd i'r ysgol heddiw yn waeth na meddwl am *double Latin* erstalwm. Methu cysgu yn un rheswm. Dros fy mhen a'm clustiau mewn cariad yn rheswm arall. Y fi! Yn f'oed i! Na, nid ei chorff ydi'r apêl. Na, tydw i ddim yn ei dadwisgo yn fy nychymyg.

'Mrs. Wardle?—Elwyn Pugh. Ddim yn rhy dda, bore 'ma—cyfeiriwch bob problem i'r dirprwy—profiad da iddo, na, ddim byd mawr allan o'i le. Ffoniwch fi os cyfyd rhywbeth pwysig iawn.'

Gwneud paned o goffi i mi fy hun yr oeddwn tua hanner awr wedi deg, ac yn dal yn fy *nressing gown*, pan ganodd y ffôn. Rhwng dau feddwl a wnawn ei ateb.

'Helô!' mewn llais digon gwanllyd.

'Mae'n ddrwg gen i'ch styrbio chi, Mr. Pugh. Dau beth. Yr heddlu eisiau caniatâd i annerch yr ysgol ar fandaliaeth a thresbas ar y stad a—'

'Fel y dywedais yn gynharach—drosodd i'r dirprwy. Cyfle iawn i Mr. Waldorf ddelio â'r mater, ac unrhyw fater—'

'A galwad oddi wrth ryw Mrs. Naseby—eisiau cyfweliad ynglŷn â phroblemau teuluol Micky Forsyth 3X—mi drefna i gyda Mr. Waldorf i gael gair â hi pan—'

'Na, na—mae sefyllfa'r Forsyths yn un ddifrifol, mater i mi—trefnwch iddi ddod i'r ysgol erbyn hanner awr wedi un. Rydw i'n teimlo'n well ar ôl gorffwys am ryw awr—diolch, Mrs. Wardle.'

Newidiais fy meddwl ddwywaith. Gwisgais amdanaf ar frys. Yn gyntaf rhoddais y siwt nefi blw amdanaf. Na, rhy ffurfiol. Penderfynais wisgo yr un frethyn, un o'm ffefrynnau a sawr hydrefol yn y brychni. Torrais y mymryn lleiaf ar fy mwstas a chribais yr ychydig wallt gyda gofal. Wrth geisio bod yn hamddenol, teimlwn y cynnwrf yn cynyddu. Amharod oedd y car i gychwyn, fel pe bai am fy atgoffa nad oedd rhuthro o fantais i neb. Yn bwyllog, denais y peiriant i ymateb, ac erbyn hanner dydd yr oeddwn yn yr ysgol.

Erbyn hanner awr wedi un yr oedd yr hambwrdd a dwy gwpan ar fy nesg. Ar y dot, cyrhaeddodd Mrs. Naseby, ei hymarweddiad hunanfeddiannol yn peri i mi sylweddoli mor ffyslyd oeddwn.

'Croeso unwaith eto, Mrs. Naseby,' a manteisio ar y cyfle i syllu yn annaturiol o awgrymog i'w llygaid, 'neu hwyrach y byddai Tina yn fwy cartrefol.'

'A pham lai, Mr. Pugh?'

Eisteddodd, ar ôl cymryd cip ar rai o'r tystysgrifau a huliai fy ystafell.

'Prawf o lawer o weithgareddau yn eich ysgol.'

'Rwy'n gobeithio fod a wnelo fy mrwdfrydedd rywfaint ag ymdrechion yr athrawon i greu ysgol fywiog. Bellach, dydw i ddim yn rhy barod i wisgo tracsiwt.' Sylweddolais y gallwn fod yn awgrymu fy mod yn hŷn nag yr hoffwn iddi feddwl, 'ond wrth gwrs, pan ddaw'r cyfle, allan â mi i'w canol.' Yr oedd fy llais yn felodramatig.

'Gobeithio nad oedd a wnelo'ch absenoldeb y bore yma ddim â gorweithio, Mr. Pugh.'

'Ddim o gwbwl, gwaith caled a chyfrifoldeb yn fy sbarduno—a'm cadw yn ifanc,' yn llawer rhy ffuantus.

Tybed a oedd yn chwerthin yn dawel i fyny ei llawes wrth wrando ar fy ymdrechion i wneud argraff arni? Na, yr oedd yn llawer rhy agored ei chalon.

'Y chi fu'n ceisio cael gafael arnaf ddoe?' dros ymyl y cwpan.

'Ie, yr oeddwn yn awyddus i drafod un neu ddau—na, gwell i mi fod yn onest—fe wnaethoch argraff ddofn arnaf y dydd o'r blaen, ac yr oeddwn yn awyddus iawn i'ch cyfarfod eto.'

Ond sut y gwyddai mai fi a fu'n plagio'r swyddfa?

'Fe ddywedwyd wrthyf fod hen ffrind am roi syrpreis i mi, a rhyw lol felly, ac ar ôl meddwl dros y peth, fe ddois i'r penderfyniad mai chi oedd yn euog!'

Am y tro cyntaf, ymlaciodd yn llwyr, a thaflodd wên hael, slei i'm hafflau.

'Gadawsoch argraff arna innau hefyd. Y ffaith syml ydi—dydi'r Forsyths ddim yn ormod o broblem.'

'Hwyrach mai chi a fi ydi'r broblem!' braidd yn herfeiddiol.

Fe allwn ddychmygu Mrs. Wardle yn dyfalu'r rheswm am chwerthin mor afieithus wrth drafod cyni un o'm teuluoedd.

Treuliwyd yr awr nesaf yn taflu pêl ymholgar y naill i'r llall.

'Wel, rhaid i mi fynd. Mae gen i broblem go iawn i'w thrafod y pnawn yma.'

'Beth am ginio nos Wener?'

'Fe fyddwn wrth fy modd—fe gawn air ar y ffôn nos yfory—fe wyddoch y rhif ffôn, wrth gwrs!' wrth gerdded at y drws.

Rhannwyd y gusan gynilaf a brofais erioed.

## 1970

*Hydref 10*

Diwrnod pen-blwydd Tina. Gadewais yr ysgol yn gynnar. Roedd gennyf amryw o bethau i'w gwneud cyn yr hwyr. Brysiais o un siop i'r llall cyn galw yn Goldsmiths, y gemydd yn Buckingham Avenue! Rai wythnosau yn ôl treuliais awr gyda Mr. Isaacs yn dewis anrheg. Fe wyddwn yn union am beth y chwiliwn. Cadwen debyg i'r gadwen a chwaraeai ran mor gyfrin yn fy mywyd. Nid oedd byth yn ymwthio, ond yr oedd wrth fy ysgwydd. Un aur fyddai presant Tina. Dewisais yn ofalus. Cynildeb oedd gwir werth y gadwen—cynildeb yng ngwead y patrwm ac yn y cynllun. Ni fynnai Tina unrhyw beth rhodresgar, ac ni fyddai'n gweddu iddi chwaith. Cipiwyd fy anadl pan ddangosodd Mr. Isaacs hi imi.

'Rhyfeddol! Yr union beth y breuddwydiais amdano.'

'Gallaf eich sicrhau ei bod o wneuthuriad arbennig iawn.'

'Anrheg i ferch arbennig iawn, Mr. Isaacs,' yn ddigon gwylaidd.

I mi, yr oedd dau gan punt yn bris bychan i'w dalu am yr hapusrwydd a roddodd Tina i mi yn ystod y pum mlynedd diwethaf.

Ar ôl cyrraedd y tŷ, cuddiais y gadwen a gosodais y bwrdd. Byddai wedi bod yn haws o lawer i ni fynd allan i westy, ond gyda'n gilydd yn niddosrwydd y fflat y dymunem fod. Swper ysgafn, potel o win—*Médoc* a *Sauterne* oedd ei ffefrynnau—a chwmni'n gilydd.

Goleuais gannwyll binc a'i gosod ar soser fechan a brynais yn Murrano pan aethom ein dau i'r Eidal, ac ymweld â'r ynys enwog lle gwneir y gwydr a gwawr binc yn llifo drwyddo. I Tina prynais ddolffin a wnaed—wel, a 'chwythwyd', fyddai'r gair gorau—wrth i ni wylio'r crefftwyr dawnus. Hwnnw oedd y tro cyntaf i ni dreulio gwyliau gyda'n gilydd. Dwy, neu dair—

nid wy'n siŵr—blynedd yn ôl. Bellach, nid yw amser yn bwysig. Ein hapusrwydd yng nghwmni'n gilydd yw'n llinyn mesur, nid cloc ac almanac.

Nid oeddwn yn hapus wrth daflu golwg dros y bwrdd. Y gannwyll! Nid oedd ei hangen. Ymdrech ddianghenraid i greu awyrgylch. Byddai gafael yn nwylo'n gilydd ar draws y bwrdd yn creu llawer gwell awyrgylch na gwawl cannwyll.

Cerddodd i mewn yn llawen tua hanner awr wedi saith, a thaflodd yr allwedd ar y biwrô.

Taflodd ei breichiau allan a chymerais hi yn fy mreichiau. Am eiliad, glynasom yng nghynhesrwydd y cofleidio. Nid oedd lawer mwy o angerdd yn ein cusan nag yn y gusan gynnil gyntaf a rannwyd yn ystafell y prifathro! Ond yr oedd yn orlawn o gariad cynnes, swil.

'Pen-blwydd hapus, 'nghariad annwyl i!' a'i dal led braich i ffwrdd. 'Rwyt ti'n edrych yn hynod o annwyl.'

Gwenodd yn dawel. Derbyn pob canmoliaeth a mynegiad o gariad gyda'i thawelwch arferol. Cusanodd fi yn dyner ar fy nhalcen. Mewn gwisg las syml a danlinellai siâp cyfforddus ei chorff, ac a roddai gyfle i'r hyfrydwch dwfn yn ei llygaid oleuo'r ystafell, yr oedd yn bictiwr o anwyldeb.

'Be gymeri di?'

'Yr arferol—*Dry Martini* a *tonic water*.'

Gwnaeth ei hun yn gyfforddus, taflodd ei hesgidiau o'r neilltu. Nid oedd dim yn awgrymog nac yn rhywiol yn hyn.

Fe ffynnai Tina ar symlrwydd ein cynhesrwydd tuag at ein gilydd. Cymysgais *gin* a *tonic* i mi fy hun.

'Anrheg fechan i ti—i'r ferch fwyaf cariadus yn y byd.'

'Elwyn! Rwyt ti'n rhy barod hefo'r gor-ddweud yma! Falle 'mod i yn werth y byd i ti, ond gwraig ganol oed, gyffredin ydw i i'r byd!'

Arferwn ei galw yn 'ferch anwylaf'—ond nid oedd yn hapus ar hynny—nid oedd bellach yn ifanc!

Ei chas beth oedd pobl a geiriau ffuantus. Ac un o'i rhinweddau mwyaf gwerthfawr oedd ei gonestrwydd.

Yn ddi-ffrwst, dadbaciodd y parsel bychan oedd wedi ei lapio mewn papur brown. Ni fyddai ddim balchach pe defnyddiwn bapur drud.

Arhosais yn gynhyrfus am ei hadwaith. Wedi'r cwbl, yr oedd hwn yn anrheg go arbennig.

Syllodd ar y gadwen yn synfyfyriol. Ni wnaeth unrhyw ymdrech i'w chyffwrdd.

'Mae'n hyfryd, diolch o galon, Elwyn,' yn ddigyffro.

Teimlwn yn siomedig—ond fe wyddwn ei bod yn wirioneddol hapus. Ofer oedd disgwyl gormod o ganmol.

'Wyt ti am ei rhoi am dy wddw?' a chymerais y gadwen o'r blwch a'i rhwymo am ei gwddf. Cerddodd yn hamddenol at y drych, a phletiodd ei dwylo drwy'r gadwen.

'Fe'i gwisga i hi pan fyddwn ni'n dau gyda'n gilydd—dim ond i ni mae hon.'

Fe wyddwn mai geiriau o'r galon oeddynt, a chusenais hi'n gynnes iawn.

'Wyt ti'n 'nabod y patrwm a'r cynllun?'

Edrychodd eilwaith yn ofalus ar y gadwen aur.

'Wrth gwrs, dy gadwen di—clyfar iawn, El, a syniad gwych. Dy gadwen hynafol di a 'nghadwen gyfoes i fydd y ddolen gydiol rhyngom pan fyddi di yn Affrica.'

'Os nad wyt ti am ddod gyda mi, Tina. Profiad arbennig—'

'Na, El, ryden ni wedi trafod hyn lawer gwaith. Dy bererindod di fydd mynd i Affrica pan ddaw'r cyfle—'

'Na, nid y cyfle, Tina, 'nghariad i, ond yr amser. Hei! parti pen-blwydd ydi hwn—tyrd at y bwrdd.'

Cymerodd fy llaw yn gynnes, gwasgodd ei bysedd ar fy migyrnau a sibrydodd yn fy nghlust,

'Rwyt ti wedi cymryd 'y nghalon i drosodd, Elwyn—mae'n llawn i'r ymylon o dy gariad.'

Araith hir i Tina.

Llenwais ein gwydrau â'r *Médoc*.

'I ni'n dau, Tina, pen-blwydd hapus!'

'A dim ond i ni'n dau.'

Ddwy flynedd yn ôl fe fuaswn wedi ei chipio i westy mawr, cinio *à la carte* rhwysgfawr, gwinoedd drud, cynffonnwr o weinydd a gwirod mewn gwydryn llai na gwniadur. A cheisio cadw wyneb syth wrth edrych ar y bil gyda llygaid croesion!

Gwn yn well, erbyn heddiw. Coctêl prôn syml, Wardorf salad a hufen iâ. Ac amser i flasu'r gwin yn hamddenol. Hynny yn llawer mwy at ei dant. Lliw coch ysgafn yn cael ei adlewyrchu yng ngwres tyner ei llygaid fel y sipiai'r *Médoc* yn araf. Fel y gwin, awr i'w sawru yn agosatrwydd ein serch yw'r hapusrwydd a rannwn. Bysedd wedi eu plethu ar draws y bwrdd yn fwy huawdl na geiriau.

*Hydref 11*

Wrth orweddian yn fy ngwely y bore yma, y fath bleser oedd medru ail-fyw ein parti pen-blwydd! Nid yn unig ben-blwydd Tina, ond pumed pen-blwydd ein perthynas, hefyd. Mae fy mywyd yn gyfoethog, mae'r amser a dreuliwn gyda'n gilydd yn hyfryd ac mae'r ddawn ganddi i wneud i mi chwerthin. Cywelwyr od yw euogrwydd a chwerthin! Dywedais y cwbl wrth Tina yn gynnar yn nyddiau ein cyfeillgarwch. Un o'i rhinweddau yw'r ddawn i wrando yn amyneddgar, heb fod yn feirniadol. Gall wrando ar ddistawrwydd a synhwyro'r blinder sy'n crefu am fynegiant. Felly yr oedd gyda mi, wrth i mi geisio ymateb i'w distawrwydd disgwylgar. Hudwyd fi gan dynerwch ei golygon i ail-fyw, yn hollol gignoeth, greulondeb fy erlid dialgar yn y Jebel. Drwy siarad a dadansoddi'r cymhelliad gyda'n gilydd, rhannodd yr euogrwydd â mi. Y seren wib o gusan a fflachiodd ar draws ein ffurfafen yn fy ystafell i bum mlynedd yn ôl a esgorodd ar ein cyfeillgarwch. Ond haul hydref a gododd darth fy euogrwydd i wneud lle i gynhesrwydd y cariad tyner sy'n rhan annatod o'n bywydau, bellach. Nid oes arlliw o'r gwylltineb cyffrous a gipiai Dilys a Marion a Julie, a genethod eraill y syrthiais mewn cariad â hwy yn ein hieuenctid, i funudau o fyseddu ac ochneidio gwyllt. Cariadon tridiau yn meddwl ein bod wedi sugno oes o angerdd wrth ymbalfalu'n drwsgl a rhwydo'n cyrff mewn brys cnawdol. Nid bod dim yn gyfrin yn ein hagwedd at gyrff ein gilydd. Nid oes dim yn anghyffredin i ni'n dau mewn cerdded a loetran o gwmpas y fflat neu lolfa Tina yn noeth. Anaml y cyffyrddwn â'n gilydd, ond fe rydd inni deimlad o ryddhad o lyffetheiriau bywyd bob dydd. Fe awgrymodd Tina yn ystod un o'n sgyrsiau aml mai adlais o'r gorffennol cyntefig yw i mi. Ym mêr fy esgyrn, fe wn mai sumbol o'm rhyddid newydd yw. Am flynyddoedd, bu euogrwydd fy anlladrwydd yn unigedd y Jebel yn ddraenen yn fy nghydwybod. Nes y daeth Tina i'm bywyd. Amhosibl fyddai wynebu dyfodol gyda merch mor onest heb yn gyntaf rannu hagrwch fy nghyfrinach. O bob man i wneud hynny, unigedd moel y bryniau uwchben Llyn y Fan a ddewisais. Nid o fwriad. Diwrnod o haf cynnes a phraidd o gymylau gwynion yn pori yng nglesni'r awyr.

'Elwyn, rydw i'n meddwi ar y distawrwydd,' wrth syllu i hen chwedl y llyn islaw.

'Mae'r awel yn rhy swil i sibrwd ar y llethrau yma.'

'Paid â phoeni am fod yn delynegol—byd glân ydi byd y mynyddoedd yma.'

'A llyn yn rhy swil i adrodd ei stori wrthym hefyd.'

'Stori? Gad i mi ei chlywed—rydw i'n berffaith gyfforddus,' gan glosio i 'nghesail fel y gorweddem yn y gwair.

'Chwedl, mewn gwirionedd, hen chwedl ramantus, drist.'

Fel y cofiwn i y stori, fe'i hadroddais yn ddioglyd ddigon. Wedi i mi dewi, gadawsom i rin y chwedl gynhyrfu'r tawelwch.

'A phwy oedd yn euog—y fo ynteu hi—Gwyn am fod mor ddiofal ohoni, ynteu Nelferch am fod mor 'styfnig?'

Roedd y gair 'euog' fel cawod o ddŵr oer ar fy nghefn a tharfwyd ar dawelwch y fan gan ergyd oer, galed. A honno yn diasbedain fel pe bai yna garreg ateb ym mhob pant. Llaciais fy ngafael a rhoddais fy mhwys ar fy mhenelin er mwyn i mi fedru edrych ym myw ei llygaid.

'Rydw inne'n euog—o lofruddio.'

'Dywed wrtha i,' heb symud na bys na bawd.

Dechreuais yn herciog, ond fel y cynyddai'r teimlad o rydd-had o fedru rhannu'r profiad, byrlymodd yr hanes allan.

Tewais ac edrychais i lawr i wyneb crychiog y llyn. Cododd hogyn ifanc mewn iwnifform lwydwyrdd o'r dŵr, cerddodd yn araf ar draws y graean cyn diflannu dros y boncyn. Yr oeddwn yn chwys diferol. Gorfodais fy hun i edrych ym myw llygaid Tina. Yr oedd y fflam yn ei llygaid yn llawn o gydymdeimlad. Syrthiais i'w hafflau fel pry cannwyll. Nid bore heddiw yw'r tro cyntaf i mi ail-greu'r diwrnod hwnnw. Bu'n drobwynt yn ein cyfeillgarwch. Dihysbyddwyd fy euogrwydd a gwyddwn mai cariad oedd yn ei distawrwydd.

Pan glywais gorn yr Hillman tua dau o'r gloch, brysiais i lawr y grisiau ac aethom i gysgod y mynydd am de pnawn.

'Cywira fi unwaith eto, El—*Lin ee Van Vack*—iawn?'

'Llyn y Fan Fach, 'nghariad annwyl i.'

Mae'n anodd credu mor agos ydym at ein gilydd, hyd yn oed yn ein meddyliau.

*Hydref 12*

Dim arbennig wedi digwydd heddiw. Ciliodd yr amser bellach pan nad oedd ond bywyd yr ysgol yn cymryd fy mryd. Byddwn yn anonest pe hawliwn hynny. Tina yw fy mywyd, bellach. Mor hawdd yw derbyn yr hen ddywediad—'Be ydi'n dda cadw ci a chyfarth fy hun!' Ni allwn obeithio am dri gwell dirprwy, ac rwy'n fwy na pharod i orffwyso fy hanner can mlynedd o dro i dro! Aethom ein dau i'r Hippo—fel y'i gelwir yn lleol—i'r Hippodrome, i gyngerdd. Mwynhad mawr yng nghwmni Mozart a Delius.

*Hydref 13*

Bu bron i mi anghofio ffonio Linor heno. Y ffaith syml yw bod yr ysgol, y clwb golff, a'm chwaer yn isel ar fy mlaenoriaethau erbyn hyn. Fe dry fy mywyd o gwmpas Tina. Bydd gwacter yn fy mol os na fyddwn yn cyfarfod ar fin nos, ac aiff y ddau ohonom i drafferth i ailwampio'n cynlluniau er mwyn i ni gael bod gyda'n gilydd.

Ond ar ôl i mi ysgrifennu hyn, mae'n rhaid i mi gyfaddef bod yna ryw anniddigrwydd yn fy nghorddi. Ar Doug Ellis y mae'r bai. Ryw wythnos yn ôl aethom ein dau am beint i'r Purple Gate. Mi fydda i yn mwynhau cwmni Doug, mae o'n ffraeth, ac mae ganddo fo arferiad doniol o wincio'n ddibaid wrth sgwrsio. Fel nad ydi rhywun byth yn sicr pryd mae o o ddifrif, a phryd mae o'n tynnu coes. Dros ei ail beint yr oedd Doug yn sôn am gymydog iddo fo a oedd wedi priodi merch llawer iau nag o'i hun. 'Mae o wedi gneud blydi smoneth ohoni, El—peth perig ydi cariad hen lanc.' Fe daniodd winc anghyfforddus o awgrymog i'm cyfeiriad i. Mi besychais inne yn annifyr i'r *bitter* a oedd yn fy llaw.

Fe wawriodd arnaf y funud honno y gallwn fod yn gwneud ffŵl ohonof fy hun. Yr oedd winc Doug yn dweud y cwbl. Bu'r peth ar fy meddwl ers wythnos. Yr wy'n awr yn dechrau amau a yw Tina yn gwneud ffŵl ohono i. Tina? Na! Tybed? Ai ym mharadwys ffŵl y bûm yn byw am bum mlynedd mwyaf dedwydd fy mywyd? Rwyf newydd orffen bodio drwy fy nyddiaduron, a rhaid i mi gydnabod fy mod yn creu darlun rhy ddelfrydol o Tina. Rydw i'n sylweddoli fy mod yn fwriadol wedi anghofio sôn am ambell i stranc a thempar. Ei llygaid annwyl ar dân, ei llais yn gras a gwylltineb noeth yn hagru ei hwyneb. Mae gen i gywilydd 'mod i'n barod i fradychu Tina fel hyn ar ddu a gwyn. Ac i wneud pethau'n waeth, mi gefais yr argraff fwy nag unwaith ei bod hi'n mwynhau y pyliau gwyllt. Yn sicr, mae hi'n actores dda. Dro arall, teimlais nad oedd yn ymwybodol o'i hymddygiad. Fel y diwrnod braf hwnnw o Fehefin yr aethom i Southport. Yr oeddem yn loetran law yn llaw ar Lord Street, a Tina'n tynnu 'nghoes y dylwn brynu côt croen dafad.

'El,' meddai, 'fel mae dy waed di'n teneuo, rhaid i ti gadw dy hun yn gynnes.' A'i chwerthiniad slei yn ei gwneud yn anodd i mi beidio â'i chofleidio ar y pafin. Fe redodd dau *yobbo* heibio, a chipiodd un ohonynt ei bag oddi ar ei hysgwydd. Mi gollodd

Tina ei phen yn lân, ac fe aeth yn sterics arni. Gweiddi, rhegi, sgrechian ar ganol y stryd, ei llygaid yn fflamio,

'*My Access, my diary, my contact lenses, you bastard, how could you let them do it*' wrth fy slapio'n sarrug ar draws fy moch. Gadawodd fi ar drugaredd rhythu'r siopwyr, a chefais hyd iddi mewn awr yn yfed coffi yn yr *Arcade*. 'Mi wyddwn y caet ti hyd i mi,' yn reit ddidaro.

Dyna'r cwbl. Od! Od iawn. Ond mae hi'n werth y byd, er ei bod hi'n anwadal.

Heno, am y tro cyntaf, euthum gyda hi i gyfarfod o'r *International Fellowship*. Oherwydd natur ei gwaith, bydd yn cyfarfod pobl ddiddorol iawn, a deffrowyd ynddi ymwybyddiaeth aeddfed iawn o anniddigrwydd grwpiau ethnig y ddinas. Fel finnau, y mae'n teimlo'n gryf y bydd raid i ddynion a merched sy'n dal swyddi cyhoeddus: athrawon, gweithwyr cymdeithasol, meddygon, fferyllwyr, twrneiod, nyrsys a'r heddlu, edrych arnom ein hunain fel cyfryngau i gryfhau'r berthynas rhwng y du a'r gwyn. Nid aiff wythnos heibio na fydd rhiant o'r grwpiau ethnig yn galw yn yr ysgol i gwyno.

Ceisiaf gadw llygad barcud ar y berthynas rhwng y gwahanol grwpiau—y du ei groen a'r gwyn ei groen, a hefyd y rhwyg a ddatgelir o dro i dro rhwng y du a'r du—y West Indian a'r Affricanwr, yr Asiad a'r Pakistani.

Caiff pawb wrandawiad gennyf. Dro ar ôl tro, diwedd y stori yw cwyn am yr heddlu. Mae gen i lawer o gydymdeimlad â'r heddlu mewn rhannau fel hyn o'r ddinas, ond nid fi yw'r unig un sy'n poeni am y sibrydion sy'n cael eu trafod yn gwbl agored y bydd y bom yn ffrwydro, un o'r dyddiau yma. Gwared ni!—fe fedrwn dorri'r atgasedd gyda chyllell, weithiau.

Ambell dro, gofynnai Tina i mi fynd gyda hi. Rhois heibio bwyllgor y Clwb Arlunio, ac euthum. Ni fedrwn weld pen pella'r ystafell pan gerddasom i mewn. Yr oedd yn dew o fwg. Mwg od. Mwg llwydwyn fel tarth gwaelod y weirglodd ar lannau'r Cothi, yn llawn o arogleuon myglyd smog y ddinas. Tŵr Babel. A rhesi o ddannedd gwynion pan welsant Tina. Fûm i erioed mor falch ohoni. Derbyniwyd hi fel brenhines, yr ysgwyd llaw gor-groesawus, y cyfarch uchel a'r giglan heintus a dreiddiai drwy'r mwg o bob cornel o'r ystafell. Abdul a Hamed a Nogor a Fram—fy enwau gneud i—ar draws ei gilydd yn rhoi hynt a helynt y teulu i Tina, hithau'n gwrando, ac yn gofyn ambell i gwestiwn. Fy nghyflwyno innau i ambell un. Amryw o bobl wynion yr oeddwn yn eu hadnabod, ond o bell yr oeddynt yn siarad â'r criw hwyliog yn y Clwb. A'r amheuon yn chwyrlïo drwy'r mwg.

Cynigiwyd llymed i mi.

'*Gin* a *tonic*?'

'Beth am Mrs. Naseby?'

'Tina, tyrd yma, mae'r cyfaill yma am brynu llymed i ti.'

'*Bacardi* a *coke*, plîs. El, gad i mi gyflwyno Cadeirydd y Gymdeithas i ti.'

Edrychais ar ŵr golygus, heini, ysgwyddau llydain, gwasg fain a llygaid treiddgar. Siglai yn esmwyth ar ei sodlau.

'Kabora Onesmus—Elwyn Pugh.'

'*Jambo, Bwana*,' gan ysgwyd llaw yn awchus. Ni chefais gyfle i'w ateb. JAMBO—JAMBo—JAMb— JAmbo—jambo——

Fe glywswn y gair o'r blaen, flynyddoedd yn ôl, yng nghefn gwlad. Yr oedd y cyfarchiad yn pellhau, a llais Tina yn y mwg—

'O Kenya mae Kab—' Byddarwyd gweddill ei geiriau gan sŵn tabyrddau yn ffrwydro drwy fy mhen. A giglan gorffwyll i rythmau Affrica.

Syrthiais yn swp i'r llawr ac wrth ymladd am fy ngwynt, llanwyd fy ffroenau ag arogleuon pridd hen, hen. Cefais gip sydyn ar fwth crwn a tho gwellt. Yn araf, deuthum ataf fy hun a synau Tŵr Babel yn cystadlu gyda'r disgo.

Daeth Tina â mi adref, ac y mae hi am gysgu yma heno.

Pan ffoniais i Linor, ni chefais ateb.

*Hydref 14*

Daeth Tina â phaned i fyny i mi'r bore yma. Ar ôl yr holl amser, byddaf yn sionci drwof bob tro y bydd yn cerdded i mewn i'r ystafell, cwpan yn ei llaw, a gwên yn goleuo ei hwyneb. Cusanu'n dawel. Eistedd ar erchwyn y gwely.

'Wyt ti'n iawn y bore 'ma?'

'Ardderchog, 'nghariad i—teimlo fel bacwn ac wy y bore 'ma.'

'Bran pur, te lemon a brechdan frown—ychydig o fêl, os mynni.'

'O! am fod yn feistres corn y bore 'ma?' gan gymryd ei llaw. 'Fel arfer, ti ddaru achub y dydd. Rhediad dy law dros fy wyneb wnaeth fy nadebru.'

Syllodd Tina drwy'r ffenestr ar frain swnllyd yn clegar yn y coed. Trodd ataf. 'Fu crefydd na ffawd yn golygu fawr i mi, ond rydw i yn reit siŵr bod un o'r ddwy elfen wedi ymyrryd yn ein bywydau ni neithiwr. *Ni*, cofia, nid *ti*—mae'n bywydau ni'n un, er ein bod yn byw ar wahân—ac mae'r amser yn nesáu pan fyddwn ni yn byw gyda'n gilydd. Cyn hynny, rhaid i ti fynd ar dy bererindod.'

'Yn fy nghalon, mi wn na fedra i ddim osgoi mynd—mae o yn fy ngwaed, yng ngwead fy modolaeth. Mae'n rhaid i mi gau'r mwdwl ar y gorffennol—ynteu agor y drws i'r dyfodol fydda i? Ond mae 'nghalon i'n gwrthryfela hefyd. Yma mae fy lle i—yma mae 'ngharriad i, a'r holl anwyldeb sy'n 'y mywyd i.'

'El, mi fydda i yma pan ddoi di'n ôl—am y bydda i'n gwybod y byddwn yn troi cefn ar y ddinas a threulio'r gweddill o'n hoes yn dy hen gartref. Yn ôl at dy wreiddiau. Gaeaf tawel, cynnes wrth y tân . . .'

'Tina, y tebygrwydd ydi bod gen i lai o amser ar y ddaear yma nag sy'n y gwahaniaeth yn ein hoedran—fedra i ddim fforddio gwario'r amser yn Affrica heb dy gwmni di a—'

'Ond rwyt ti'n cael cyfle arbennig iawn—cenhadaeth anghyffredin. Mewn bodolaeth gynharach fe fuost ti yn rhan o gymdeithas frodorol, hynafol. Dyna sumboliaeth y gadwen, y tabyrddau, a'r . . . fflachiadau annisgwyl sy wedi bod yn rhan o dy brofiad di . . . A ddoe, fe gefaist ti ddadleniad mwy pendant. Fel yr esboniodd Kabora pan ddoist ti atat dy hun—yn edrych fel drychiolaeth, gyda llaw—gair Swahili ydi *Jambo* . . . "Helô, croeso"—yno y cei hyd i dy hen deulu. Torri'r siwrnai, El, cyn symud ymlaen i'r fodolaeth nesaf. Brodor o Kenya ydi Kabora, cyfrwng iti ddychwelyd . . .'

'Tina, ara' deg. Dechrau yn y dechrau. Duw a greodd yr enfys fel arwydd o'i gyfamod rhyngddo ef a'r ddaear ac—'

'Yn hollol, El, "tros oesoedd tragwyddol" yw'r geiriau. Fedri di ddim gwahanu Duw ac Amser. Rwyt ti'n rhan o greadigaeth Duw—ond pa mor bell yn ôl y mae creadigaeth Duw yn syrthio, El? Ai un elfen, un lefel sy? Ynot ti, mae'r elfennau yn uno ar eu gorau. Rwyt ti'n freintiedig, El. Dydi'r darlun ddim yn gyflawn eto—ond y mae credu yn Nuw, yn dilyn dy fod yn credu yng Nghrist—Crist cariad, Crist gwasanaethu cyd-ddyn. Daw dy gyfle, dros dro, yn Affrica—Kenya, mae'n debyg. Nid i bawb y daw'r cyfle i wasanaethu ei gyd-ddyn—gwasanaeth wedi ei gyfoethogi gan brofiadau a aeddfedwyd mewn bodolaeth gynharach.'

Cymerodd fy llaw, plethodd ein bysedd.

'Amynedd ac amser.'

Ni allwn lai nag edmygu ei dehongliad, ac yr oeddwn yn barod i'w dderbyn, heb ddeall y cyfan.

Llithrodd allan cyn cinio i siopa, a sleifiais i'm llyfrgell i gael cip ar Affrica—a Kenya. Teimlais wres y cyhydedd yn codi i'm hwyneb.

*Hydref 15*

Cyn mynd i'n gwelyau neithiwr, ffoniais Linor.

'Amynedd ac amser, El, ond ryden ni'n ôl gyda'n gilydd. Digon oeraidd ydi'r awyrgylch, ond er mwyn y plant, rhaid i ni ymdrechu. Maen NHW o gwmpas. Cawn sgwrs fwy preifat eto. Cymer ofal—rydw i'n cymryd bod Tina yn edrych ar dy ôl di. Cofia fi ati.'

O leiaf mae amser ar ei hochr hi.

Nid aros yma i fodloni cymhelliad rhywiol anniddig y bydd Tina. Dihysbyddwyd nwydau gorffwyll ein blynyddoedd cynnar cyn i ni gyfarfod. Anwyldeb a thynerwch sy'n cynhyrfu'r emosiynau ac yn ein hudo yn dawel i'r ildio gogoneddus sy'n cryfhau'n cariad ac yn cyfoethogi swyn y rhyfeddod rhyngom.

Neithiwr, denwyd ni yn hamddenol a sicr i funudau o bleser cyflawn nad oedd iddo na gorffennol na dyfodol. Amlygiad perffaith o gariad y presennol. Gorweddasom yn dawel ym mreichiau'n gilydd.

*Hydref 18*

Cyn hanner awr wedi naw yr oeddem ar ein ffordd i'r pentref. Ar ôl edrych ymlaen at dreulio penwythnos yn llonyddwch y wlad, siom yw gorfod dreifio drwy'r glaw, a cheir eraill yn 'sgaru tail y ffyrdd dros ein sgrîn wynt. Tina oedd wrth yr olwyn, a'i hosgo dawel wrth ddreifio yn fy ngalluogi i fwynhau edrych allan drwy'r ffenestri gwlybion. Bore dwl, a'r diferion o'r coed a'r gwrychoedd yn awgrymu bod rhywun wedi bod wrthi yn tynnu llwch ddiwedd haf, i roi cyfle i liwiau'r hydref lonni'r wlad.

Pob cornel a chroesffordd yn dwyn ei atgofion ei hun o fynd i'r ysgol ar y bỳs, a miri plant ysgol yn boddi grwndi cysurus y Vauxhall gwyn. Cyn hir, yr oeddem wedi dianc o afael y glaw a chawsom gip ar haul gwelw yn ceisio dianc o boced y cymylau.

'Wyt ti am bicnic, El?'

Un o bleserau'n hymweliadau â'r wlad oedd aros mewn llecyn tawel i fwyta. Ar gadair blyg ganol haf, yn niddosrwydd y car ar ddiwrnod fel heddiw.

'Pam lai? Mae popeth gen i. Cawn fynd am dro ar ôl i ni fwyta. Mae'r awyr yn lân ar ôl y drochfa.'

Troesom oddi ar brysurdeb y ffordd fawr i ffordd gefn. Ar ben yr allt, cawsom hyd i lannerch a roddai i ni olwg hyfryd ar y dyffryn islaw. Ciliodd y tarth yn araf a gwelem liwiau'r hydref yn plethu'n enfys ysgafn drwy'r coed. Y combein wedi rhuthro drwy'r meysydd gan wahanu'r gwellt a'r grawn yn ei awydd i ddinistrio clog euraid y dyffryn. A gadael aceri o sofl yn edrych fel draenog mawr, disymud.

'Tyrd am dro rŵan, rhag ofn i'r hen gymylau acw hel mwy o law.'

Erbyn i ni gyrraedd pen yr allt nesaf rhwng gwrychoedd cochddu o ddrain yr oedd awyr flinedig, welw, yn ceisio ei gorau i lynu wrth lesni Awst. Ac yn ymestyn i orwel lled-glir i orffwys ar gopaon y mynyddoedd. O'n cwmpas yr oedd y dail yn brysur yn ymbincio ar gyfer haul canol dydd, ar ôl i awel ysgafn ysgwyd y diferion olaf o'u gwythiennau. O goeden i goeden, sbonciai drudwy a llwyd y gwrych a phioden fel petaent yn chwilio am yr arddangosiad mwyaf lliwgar o liwiau'r hydref.

Yn slei, llithrodd dryw i ddrysni'r gwrych fel pe bai ganddo gywilydd o'i gôt frown yng nghanol y fath ysblander.

Arafodd Tina a gafaelodd yn fy mraich.

'Fydda i byth yn blino dyfalu be sy'n digwydd uwch ein pennau yn nirgelwch y gofod. Dyfalu pa ryfeddodau sy'n cymryd lle yn nhawelwch affwysol y di-ben-draw. Rydw i'n cofio ymweld â physgodfa fawr yn Aberdeen un tro a dotio at filoedd o lyswennod yn gwau drwy ei gilydd fel pethau gwirion yn eu hymchwil feddw am rywle i fynd. Dyna'r darlun sy gen i yn aml am i fyny fan acw. Meddylia, y funud yma mae yna filiynau o fodau, o eneidiau, o ysbrydion yn gwibio fel seren gynffon o un fodolaeth i'r llall. Eiliad, a dyna ailddechrau byw. O un diwylliant i'r llall, o un symlrwydd hynafol i gymhlethdod soffistigedig ein cyfnod ni . . .'

Anaml y byddai Tina mor gyffrous.

'Tina, 'nghariad i, rwyt ti'n gorsymleiddio yr holl ryfeddod sy'n gwneud patrwm y greadigaeth. Ffantasi noeth!'

'Ai ffantasi ydi credo'r Hindŵ?'

'Nid Hindŵ ydw i—Cristion a—'

'Cristion yn dy fodolaeth bresennol—ond mae dyn yn ennill gwybodaeth newydd wrth symud o un bywyd i'r llall, a pham na all profiadau ysbrydol cynharach gyfoethogi dy brofiadau ysbrydol di yn y byd yma?'

'Wyt ti'n awgrymu bod yna ynni a phŵer ysbrydegol yn rhan hanfodol o'r ymfudiad diderfyn o un fodolaeth i'r llall?'

'Cylchred o fywydau ydi bywyd i'r Hindŵ. Mae tynged dyn yn cael ei benderfynu gan ei weithredoedd—y Karma—i'r

Hindŵ. Mae dy dynged yn dibynnu ar dy lwyddiant neu dy aflwyddiant yn dy ymchwil am ryddhad. Mae dy lwyddiant yn arwain i ailymgnawdoliad ar lefel uwch. Rhan o gyfriniaeth dy bresenoldeb di a finnau ydi hyn, El, ar y ddaear—heddiw. Fe gei di gip ar ymweliad cynharach cyn bo hir.'

Yr oeddem yn ôl wrth y car. Nid yn aml y cynhyrfid natur dawel Tina, ond yr oedd llifeiriant olaf blwyddyn natur yn lliwiau'r dail wedi deffro ynddi hithau ryw ymwybyddiaeth ffres o bwerau'r Cread.

'Hidia befo'r Karma am ychydig, Tina—mae'n stumog i'n dibynnu mwy ar y presennol na'r dyfodol! Be sy gan y *Picnic Queen* i'w gynnig heddiw?'

Cofiais iddi ddweud wrthyf un tro mai fel *'picnic queen'* yr adwaenid hi gan ei chyfeillion erstalwm.

Mwynhau'r cwgod a'r salami a'r salad gyda gwydryn o *Liebfraumilch* a sleisen o fara brith i orffen. Nid yn unig yr oedd Tina yn dysgu siarad fy iaith, yr oedd hefyd yn cael llawer o bleser yn Cymreigeiddio ei ffordd ei hun o fyw. Gwneud bara brith a gwisgo brethyn Cymraeg oedd dau o'r arwyddion! Ar ôl paned o goffi—heb siwgr—aethom ymlaen. Yr oedd y syniad o yfed te neu goffi heb siwgr yn un bawaidd i mi dair blynedd yn ôl, ond erbyn heddiw mae'n arwydd o'r ffordd y mae Tina wedi trawsnewid fy null o fyw.

'Tyrd, *Bossy-boots*!' fydd fy nghyfarchiad weithiau.

Loetran drwy'r pnawn wrth aros o dro i dro i ryfeddu at frithwaith mwy lliwgar a amlygid i ni wrth grwydro drwy'r dyffryn, fel pe bai rhyw frws anweledig yn brysio o'n blaenau i gyffwrdd y dail ag arlliw a gwawr mwy cynhesol. Yr un profiad a gawsom wrth grwydro drwy dawch o ryfeddod yn Santa Croce, yr Uffizi Gallery, Bargello, Palatine Gallery a'r Eglwys Gadeiriol yn Fflorens, a synhwyro bod brws, neu gŷn, Michelangelo, Raphael, Botticelli a Giotto hefyd wedi brysio o'n blaenau i gyffwrdd yn gynnil â ffrwyth eu hathrylith. Rhai o'r lloriau mosaig wedi pylu—cyffyrddiad o rew annisgwyl un noson, hwyrach.

Treulio'r min nos o flaen y tân—tân glo iawn, oherwydd mynnais gadw'r grât pan ailwampiwyd y tŷ. Tina yn darllen un o lyfrau Olivia Manning, a minnau'n cael pleser wrth ddarllen *Mr. Wrong*, Elizabeth Jane Howard.

*Hydref 19*

Rhew annisgwyl, a'r dail yn llipa a chysglyd y bore yma. Eu hymdrech ddoe i wneud eu croeso yn un lliwgar wedi bod yn ormod iddynt. Rhai yn syrthio gyda thawelwch y bedd i diriogaeth fy robin goch yn yr ardd. Mae o'n dal i gadw llygad ar y lle. Rhwng ymdrechion Linor tra bu'n aros yma ar ôl i'r gweithwyr orffen eu gwaith a chyffyrddiadau Tina yma ac acw, mae'n hawdd ymlacio yn yr hen gartref newydd! Bob tro y deuwn, yn gymysg â'r mwynhad o fwynhau llenni cyfoes, rhewgell a theledu, y mae hiraeth am y distiau pygddu, y badell bridd a'r ffendar o flaen y tân.

'Ddoi di allan i'r gwynt, Tina, 'nghariad i?'

'Dos di, El.'

'Meddwl y gallem ni roi tusw o ffarwel haf ar fedd 'Nhad a Mam.'

Dyna a wnaethom, fraich ym mraich. Sefyll am eiliad wrth y garreg las a chofio am y diwrnod mwll hwnnw o Fehefin pan esgynnodd enaid fy nhad ar gainc ehedydd uwchben Cae'r Delyn. Byddai 'Nhad wedi gwerthfawrogi'r gathl olaf i'r codwr canu.

Ar ôl byrbryd, euthum allan i glirio'r cwt. Gadawsai Linor lawer o hen gelfi yno—'dranglins' Mam oedd llawer ohonynt. Wedi didoli, gwnes domen yn yr ardd, hen lyfrau, fframiau, matres, a'r fasged wellt. Fe wyddwn bellach nad oedd Bwana ynddi—yr oedd y trywydd yn dirwyn i ben. Gwyliais y fflamau yn troi'r hen gelfi yn llwch mân. O leiaf fe fyddai yn gwella ansawdd y pridd.

'Wyddost ti be, Tina, nid llosgi'r hen gelfi oeddwn i, ond gwylio hen ofnau ac ansicrwydd ac euogrwydd fy ieuenctid yn diflannu yn y mwg. Y ti a ddaeth â'r heddwch a'r hyder newydd i 'mywyd i.'

Cusanais hi yn frwdfrydig wrth y drws cefn, fel y gwyliem y lludw yn chwalu dros y pridd. Gwylio'r pridd yr oedd y robin goch, yn poeni a oedd ei ginio wedi llosgi'n golsyn.

## 1975

*Tachwedd 7*

Syllais ar gyfaredd y bore bach. Nid oedd na smic na symud yn tarfu ar lonyddwch y wawr. Rhwng gwyll a golau, prin y medrwn ddilyn amlinell y llwyni a swatiai fel madarch ar gyrion y *shamba*. Ac fel petai'n ymateb i alwad y widw fach ddu o ganghennau'r *baobab*, llithrodd y tarth yn dawel i'r awyr i ddadlennu bore newydd wedi ei olchi gan y gwlith. Huliwyd brigau'r coed â haen o binc cynnil, fel y dringai'r haul i'r glesni rhyfeddol. Yr oedd yr haul hefyd wedi ymolchi, yn ôl chwedloniaeth y Kikuyu a drigai yn y *manyattas* crynion. Wedi'r machlud neithiwr fe gludwyd yr haul gan y dyfroedd i lawr i'r môr am drochfa i wneud yn siŵr y byddai sglein arno, fore heddiw!

Drwy'r agoriad i'r *manyatta* taflodd yr haul newydd belydr o aur ar y llawr pridd ac fe glywn ystwyrian a sŵn codi. Diflannodd y dynion ar unwaith i ofalu am y gwartheg, a dechreuodd y merched baratoi eu brecwast syml o *indrawn* wedi ei ferwi ar dân coed. Heb droi fy ngolygon, fe glywn swis yr ysgubell yn clirio'r llwch o garreg y drws. Gwaith ofer, gan nad oedd na charreg na drws i'r *manyatta*. Mymryn o waddol diwerth cyfnod y dyn gwyn, pan gyflogid dwsinau o'r brodorion i lanhau'r feranda a'r llain o flaen y drws. Y mae rhythm yr ysgubell fel siffrwd tonnau ar draeth neu guriad drwm yn y pellter.

'*Jambo, bwana*,' ac estynnodd ei law yn ôl traddodiad. Bob amser y llaw dde. Mae ysgwyd llaw gyda'r llaw chwith yn denu anlwc.

'*Jambo, Samuel, habari*?'

'*Mzuri*,' gan dorsythu i ddangos i mi ei fod yn iach.

Hen ŵr—*mzee*—y llwyth oedd Samuel, ei wyneb mor grychiog ag afal wedi gwsno, ei draed ar led. Ei swyddogaeth ef oedd aros gartref i gadw llygad ar y merched.

Syrthiodd yn ôl ar ei sodlau a llafarganodd yn ddistaw i'w *Kikoi* frown. Yn y dyffryn islaw, gwyliais *jeep* yn carlamu ar draws y tir o bridd coch a cholofn o lwch yn llusgo ar ei ôl fel lluman.

Daeth llais Huw Lloyd yn darllen wrth agor seiat i'm clyw—

'Ond tarth a esgynnodd o'r ddaear, ac a ddyfrhaodd holl wyneb y ddaear.'

Nid y tarth oedd y broblem i'r Kikuyu, ond y dŵr.

Ac fel y gwrandawn ar Huw Lloyd, codais fy llaw ar griw o enethod ifainc yn cychwyn am y ffynnon. Cawg o glai neu gneuen neu *cicaion* ar eu hysgwyddau a gwên swil ar eu hwynebau wrth symud fel elyrch duon, yn droednoeth drwy borfa farw'r safanna . . .

'*Twende*,' ac mewn ateb i orchymyn yr hynaf cerddasant yn gyflym ar eu taith foreol o dair milltir at y ffynnon. Gwyliais hwy'n fyfyriol.

Fel y *mzee*, cyndyn oeddwn innau i symud. O frigau'r goeden ddrain, swniai galwad dyner a bwrlwm y colomennod fel dŵr yn gwthio ei ffordd allan o gawg â gwddf main. Prin fod yr hen ŵr yn clywed synau'r wlad brydferth hon, roedd ei glust gyfarwydd yn fyddar. I mi, yn niogelwch hamddenol y bore, nid oedd le i leisiau dynol. Tincial clychau'r geifr yn cystadlu gyda giglan y gwragedd ifainc. Dail y goeden ddreiniog yn sisial yn ddistaw iawn gan wybod mai ofer oedd iddynt gystadlu â ffrwydrad byddinoedd o godennau hadau o bob math. Amgylchynwyd ni'n dau gan glebran diderfyn y *cicadas* yn ein temtio i chwilio amdanynt yn y dryslwyn. Mor galed oedd y ddaear nes gwneud i mi feddwl fy mod yn clywed sŵn traed y chwilod a'r pryfetach yn brysio heibio.

'*Maji*,'—doedd bosib ei fod wedi clywed fy nychymyg yn siarad!

'Dŵr,' gan ysgwyd fy mhen mewn cydymdeimlad.

'*Tafadali,*' a'r erfyn taer yn ei lais yn crefu am waredigaeth.

Syrthiais innau ar fy sodlau wrth ei ochr. Nid oedd gennyf ddim arall i'w gynnig iddo.

Cofiais am y merched ifainc. Sythais o osgo a oedd yn anghyfforddus i mi. Cyfeiriais fy llaw tua'r ffynnon, rywle dros y gorwel.

*'Itakwenda.'*

Brysiais ar ôl y merched fel y dywedais wrth y *mzee*.

'Ahhh.' Dyna ddiwedd ar y sgwrs.

Ar y *boma*, gwyliais y merched yn ceibio'r pridd ofer gyda'u *jumbos*. Plannwyd ffa a milet ryw fis yn ôl, ac yn ddyddiol fe ddeuent yn eu *kangas* lliwgar i chwynnu. Pan drywanodd yr egin drwy'r pridd bythefnos yn ôl, yr oedd eu giglan heintus yn arwydd o'u hyder y deuai'r glaw unrhyw ddiwrnod. Dyma amser yr ail dymor gwlyb bob blwyddyn. Eleni, fe ddeuai. Anlwc oedd na ddaeth un mis Mai, na'r mis Mai cynt, na'r un cyn hynny. Tair blynedd o sychder.

Fe ddeuai eleni, a rhaid oedd cadw'r pridd yn llac. Daeth dagrau i'm llygaid. Nid oedd un gwlyddyn byw i'w weld, y cyfan wedi llosgi'n grimp. Teflais fy nwylo dros fy nghlustiau i gau allan suo-gân rythmig y merched.

Mae'r brodor wedi hen arfer â cherdded law yn llaw ag anlwc. Gwelwn y merched yn symud yn dawel, a gwaeddais arnynt. Ni chlywsant. O dan fy nhraed chwyslyd yr oedd y ddaear yn graciau fel crystyn torth wedi gorgrasu. A dim ond mwy o wres i ddisychedu'r caledwch.

*'Jambo, mzee.'*

Syrthiasant i hafflau ei gilydd wrth chwerthin am ben eu jôc yn fy urddo yn un o wŷr doeth y llwyth! Yn rhyfeddol, ni thorrwyd cawg. Gwisgent ffrogiau o gotwm lliwgar. Dillad ysgol. Rhaid oedd cael dŵr o flaen addysg.

*Tachwedd 8*

Fy mhenderfyniad i oedd gwneud fy nghartref mewn *manyatta*. Cynigiwyd caban pren i mi gan gyfarwyddwr MAFOD yn Kenya pan gyrhaeddais yma, dri mis yn ôl. Caban a ddefnyddir fel clinig gan Sister Maria pan ddaw ar ei thrafael bob mis i ofalu am y pentrefwyr. Cynrychioli *Save the Children* y mae

Sister Maria, gwraig ymroddedig, glên, a ddaeth i Kenya i weithio am chwe mis ac a arhosodd am bymtheng mlynedd. Dangoswyd bwth i mi.

Yr unig ddodrefn oedd stôl drithroed a gwely ar goesau digon uchel i'r geifr gysgu oddi tano. Meddyliais am yr hen fasged wellt o dan y gwely gartref! Yr oedd y twll lle tân yng nghanol y llawr. Dim ffenestr na drws, twll yn y wal. Cred y Kikuyu yw bod y mwg yn lladd y llau a phiso'r geifr yn help i gael gwared â'r *jiggas*, chwannen y trofannau! Mae'n amharod i dderbyn bod y mwg yn achosi clefydau'r llygaid a'r ysgyfaint.

A dyma yn union ein problem. Yr ydym fel gweithwyr cymdeithasol ar ran cymdeithasau o wahanol wledydd yn ymdrechu i wella ansawdd bywyd y brodor, a'r nomad yr un mor awyddus i ddiogelu ei draddodiadau a'i ddiwylliant. Yr oeddwn innau yn ddigon naïf i gredu y byddai byw mewn cwt brodorol yn diwygio'r brodorion dros nos. Ni ellir cael gwared ag amheuon canrif mewn noson. Mae llai nag ugain mlynedd er pan gododd y Kikuyu a llwythau eraill i ffurfio'r Mau Mau, i ddiarddel y dyn gwyn o'i wlad a hawlio annibyniaeth.

*'Harambee,'* oedd corn gwlad y brodor—'Codwn gyda'n gilydd'. Distawodd yr alwad ond fe erys yr amheuon.

Cytunodd y pentrefwyr i adeiladu *manyatta* i mi. Mewn byr amser adeiladwyd tŷ crwn o bolion wedi eu rhwymo gyda dail banana a llinyn. Towyd ef â dail a glaswellt, a thaenwyd haen ar haen o fwd ar y muriau. O barch i mi, rhoddwyd drws i gau'r twll, a thyrchwyd cylch coginio taclus o flaen y drws ffrynt! Er nad oes lawer o berygl oddi wrth lewod y dyddiau yma, fe amgylchynwyd y clwstwr o gartrefi gyda gwrych cryf a diawledig o bigog o ddraenen gref. Yn bennaf i gadw'r gwartheg a'r geifr i mewn. Erstalwm, os byddai rhywun farw yn y bwth, fe'i gadewid allan dros nos, a chyn y bore byddai'r llewod a'r llewpartiaid wedi llyfu'r sgerbwd yn lân.

Anos credu bob dydd bod tri mis wedi mynd heibio! Wn i ddim yn iawn ai reidio'r beic a roddwyd i mi ynteu dysgu Swahili sy'n creu mwyaf o broblem i mi!

*'Jambo, bwana.'* Llais meddal Onogo, un o'r *moran*. Hogyn yn ei arddegau yw Onogo—*moran*—rhyfelwyr yr hen ddyddiau. Er nad yw'n ymladdwr heddiw, mae ef a'i debyg yn glynu wrth y bicell. Cerddodd i mewn i'm bwth ac eisteddodd yn groesym-groes ar y llawr o bridd caled.

*'Maji, maji,'* a'r llonyddwch yn ei lygaid yn adlewyrchu ei ddiffyg egni, *'tatu usiku.'*

Teimlwn yn ddiymadferth. Dim dŵr ers tua tair blynedd.

I wneud pethau'n waeth yr oedd y pwll o ddŵr budr y bu'r anifeiliaid yn dibynnu arno yn prysur sychu.

Esgus oedd ei gyfeiriad at y dŵr. Pefriai ei lygaid bob amser oherwydd yr oedd yn ŵr ifanc llawn ynni a brwdfrydedd. Yr oedd yn rhag-weld y dydd pan fyddai ef yn *mzee* y llwyth. Awgrymodd ei fod ef yn fy nysgu i i siarad Swahili, ac y byddai yntau yn dysgu Saesneg gyda mi! Cytuno, a mwy o awydd yn Onogo nag ynof fi.

Fory, fe aem allan i'r *bush* ar saffari.

Euthum allan i wylio'r machlud. Er ein bod tua chwe mil o fedrau i fyny yn y bryniau, nid oedd awel ysgafn yn ddigon i gadw'r gwres i lawr. Gwrandewais ar guro tabyrddau yn y pellter. Bob awr yr oeddwn yn ymwybodol ohonynt, deuai pwl o gryndod i'm diflasu, ond fe wyddwn nad oedd fy mhererindod eto ar ben. Rywle fe hongiai cadwen ar fur un o'r *manyattas*. Bob tro y meddyliwn am y peth, disgwyliwn gael fy ngoddiweddyd gan gynnwrf a chwilfrydedd, ond yr oeddwn yn dawel. Yn araf yr oedd y cysgodion yn cripian i fyny'r llethrau gan bylu cochni a gwyrddlesni'r dail a rhoi lliw gwin i welyau sychion, caregog yr afonydd. Merched yn eu cwman o dan bwysau tomen o goed tân, ar eu ffordd i daflu mwy o goed ar dân y machlud. O'n blaenau, trawsffurfiwyd coeden eucalyptus yn fwgan brain. A'r llychyn olaf o ocr cochddu yn rhoddi i gysgodion porffor y llethrau brydferthwch cyfriniol. Yr oeddwn yn unig yn y fagddu, a hwtian oer yr eryr-dylluan yn hawlio'r nos.

*Tachwedd 9*

Kupanya oedd fy nghyfieithydd. Cerddai yn syth fel hoel, a'i gamu bwriadus yn gyforiog o rythmau'r brodor ar gerdded yn y gwyllt wrth sathru ei gysgod ei hun o dan haul crasboeth. Un o lwyth y Rendille oedd Kupanya. Yr oedd ei groen fel sidan esmwyth. Ar yr olwg gyntaf, yr oedd ei wyneb fel pen chwyddedig cobra ar fin taro. Ei gorff yn meinhau o'r ysgwyddau llydain, cyhyrog, i'w draed pigfain. Disgleiriai ei lygaid dyfnion fel dwy em mewn ceubwll du. Oherwydd ei daldra, edrychai i lawr ar y byd ar hyd llinell sensitif, fusneslyd, nobl ei drwyn. Wrth edrych ar ei drwyn weithiau teimlwn mai unig bwrpas ei gorff oedd cario'r trwyn ymlaen i ddyfodol digon tlawd ac ansicr! Gwrandawai'n astud a chyfieithai drwy ei wên lydan. Masnachwr oedd ei dad, wedi gwneud ei arian ar gorn y brodor anllythrennog. Addysgwyd Kupanya mewn ysgol oedd yn perthyn i genhadaeth Babyddol. Yr oedd addysg mewn ysgol eilradd yn costio'n ddrud.

Pan gyrhaeddodd, fore heddiw, cyflwynodd lythyr oddi wrth Tina i mi. Fe'i cafodd yn llythyrdy Nakuru, tref farchnad heb fod ymhell. Anfonais Kupanya ac Onogo allan i yfed llefrith.

Yr ail lythyr! Yr oeddwn ar ben fy nigon, ac eisteddais ar fy nghadair wellt. Nid bod dim byd mawr wedi digwydd mewn tri mis, ac nid un i hel straeon yw Tina. Bu i lawr yn yr hen gartref ddwywaith—peth od, fedra i byth roi'r enw ar y lle! Pwl o hiraeth, o dro i dro. Mae'n sicr y bydd fy mhererindod yn llwyddiant ac y bydd y gadwen yn gyfaill cywir i mi nes dod i ddiwedd fy saffari. Rhoddais y llythyr o'r neilltu am funud, ac ar ôl datgloi fy brîffces, rhoddais hi ar gledr fy llaw. Yn ddi-os yr oedd y gleiniau llathr yn fwy disglair nag erioed. Dychwelais i'r gadair yn fodlon. Tina yn ychwanegu ei bod yn gwisgo ei chadwen aur bob min nos. Rhoddais y llythyr ym mhoced frest y crys ysgafn.

Pan awgrymais i'r ddau frodor fy mod am ddod â'r beic gyda mi, nid oedd taw ar eu chwerthin. Siwrnai ydi saffari, gwaeddodd Kupanya rhwng pyliau o chwerthin, nid ras feics. Ond, meddwn innau, fe gaf gyfle i ddianc pe bai llew yn ymosod arnom! Mwy o chwerthin afreolus fel genethod ysgol—mae chwerthin y Kikuyu yn heintus a dechreuais chwerthin gyda hwy, a syrthiodd y beic i'r llwch. Fe'i gadewais ar ôl, ond teimlwn yn noeth.

*'Twende, bwana, refu barabara,'* awgrymodd Kupanya. Dowch, mae'n ffordd bell.

Gwlad ar gerdded yw Kenya, a hynny ar hyd ffyrdd llychlyd, rhowtiog, creigiog. A phe bai'r brodor yn ei gyfyngu ei hun i siwrnai diwrnod Sabath, ni fyddai byth yn cyrraedd pen ei siwrnai. I leddfu'r unigedd—mae'n syndod y nifer sy'n cerdded ar eu pennau eu hunain—byddant yn gwau, ddynion a merched. Neb ar frys. Mae'r brodor ac Amser yn dipyn o ffrindiau.

Yr oedd yn rhy boeth i sgwrsio.

Gwisgai Kupanya gap wedi ei wneud o stumog dafad. Safodd yn stond a chipiodd y cap oddi ar ei ben. Pwyntiodd at foncyff coeden *acacia*. Mor llonydd â ni, glynai *chameleon* wrth y rhisgl, ei groen yn sgleinio fel ffenestr liw eglwys gadeiriol. Cyn i Kupanya gael cyfle i'w ddal yn ei gap gwibiodd i fyny'r goeden. Yn y wlad ryfeddol hon, mae'r annisgwyl yn aros rownd pob trofa.

'Os na ddaw glaw, Kupanya, beth ddaw ohonoch chi, a'r Samburu a'r Masai—rydych yn dibynnu gymaint ar eich gwartheg.'

*'Marka mbaya,'* gan ysgwyd ei ben i olygu ei bod yn amser drwg arnynt, 'os collwn ein hanifeiliaid, oherwydd prinder dŵr, nid oes gennym lawer o ddewis. Marw o syched neu lygino yn *shanty town* Nakuru a Nairobi, ymhell o'n cynefin a neb i roi help llaw. Cofiwch, *bwana*, nad marw o newyn a syched y mae ein plant yn aml, ond o gamluniaeth, gwartheg gwan yn rhoi llaeth sâl, tir sych yn rhoi cnwd diflas.'

Siaradodd Onogo yn gyflym mewn Swahili.

'Mae Onogo yn iawn,' aeth Kupanya ymlaen, 'mae'r nos yn oer—ydi, hyd yn oed ar y cyhydedd—a phan mae ein plant yn wan, maent yn rhynnu i farwolaeth. Gwelais rai, *bwana*, eu cyrff mor llipa â chorff *impala* wedi i'r llewes blannu ei dannedd yn ei gefn.'

Aethom ymlaen yn ddistaw. Edrychais ar haid o fflamingos fel cwrlid pinc yn cael ei gario ar yr awel. Uwch eu pennau, dicter cobalt yr awyr yn herio gwynder poenus gyr o gymylau gwlanog wrth iddynt sleifio'n ddi-stŵr ar eu saffari eu hunain i ben draw di-ben-draw'r cread. Awyr y Jebel wedi fy nilyn.

'Dyna pam fy mod i yma, Kupanya, i geisio helpu. Fedra i, na neb sydd gyda mi, ddenu na gwneud glaw, ond yr ydym yn awyddus iawn i wneud yn siŵr bod bwyd, a grawn, a meddyg-aeth a gwrtaith ac offer ar gael, nid yn unig i gyfarfod yr argyfwng, ond hefyd i sicrhau eich bod yn medru diogelu eich ffordd o fyw.'

Fy nghyfrinach i o hyd oedd y gadwen.

Yn y pellter, gwelem glwstwr o *manyattas*, a rhan o'm gwaith gyda MAFOD oedd ymweld â theuluoedd a phentrefwyr i wrando ar eu cwynion a phrysuro'r gwaith anferth o leddfu eu hangen. Yn naturiol, bob tro y nesawn at dŷ, cyflymai fy nghalon, fe deimlwn y gwres yn codi i 'mhen, a themtid fi i redeg at fynedfa'r bwth er mwyn i mi gael edrych i mewn. Eto, fe wyddwn nad felly y byddai'n digwydd. Fe ddeuai'r funud fawr ar fy ngwarthaf yn gwbl annisgwyl. O'r diwrnod cyntaf, yr oeddwn yn ymwybodol o dawelwch hynafol, digyfnewid y bobl hyn. Nid oedd dieithrwch mewn na gair na gweithred, fel pe bawn wedi gweld a chlywed y cwbl o'r blaen.

Agorwyd y gwrych o ddrain i ni a cherddasom i fuarth llych-lyd y *boma*.

*'Jambo, bwana,'* a safodd y *mzee* a'i bwys ar *rungu* gnotiog—pastwn hir, crair o ddyddiau'r rhyfela rhwng y llwythau am eu gwartheg.

*'Jambo, mzee,'* ac ysgwyd llaw gyda chroen crocodeil.

*'Chakula?'* Rhaid fy mod yn edrych yn llwglyd.

*'Asante!'* Gwaeddodd yr hen ŵr, ac ar unwaith rhedodd tair merch ifanc o un o'r *manyattas* a thair bowlen yn orlawn o gymysgfa od.

*'Ugali um mboga.'* Nodiais fy mhen yn ddeallus.

Uwd indrawn a llysiau. Anodd oedd cadw'r cyfog i lawr, ond byddai'n anghwrtais ar fy rhan i'w wrthod. Yn araf, daeth mwy o ferched allan i'n gwylio'n bwyta. Gwisgai rhai ohonynt *kangas* lliwgar yn cyrraedd i'r llawr, fel arwydd o'u croeso. Wrth eistedd yn fy nghwman teimlwn yn hollol gartrefol yn eu canol.

'Jest wedi galw heibio i weld sut y mae pethe.'

Adlais o un o gymdogion y dyffryn ar ei ffordd i'r ffair. Nid wedi galw i weld cymdogion yr oeddwn i, ond i gyfarfod fy hynafiaid. Hwyrach mai dyna'r rheswm dros fod mor gartrefol.

*'Mimi mgeni toka—'* ond ni wyddwn y gair Swahili am Gymru.

Ni chlywsai Kupanya am Gymru, a chyhoeddodd mai ymwelydd o Loegr oeddwn.

*'Ahh—mayai.'* Brysiodd un o'r merched i'r bwth, a dychwelodd yn wên o glust i glust gyda thri o wyau yn ei llaw.

*'Asante, asante,'* diolchais yn gynnes. Rhaid fy mod yn ddyn pwysig. Temtiwyd fi i'w ffrio yn y fan a'r lle ar y cerrig chwilboeth. Ffurfiwyd cylch o'r merched a'r ychydig ddynion—*moran*—a oedd yn y *boma*. Gan nad oedd golwg o'r dynion, cymerais eu bod yn gwneud eu hymchwil ddyddiol am borfa a dŵr.

Esboniodd Kupanya fy rheswm dros fod yno, a chynhaliwyd seiat. Er eu bod yn dlawd, heb ddŵr, heb borfa dda, heb lawer o obaith am fwyd wrth gefn na hadau ar gyfer y tymor gwlyb nesaf, ni allwn lai nag edmygu eu hurddas tawel a'u swildod. Nid oeddynt yn hawlio dim,—

*'Maji, maji!'* yn gorws digalon, wrth edrych i fyny i awyr ddigwmwl. Mis Tachwedd. Nid oes dim byd yn hydrefol yn y llecyn anial, sych, difywyd hwn. Wedi'r cwbl, nid deilen grin sy'n gwneud hydref lliwgar yn Affrica. Nid oes hydref, chwaith. Tymor sych a thymor gwlyb sy'n codi a chwalu gobeithion y brodorion hyn. Daeth ton o dristwch drosof—cyn lleied y gallwn ei wneud! A phererindod ddigon hunanol oedd fy un i.

Gyda help dwy o'r merched cododd yr hen ŵr, ac amneidiodd arnaf i'w ddilyn.

*'Karibu—pale—'* Yr ydym yn eich croesawu—edrychwch. Lediwyd llo tarw ifanc ar reffyn atom, yng ngofal dau o'r *moran*. Yn llaw un yr oedd carreg fawr, a chynigiodd hi i mi.

Esboniodd Kupanya fod y seremoni hon yn ddefod croeso yn eu mysg. Yr oedd yn ofynnol i mi daro'r tarw ifanc ar ei ben gyda'r garreg. Rhythais o un i'r llall. Ni allwn wneud y fath beth —nid oedd yn arferiad yn . . . Tewais.

Rhaid oedd parchu eu traddodiad. Onid oeddwn innau, rywdro, wedi bod yn rhan o'r traddodiad?

Heb lawer o ymdrech, trewais y tarw ar ei ben.

Ni chlywais y fath giglan sbeitlyd erioed. Nid *moran* anaeddfed oeddwn ond *bwana—mzee*! Drwy arwyddion, gwnaed yn glir i mi bod angen mwy o fôn braich. Gyda'm holl nerth trewais y creadur diniwed gyda'r garreg ar ei ben. Gwyliais ei goesau'n gwegian, ond ni syrthiodd.

Ar unwaith, ataliwyd y llo rhag symud gan y merched, ac aeth y *moran* ati i ddirdroi yr egin gyrn a oedd i'w gweld. Yr oeddwn wedi hollti'r benglog, yn ôl y traddodiad. Heb lawer o ofal, rhoddodd y bechgyn dwist i'r cyrn, gan wyrdroi'r benglog a chyfeirio'r cyrn tuag allan. Ni allwn ond syllu yn gegrwth. Ailsiapio pen y tarw. Mewn amser, fel yr esboniodd Kupanya i mi, byddai'r dirdroad yn datblygu yn bâr o gyrn cyrliog hardd. Byddai'n ychwanegu at ysblander y tarw a byddai yn werth mwy o arian.

'Eich tarw chi yw hwn,' yn sŵn mwy o giglan a chlapio dwylo.

'Ond fedra i ddim mynd ag o hefo fi—'

'Na, popeth yn iawn, fe fydd yma pan ddewch yn ôl.'

A ddylwn esbonio fy mod wedi bod yma o'r blaen—erstalwm —erstalwm—*refu—refu*—ac na fyddwn yn dod y ffordd hon byth eto?

*'Asante, mzee,'* a mwy o ysgwyd llaw.

Ac am nad oeddwn yn mynd â'r tarw gyda mi, gwthiwyd *kuku* i'm llaw. Caem gyfle i goginio a bwyta'r cyw, o leiaf.

Teimlwn yn flinedig iawn, a holais Kupanya ble caem aros dros nos.

*'Fupi safari.'* Siwrnai fer. Diolch byth!

Nid yn unig yr oedd y gwres yn gwasgu arnaf ond yr oedd hefyd yn dawnsio o flaen fy llygaid. Bron nad oeddwn yn taflu fy llaw allan i hel dyrnaid er mwyn i mi gael gwell golwg arno.

Ymlaen â ni ar draws gwlad wastad, lychlyd, sych, anniddorol. Coed *acacia* tew, byr, fel pe bai'r ymdrech i dyfu drwy'r gwres wedi bod yn ormod iddynt, yn ymledu ar draws y gwastadedd fel llongau a'u hwyliau ar led. Cip, o dro i dro, ar estrys yn rhedeg yn heglog a'i adenydd yn fflapio, ar frys i gyrraedd adref cyn nos.

Jiraff yn plycio'r dail o frigau uchaf coeden eucalyptus. Oedodd i sbecian arnom dros ben gwyrddni llwyd y pren. Llond bol o chwerthiniad. Nid jiraff oedd yno. Ond Lisi Ifans Cotej yn sbecian dros y cyrten i weld pwy oedd yn dod drwy'r penwar i'n tŷ ni! Dynes fain, fel llathen o ddŵr pwmp, sbectol ar flaen ei thrwyn a phob amser yn ei du. Falle bod Lisi Ifans Cotej wedi bod yma o'r blaen! Cwtogwyd y siwrnai wrth i mi chwarae gyda'r syniad.

*'Bwana.'* Fe'm styriwyd i o'm ffantasi gan Onogo. 'Fe arhoswn yma heno—pentre Malwang—llwyth y Samburu sy'n byw yma.'

'Llwyth?' Fe wyddwn bod y Samburu yn llwyth mawr.

'Na, carfan ohonynt, y rhai tlotaf.'

Wedi'r seremoni arferol o gyfarch y *mzee*, aed â mi i gwt crwn, brodorol, ond o ansawdd well na'r cyffredin. Esboniodd Kupanya mai yma y byddai'r dyn gwyn yn aros dros nos pan oedd yn hel trethi a gwrando ar gŵynion y brodorion cyn dyddiau annibyniaeth. Nid oedd trefniant wedi ei wneud i ni aros yma, a galwyd ar Mama i lanhau'r lle. Ystafell lychlyd ac iddi'r gymysgfa arferol o arogleuon saim a chwys a pherfedd (atgof am ddiwrnod lladd mochyn) a llwch a henaint. Bellach yr oedd traddodiad hynafol y brodor wedi dihysbyddu ffresni clinigol arogleuon Dettol a sigarau a chwisgi ac inc a Brylcreem yr asiant Prydeinig.

Yn hongian ar y wal o glai yr oedd plât craciog wedi colli ei liw. Llwyddais i ddehongli olion llythrennau aur—*Present from*

*Aberystwyth*. Ym mêr fy esgyrn, fe wyddwn fod y plât craciog a'r gadwen liwgar yn closio at ei gilydd i'm harwain i ddiwedd fy mhererindod. Ducpwyd lamp fechan i mewn, platied o *samosas*—pastai o friwgig, *viazi* a *chizi*. Yr oedd y *viazi* yn dderbyniol, ond nid wy'n hoff o gaws.

'*Asante, sitaki chizi—maziwa el chai*—te a siwgr?'

Wir, rydw i wedi blino'n lân.

Lluchiais fy hun yn noeth ar y *kitanda*—y gwely. Sylwais fod coesau'r gwely pren yn socian mewn tuniau llawn o ddŵr. Yn Kenya mae'r *siafu*—morgrug duon—yn bla dinistriol. Symudant fel byddin ac mewn byr amser gallant rwygo a malu a bwyta popeth o fewn cyrraedd. Bydd y brodorion, os gwelant y creaduriaid hyll yn nesáu, yn cynnau tân mewn cylch o gwmpas eu *manyattas*—yr unig beth i'w rhwystro! Gweddïais am noson dawel!

Yn annisgwyl, daeth ton o euogrwydd drosof—oni ddylwn fod yn hiraethu am Tina a'i thynerwch? Byr fu arhosiad yr euogrwydd. Drwyddi hi y daeth yr holl freuddwydio a'r dyheu i ffrwythloniad.

Galwodd i'm gweld yn y fflat un noson ym Mehefin tua dwy flynedd yn ôl, bellach. Rwy'n cofio'r noson yn iawn. Ar derfyn diwrnod trymllyd, mwll fe dorrodd storm drom o fellt a tharanau a thrawyd corn simdde ar draws y ffordd.

'Dyma ti!' meddai, gyda mwy o gyffro nag arfer iddi hi, 'fe wyddwn mai Kabora fyddai'r ddolen olaf yn ein cynlluniau.'

Yr oedd ers amser wedi uniaethu ei hun â'm bwriad.

Rhoddodd bapur i mi a'r llythrennau MAFOD ar ben y ddalen.

'Be 'di ystyr y llythrennau?'

'*Methodist Aid For Overseas Development*—tebyg i Oxfam a War on Want. Bydd o ddiddordeb i ti.'

Cynhyrfwyd fi ar y darlleniad cyntaf.

'Rwyt ti'n iawn—dyma'r ateb—ai Kabora a'i rhoddodd i ti?'

'Mae'n gwybod dy fod ti awydd gwneud rhyw fath o waith cymdeithasol mewn gwlad dramor am gyfnod—ac fel y gweli, mae galw am rywun a phrofiad mewn addysg a phroblemau cymdeithasol i fynd allan i asesu'r sefyllfa, yn arbennig yn Kenya.'

Er nad oedd angen trafod, trafod a wnaethom am wythnosau.

Euthum i weld y Cyfarwyddwr Addysg, ac ymhen y rhawg, rhyddhawyd fi am flwyddyn o'm swydd—heb dâl, wrth gwrs. Derbyniwyd fi gan MAFOD, a dyma fi. Ar ddiwedd fy nhaith, fe ddychwelaf i Nairobi i gyflwyno adroddiad—byddaf yn gwneud nodiadau yn fy ffeil, ar wahân i'r dyddiadur, bob nos.

Bu heddiw'n ddiwrnod cyffrous a diddorol.

*Tachwedd 10*

Syrthiais i drwmgwsg â'm beiro yn fy llaw.

*Kahawah* a *mkate* i frecwast (bara a choffi).

Draw i genhadaeth Norwyaidd ar gyrion y pentre, a chael sgwrs gyda'r nyrs sy'n rhedeg y ganolfan ar ran Eglwys Norwy. Merch ymroddedig a deallus, yn llawn cydymdeimlad â llesteiriant y brodorion.

'Camluniaeth yw'r broblem fwyaf ar y funud—does gan y plantos ddim nerth wrth gefn i orchfygu afiechydon. Mae'r frech goch a chlefydau'r 'sgyfaint a weithiau colera yn degymu'r teuluoedd.'

'Ac ar ôl pum mlynedd, rydych yn dal yn ffyddiog y gallwch wella'r sefyllfa, Sister?'

'Diferyn yn y môr, dyna'r cwbwl—glaw yw un ateb, ac mae'n rhyfeddol fel y mae'r ddaear yn ffrwythloni o fewn wythnosau i drochfa iawn, ac yna mae popeth yn edwino cyn y tymor gwlyb nesaf. Tair blynedd o sychder—mae'n ddigalon.'

Temtiwyd fi.

'Rydech chi'n cynrychioli'r Eglwys—nid yw eich pregethu na'ch Ysgol Sul yn lleddfu dim ar drafferthion y bobol yma a—'

'Drwy ein gweithredoedd, Mr. Pugh, y gobeithiwn nid yn unig wella eu ffordd o fyw, ond hefyd gyfoethogi eu deall o neges Efengyl Iesu Grist. "Yn gymaint â'i wneuthur ohonoch i un—", fe wyddoch am yr adnod.'

Edrychais arni mewn edmygedd.

Di-feind iawn fûm i ym materion crefydd ers dyddiau gwlychu fy nhrywsus wrth ddeud adnod erstalwm!

Ni wneuthum lawer o ymdrech chwaith i drafod na deall oblygiadau aelodaeth eglwysig. Troi fy nghefn ar grefydd, i bob pwrpas. Os felly, ai dianc a wneuthum i chwilio am y gwirionedd ar lefelau eraill mwy rhamantus, mwy gogleisiol, mwy cyfriniol, ac yn aml yn fwy arwynebol?

Ond yn ystod y tri mis diwethaf cyfarfûm ag amryw o bobl arbennig iawn ar fy nhrafael. Weithiau, wyneb yn wyneb â phobl fel Sister Veras, mae cenhadaeth a phererindod yn swnio braidd yn lastwraidd. Weithiau'n amrwd.

Sister Veras, Brian Holmes, arbenigwr mewn amaethyddiaeth, Tom Phibbs, llawfeddyg, Sister Mary Ignatius, a'i chlinig symudol, yma ers blynyddoedd, Guy Hobbs, ffarier, Meirion Nicholas o Gaerleon, darlithydd mewn addysg, Samuel Muyango a Joseph Zegwana, athrawon Cristionogol (ac wedi eu henwi ar ôl rhai o'r cenhadon a ddaeth allan gyda'r dyn gwyn) ac eraill. Pobl ymroddedig, wedi aberthu gyrfa lwyddiannus am gyfnod i gynnig eu gwasanaeth i wella a chyfoethogi bywyd eraill drwy eu talent eu hunain. Pob un yn Gristion ac yn ei gyfrif ei hun yn gyfrwng i ledaenu neges yr Efengyl drwy eu gweithredoedd. Fe erys y bererindod, caf fyfyrio o'r newydd am neges Crist yr wythdegau.

Gadawsom y pentref ar gefn mulod! Nid oeddwn yn rhy barod i droedio drwy'r gwres llethol am ddiwrnod arall. Onogo, a oedd erbyn hyn yn gofalu am y camera, (rwy'n amau ai'r camera a'i denodd i'm caban ac nid ei awydd i ddysgu Saesneg), a Kupanya yn ffieiddio'r syniad! Ond ni fuont yn hir yn benthyca tri o fulod—nid yw'r brodor yn Kenya yn cadw ceffyl.

Hanner milltir o'r pentref, clywais sŵn llafarganu aflafar.

'*Mundu mugo,*' hysbysodd Onogo.

'*Witch doctor,*' cyfieithodd Kupanya.

'Hoffwn ei weld.'

Yng nghysgod bwth blêr o ganghennau a dail banana sychion, eisteddai corach o ddyn yn siglo o ochr i ochr a'i lygaid ar gau wrth lafarganu. Naill ai anwybyddodd ni, neu yr oedd mewn perlewyg.

O'i flaen eisteddai merch ifanc mewn *kanga* felen blaen. Yr oedd ei phen yn foel—arwydd ei bod yn briod. Ni allai fod lawer hŷn na rhyw bymtheg oed, ond mae'n anodd dweud oherwydd y pen moel.

Holais Kupanya pam yr oedd yno, ac wedi cael sgwrs fer â hi, esboniodd wrthyf bod ei gŵr yn bygwth ei diarddel os na fyddai'n rhoi plentyn iddo yn fuan. Daethai i ofyn am gyngor a bendith y crach-feddyg. Fel y dywedodd Sister wrthyf, un o arferion mwyaf brwnt y brodorion yw enwaedu genethod ifainc tua phedair ar ddeg oed. Gwneir hynny gan hen wragedd hyddysg yn nhraddodiadau'r llwyth ond heb unrhyw wybodaeth am lendid a gofal a meddygaeth, ac yn defnyddio llafn rhydlyd. Achosir loes i'r merched ac yn aml mae'n rhwystr iddynt feichiogi. Syllais ar y ferch yn dosturiol.

Agorodd yr hen ŵr ei lygaid ac o sach, tynnodd allan iâr. Rhoddodd dro yn ei chorn gwddf, rhwygodd ei bol gyda llafn rhydlyd, gwthiodd ei law i mewn a llusgodd yr ymysgaroedd allan. Yna brathodd ben yr iâr, a thorrodd ef i ffwrdd â'i ddannedd. Gosododd y ferch y pen rhwng ei bronnau. Ar blât clai, rhannodd y gŵr yr ymysgaroedd poeth, gwaedlyd, yn dameidiau, a chynigiodd hwy i'r ferch. Cyflymodd ei swyn ganu, a gwyliodd y ferch yn cnoi yr ymysgaroedd yn araf. Ni phoerodd ddim allan, ac nid oedd ei hwyneb llyfn yn bradychu unrhyw ddiflastod. Cusanodd ben yr iâr a rhoddodd ef yn ôl i'r corach. Talodd iddo, ac aeth ymaith heb edrych arnom.

Estynnodd y gŵr ei law waedlyd allan.

'Chei di'r un geiniog, y cythrel twyllodrus!'

Ond ni allai Kupanya gyfieithu'r teimlad!

Yr oedd awyr y bore yn glaear a ffres fel sudd lemon a rhew. Cawswn gyfle i edrych o'm cwmpas oddi ar gefn y mul, heb boeni am y cerrig na'r drain na'r nadroedd o dan fy nhraed. Ganllath o'n blaenau yr oedd perfformiad rhyfeddol yn cymryd lle. Yn erbyn cefnlen o goed *acacia* ac eucalyptus yr oedd gyr o tua chant o afrewigod yn dawnsio. Dyna'r unig air sy'n cyfleu yr argraff a gefais. Dawnswyr bale ar ysgafndroed yn prancio'n osgeiddig a diwahardd, weithiau'n cyffwrdd â'i gilydd â'u cyrn main, weithiau'n llamu'n glir, y naill dros y llall, yna'n troelli'n gyflym wrth ddehongli miwsig cerddorfa anweledig byd natur. Afrewigod Thomsons oeddynt, a'r streipen ddu ar hyd eu hochrau yn rhoi sglein llachar i'w croen melynwyn. O wacter y safana, daeth rhu bell llewes. Mewn eiliad, yr oedd y llwyfan yn wag.

Mae Onogo yn llyncu'r ffilmiau!

Fe gyfyd yr haul mor sydyn i'r ffurfafen ac fe syrth yn ôl i'r dyfroedd—yn ôl y Kikuyu—yr un mor sydyn. Mae'n ganol dydd drwy'r dydd yn y trofannau!

Nid oedd dim amdani ond cymryd siesta fer. Cnoi'r bara a bwyta wy wedi ei ferwi'n galed. Daeth parti bach o ferched a phlant i'r golwg. Yr oedd y merched yn ymlafnio drwy'r gwres, yn cerdded yn drwm ar wadnau eu traed. Fe wisgent fath o frat brown, llychlyd yr olwg, wedi'i wneud o ledr. Tlodaidd iawn oedd yr olwg arnynt, a safasant o'n blaenau yn fud a swil, eu llygaid yn llonydd a'u bronnau yn hesb. Fel lloi yn aros am eu gwlyb. Cafodd Kupanya sgwrs â hwy. Perthynent i'r Pokots. Yr oeddynt ymhell o'u cynefin. Collasant eu defaid a'u gwartheg oherwydd y sychdwr ac afiechydon, nid oedd ganddynt gnwd ar y *boma*, aeth eu gwŷr oddi cartref i chwilio am waith i Nakuru, neu Maralal, neu hwyrach Nairobi. Dri mis yn ôl. Dim siw na miw oddi wrthynt. Mae'n debyg na ddeuent yn ôl. Yr oeddynt ar eu ffordd i rywle, ni wyddent i ble, nid oedd lawer o bwys. Yr oedd yr olwg drist, lwglyd yn llygaid y plant yn fy llorio'n lân.

*'Na taka kufa.'*

'Waeth i ni farw.' Nid yw'r brodor yn ofni marwolaeth.

Nid oedd cynnwys fy ffeil yn cynnig llawer i'w tebyg hwy a miloedd o rai eraill yn India ac Affrica.

Rhoesom arian a bwyd iddynt a'u cynghori i fynd i'r genhadaeth yn Malwang. Wrth iddynt gerdded oddi wrthym yn araf, yn eu dillad brown a'u pecynnau ar eu cefnau, edrychent fel malwod yn ofni pig y fronfraith.

'Be ddaw ohonyn nhw, Kupanya?'

Nid oedd gan yr un ohonom ateb i'w gynnig.

Aeth hanner awr heibio cyn i mi sylweddoli un peth. Y rhain oedd y criw tlotaf i mi ei gyfarfod. Ond yr oedd pob un o'r merched wedi glynu wrth ei chadwen. Pan gyrhaeddais yma, yr oedd edrych ar bob cadwen yn fy nghyffroi, ond bellach yr oeddwn wedi hen arfer â hwy—heblaw hynny, nid am wddf merch y cawn hyd i 'nghadwen i, ond ar fur bwth. Trysorid pob neclis yn fawr gan y merched, ychwanegent dorchau lliwgar at yr un ganolog, ac nid aent i unlle heb eu gwisgo, ond i'w gwelyau. Hyd yn oed i ferch ifanc ar safana lwyd tir y Samburu a'r Masai yr oedd dipyn o steil yn cryfhau ei hunanhyder!

Erbyn tri o'r gloch, yr oeddwn yn wir ddiolchgar i'r mulod am eu cwmni! Dringo'n araf i ben bryn uchel a oedd yn anghyffredin o wyrdd. Fel yr esboniodd Kupanya i mi, mae'r gwastadeddau wedi cael eu gorbori ar hyd y blynyddoedd, a chymaint o goed wedi cael eu torri ar gyfer coed tân, gyda'r canlyniad bod y pridd gorau ar yr wyneb wedi cael ei chwythu gan y gwynt a gweadedd y pridd wedi ei ddifetha.

O ben y bryn fe allwn weld Mynyddoedd Aberdare a'r hollt enfawr—y Rift Valley—yn rhannu ysgythredd y wlad brydferth hon.

Ac yn goron ar holl fawredd y wlad, copa Mynydd Kenya, cartref y duw Ngai, a ffynhonnell dŵr tiriogaeth y duw hollwybodol hwn. Yr oedd yn bwysig peidio digio'r duw Ngai na throseddu yn ei erbyn. Byddai'n cosbi drwy rwystro llif pob nant ac afon a sychu pob ffynnon a phwll. Duw creulon oedd Ngai.

Digon tawel oedd y pnawn. Yn y gwres yr oedd yr awel yn dirgrynu fel tant ffidil. Yr oedd cadernid y mynydd yn frawychus a theimlwn mor fychan â'r genau-goeg a redodd ar draws carreg las yn ymyl. Llethrau'r mynydd yn glytwaith o liwiau gwin a fflamau a glas y dorlan a chrib ceiliog ac orennau a blymonj te sasiwn plant, a'r eira bythol ar ei gopa fel cap nos

Nain a lês arno. Syllais yn wylaidd. Yr oedd Onogo yn rhy brysur gyda'r camera i werthfawrogi hyfrydwch trigle un o'i hen dduwiau.

Cyraeddasom yma fel yr oedd yr haul yn machlud. Rwy'n cysgu heno mewn caban sy'n perthyn i genhadaeth Anglicanaidd. Yng nghefn y genhadaeth gwelais bwll nofio bychan—ffwrdd â mi! Moethusrwydd, yn wir!

*Tachwedd 11*

Cefais sgwrs ddiddorol y bore yma gyda'r Parchedig Joshua Legomo, goruchwyliwr y genhadaeth. Yntau'n bryderus am y dyfodol. Mae'r sychder yn lladd y tir, yr anifeiliaid, yr henoed a'r plant. Ond yn waeth na hynny, mae'n lladd gobeithion a hunanhyder y llwythau nomadig, sy mor eithafol o bendant na fydd iddynt adael tiroedd eu hynafiaid a cholli eu traddodiadau a'u diwylliant. Sut y gellir diogelu eu hen chwedlau, eu dawnsfeydd gorffwyll, rhythmau cnawdol eu drymiau, yn *shanty town* Nairobi? Cytunaf ag ef.

'Dydi'r llywodraeth ddim yn gwario digon i ddiogelu'r werin,' meddai yn wyllt, 'gwario miliynau ar y dinasoedd a'r ffatrïoedd a'r gweithfeydd a'r traffyrdd—y cyfan o fewn taith hanner diwrnod i ganol Nairobi a Mombasa. Mi fyddai milltiroedd o gamlesi dŵr yn costio llai nag un ffatri.'

Eisteddodd ar fainc a rhoi ei ben yn ei ddwylo. Neidiodd ar ei draed.

'Dowch hefo fi!' ac aeth â mi i'r ysgol a gynhelid mewn cut mwd.

Tref fechan yw Kituo, marchnad fechan, nifer o *dukas*—siopau, banc (ie, wir—Barclays!), caffi blêr yr olwg, eglwys ac ysgol.

'Mae'r eglwys wedi adeiladu'r ysgol—edrychwch ar yr offer sy gennym i'w cynnig iddynt.' Edrychais o'm cwmpas—pensil rhwng dau neu dri, dalennau o bob siâp i sgwennu arnynt, bwrdd du o ddarn o gardbord, ac amrywiaeth o hen focsys cardbord i chwarae gyda hwynt.

Dychrynais wrth feddwl am y gwastraff ar bapur a phaent a llyfrau yn fy ysgol i fy hun.

Llais Mam eto: 'Wyddon ni mo'n geni.' Na wyddom, wir.

Addewais geisio cael grant i'r genhadaeth—mae angen yn uwch nag enwad.

'Yr hen stori—y cyfoethog yn mynd yn fwy cyfoethog, a'r tlawd yn mynd yn dlotach.'

Yr oedd y Parchedig yn twymo iddi.

'A pheth arall,' gan fodio fy mrest yn galed, 'mae gwledydd y gorllewin yn gwerthu mwy o arfau i'r Trydydd Byd nag i unrhyw ran arall o'r byd. Does mo'u hangen, ac ni allwn dalu amdanynt, ddim hyd yn oed y llogau. A'r canlyniad—gorfodir y ffermwr bychan ar ei *boma* i dyfu cnwd gwerthu ar gyfer ein hallforion, ac ar draul anghenion y brodorion a'r nomad. Mwy i'r llywodraeth a llai i'r werin.'

Yn fy nghalon fe wyddwn ei fod wedi taro'r hoelen ar ei phen, ond nid oeddwn yn ddigon sicr i geisio dadlau ag ef.

Agorodd Kupanya y map ar y bwrdd.

'Mae gennym ddewis, *Bwana*. Yn nhiriogaeth y Samburu y mae nifer o bentrefi y gallem ymweld â hwy. Cewch chi ddewis.'

Muranga, Simbi Endau, Sukali—ni olygai'r enwau ddim i mi.

'Endau? Yn ôl y map, mae ar lan afon—hwyrach y cawn gyfle i olchi'n traed!'

Yn Kenya, y mae'n amhosib osgoi sôn am ddŵr—fel yn y rhan fwyaf o wledydd Affrica.

Y gair caredicaf y gall Samburu ei ddweud am siaradwr da yw—'Mae ei sgwrs mor felys â chawod o law.'

Tawedog oeddem ni'n tri wrth groesi anferthedd moel y safana sych a llychlyd, a'r mulod yn amharod i gyflymu yn y gwres. Aros i edmygu'r nyth mwyaf a welais yn fy mywyd. Edrychai fel mwdwl blêr o wair sych, brigau a drain, yn sownd yng nghanghennau *acacia*. O leiaf ddwy fedr o hyd a thua medr o uchder, ymledai drwy'r brigau yn ddigywilydd. Nyth yr aderyn—pen-morthwyl, yn ôl Kupanya. Ni welais yr aderyn diddorol hwn, a rhydd-gyfieithiad yw'r enw! Mae'n ymddangos fod dau neu dri phâr yn nythu ynddo, ar wahân i nadroedd, adar eraill, chwilod a thrychfilod. Does dim sicrach nad yw'r gog yn un ohonynt! Yn y pellter, fe welwn golofnau main o fwg yn cribo'r awyr. Cyn cyrraedd y pentref, gwelsom ferch ifanc yn addurno heffer. Esboniodd Kupanya mai heffer un o'r *moran* oedd hi, a bod y ferch yn awyddus i'w hawlio yn gariad iddi ei hun. I ddangos ei diddordeb ynddo a'i gallu gyda'i dwylo, yr oedd yn brysur yn addurno'r heffer gyda mwd o wahanol liwiau. Amrywiai'r patrwm o linellau o'r pen i'r ystlysau, i gylchoedd bychain gyda smotiau yn eu canol. I gwblhau'r addurnwaith, rhwymodd dei bô o ddeilen banana am ei chynffon! Ar yr olwg gyntaf, edrychai'r heffer yn fwy deniadol na'r ferch—ond rhwng y *moran* a'r heffer, ddyweda i!

Sylwais fod prysurdeb anarferol ymysg y merched a bod mwy o ddynion a *moran* o gwmpas nag arfer.

'*Jambo, bwana, habari*!' ac ysgwyd llaw mwy brwdfrydig nag yn unlle arall.

Daeth amryw o'r dynion eraill ymlaen a rhai o'r merched hŷn ac ysgwyd llaw fel pe baent yn croesawu hen ffrind.

Ymatebais orau y gallwn.

Arweiniwyd fi yn seremonïol at un o'r *manyattas* a rhoddwyd fi i eistedd ar stôl fechan drithroed wedi ei gorchuddio â phlu estrys. Sylweddolais fod seremoni arbennig ar ddechrau ac y byddwn yn dyst iddi. Erbyn hyn yr oedd y *mzee* wedi taflu clôg o groen mwnci dros ei ysgwyddau yn lle yr hen flanced frowngoch a wisgai pan gyrhaeddais. Cyn eistedd, gwaeddodd yn gras—'*Karibu!*'—croeso.

Ategwyd hyn gan y gweddill, gan bwyntio eu bysedd ataf. Yr oedd yn anodd peidio chwerthin, ond gwyddwn y byddwn yn troseddu yn eu herbyn.

'*Waki hasika?*'

'Ble mae'r heffer?'

Daeth dau o'r *moran* ifainc ymlaen yn ledio heffer ar reffyn o wair *sisal*. Yn wahanol i'r merched, mae gwallt y dynion ifainc yn hir. Ar gyfer y seremoni yr oeddynt wedi ei blastro â braster dafad, cyn plethu'r gwallt yn gudynnau. Ar eu hwynebau peintiwyd streipiau ocr. Yn eu cwt, daeth trydydd ymlaen, a bwa a saeth yn ei law.

Yng nghysgod derbyniol draenen eisteddai nifer o hen wragedd, eu hysgwyddau yn drwm o dan bwysau'r neclis lliwgar. Yr oedd eu llonyddwch disgwylgar yn esgor ar ganrifoedd o atgofion am draddodiadau seremonïol y llwyth.

Wedi llwytho'r bwa, anelodd y *moran* yn ofalus. Gyda sicrwydd sydyn, trywanwyd y brif wythïen yng ngwddf yr heffer a phistylliodd ffrwd cochddu i gawg hirgrwn o glai yn llaw merch ifanc. Yr un mor sydyn, ataliwyd y ffrwd drwy selio'r wythïen â rhyw gymysgfa od, ond gwyrthiol o effeithiol, gan y *moran*.

Teimlwn ryw gyffro yn cyniwair o gwmpas fy mogail. Yr oedd y dyrfa yn berffaith ddistaw wrth wylio'r cawg yn cael ei gyflwyno yn seremonïol i un o'r hen wragedd mewn *kanga* las. Tywalltodd hi ychydig o lefrith i'r cawg a'i gymysgu yn gyflym gyda'r gwaed. Oddi ar stôl yn ymyl cododd hen wreigan arall, bron yn noeth, ei bronnau hesb mor fflat â chrempog. Yn ofalus, ychwanegodd fodiaid o lysiau melynwyrdd o gledr ei llaw i'r cawg. Dychwelodd i'w stôl. Cymerwyd y cawg gan un o'r *moran* ac ysgydwodd yntau y cynnwys yn gyflym, gan droi ar un sawdl yn gelfydd. Dychwelodd y cawg i'r hen wraig yn hamddenol.

*'Hapa mke!'* llais awdurdodol y *mzee*.

Cerddodd merch ifanc osgeiddig allan o un o'r *manyattas*, yn ôl gorchymyn y pennaeth.

'Tyrd allan, wraig.'

Gwisgai *kanga* o liwiau llachar ac yr oedd ei phen yn foel, yn ôl traddodiad. Synnais nad oedd yn gwisgo'r gadwen arferol, yn groes i'r arferiad. Yn ei breichiau yr oedd baban ifanc iawn. Cynhyrfwyd y tawelwch am eiliad gan siffrwd edmygus y merched a safai yn gylch o'n cwmpas. Cymysgedd o wyleidd-dra a thristwch oedd fy nheimladau i. Faint o chwarae teg a hapusrwydd a ddeuai i ran y bwndel annwyl yng nghanol y fath dlodi? Ni allwn anwybyddu chwaith y don o hapusrwydd disgwylgar a lifodd drwof.

Cyflwynodd y fam ei baban i hafflau'r hen wraig, ac arhosodd o'i blaen. Estynnwyd y cawg iddi gan yr hen wreigan arall. Dechreuodd y merched hymian a dawnsio yn ysgafn ar eu sodlau. Yna yfodd y fam ifanc y gymysgfa od o lefrith a gwaed a llysiau ar ei thalcen, a throdd y cawg â'i ben i lawr i brofi hynny.

Rhedodd pawb ati i'w chofleidio a'i chusanu, cyn taflu eu hunain i rythmau cynhyrfus eu dawnsiau. Nid oeddynt yn canu, dim ond giglan a gwichian mewn lleisiau main, annaturiol.

Cymerodd y fam ei baban yn ôl i'w breichiau a gwnaed llwybr iddi o flaen y pennaeth. Cododd yn araf. Codais innau.

*'Usimama!'* ac mewn ateb i'w waedd, distawodd pawb.

Gydag urddas esgobol, llafarganodd y *Mzee,*

*'Mungu tatueka hi, Haji,'* a chyffyrddodd drwyn y baban â'i fawd.

'Rhodded Duw hir oes i ti.'

Ar unwaith, ailddechreuodd y merched a'r *moran* ddawnsio. Yr oeddwn wedi bod yn dyst i gyfuniad o fedydd a llwncdestun —pob bendith, iechyd da, a dymuniad am lawer o blant.

Nid oedd olwg am y tad. Yr oedd gofal ei wartheg yn bwysicach iddo. Yna, clywais y tabyrddau, yn ysgafn i ddechrau, yna yn drwm a llawn her. Cipiwyd fi i'r cylch dawnsio gan ddwy o'r merched, ac ildiais fy hun i hwyl y traddodiad brodorol. Cefais fy hun o flaen bwth y fam ifanc. Yr oedd rhythmau'r tabyrddau erbyn hyn yn fyddarol. Tynnwyd fi i mewn, er na theimlais gyffyrddiad llaw. Ni allwn weld dim i ddechrau yn y *manyatta* tywyll. Yn araf, gwelais y fam yn sefyll wrth y wal, a'r baban yn ei breichiau. Ar y wal wrth ei hochr yr oedd y gadwen. Rhythais yn gegagored a theimlwn fy nghoesau yn crynu a gwegian. Fy nghadwen i! Peidiodd y dawnsio a'r curo, a chasglodd pawb o gwmpas y drws. Fe wyddent hwythau, hefyd.

Yr oedd fy mhererindod ar ben.

O'r pac ar fy nghefn, tynnais fy nghadwen allan a'i dal ar gledr fy llaw. Dadfachodd hithau ei chadwen a gosododd hi yn ei llaw dde. Nid oeddwn wedi sylwi bod y *mzee* wrth fy ochr. Cymerodd y ddwy gadwen, un ym mhob llaw. Yr oeddwn ym mhresenoldeb rhyw allu cyntefig digyfnewid, nad oedd iddo nac amser na ffurf. Yn dawel, rhoddodd y *mzee* fy nghadwen i i'r fam, ac un y fam i minnau. Ar unwaith, llanwyd wyneb y ferch â rhyw hapusrwydd cyfrin wrth rwymo'r gadwen hen am ei gwddf. Yr oedd awyrgylch y *manyatta* yn gyfareddol. Dechreuodd y bachgen bach grio. Dinoethodd ei bron a distawodd wrth sugno. Glynais fel gelen wrth y gadwen hynafol a oedd mor newydd i mi. Nid oedd dim yn tarfu ar y distawrwydd ond sugno cysurus y bychan. Yr oedd awyrgylch drymaidd y bwth yn llawn o hen gynnwrf. Sefais yn llonydd, a mwydais fy hun yng nghynhesrwydd yr aduniad od yma gydag awch y plentyn a sugnai ym mreichiau ei fam. Yn araf ymgynefinodd fy llygaid â'r fagddu. Disgleiriai llygaid y fam fel dwy seren ar noson dywyll. Am ei phen fe wisgai sgarff llac, ac fe redai craith noeth i lawr ei braich. Tybiais i ddechrau mai hagrwch y graith oedd yn ysgafnu lliw ei chroen. Ond fel yr arferwn â mylldra'r *manyatta*, sylweddolais bod lliw ei chroen yn wahanol i'r rhelyw o'r llwyth a safai yn gylch o gywreinrwydd o gwmpas y bwth. Yr oedd ei chroen yn adlewyrchu gwelwder noson olau leuad. Cyffyrddais â hi'n dyner, gan redeg fy mysedd dros ei hwyneb. Synhwyrais gryndod cyffrous yn cripian drwy fy nghorff. Yn union yr un fath â'r cyffro a fflachiodd drwy fy nghorff pan ffeindiais nyth yswidw gynffon hir mewn fforch coeden eirin yng nghae John Ifans, sawl blwyddyn yn ôl. Daeth ysfa drosof i ddweud wrth y fam ifanc am y nyth anghyffredin o fwsogl a rhawn a gwe. Ond yr oedd ysgafnder ei chroen wedi cipio fy mryd.

Fe drois at Kupanya.

'Mae ei lliw hi mor ysgafn, Kupanya.'

Syllodd yntau arni gyda diddordeb newydd.

'Fel croen y mango yn y farchnad.'

'Gofyn iddi, Kupanya, pam fod ei chroen mor ysgafn.'

Wedi iddo gyfieithu, ymledodd ton o bleser drwy'r pentrefwyr, ac edrychodd y ferch yn swil arnaf. Yr oedd ei llygaid yn pefrio.

Mewn llais main, trwynol, carlamodd drwy stori hir, gan gyfeirio at *manyatta* a welwn ym mhen pellaf y llain. Fel y siaradai, torrodd y merched eraill allan i lafarganu mewn traw gwichlyd. Siglent yn osgeiddig, ac wrth lusgo eu traed yn y llwch, gwnaethant lwybr o un bwth i'r llall. Yn y coedydd fe glywn glebar mwncïod. Pinsiais fy hun yn slei i wneud yn siŵr nad oeddwn yn breuddwydio. Gan gydio yn rhythmau'r merched, fe gerddodd y ferch allan o'r *manyatta*, a'r baban yn ei breichiau.

'Be ydi ei henw hi, Kupanya?'

'Malame.'

Rhoddwyd arwydd i mi ei dilyn. Chwyddodd y canu wrth i mi gamu i awyr grasboeth, a chyflymodd y ddawns. Yn araf cerddasom i ddrws y *manyatta*. Gwyrodd Malame ymlaen a galwodd,

*'Mzee?'*

*'Nga,'* gyddfol oedd yr unig ateb.

Yn wyliadwrus cerddodd y ferch i mewn, gan arwyddo arnaf i'w dilyn. Syllais yn ofer drwy'r fagddu. Yr oedd yr ystafell gron yn orlawn o lwydni a phydredd. Prin y medrwn anadlu. Daliwyd fy sylw gan haid o forgrug duon yn cythru allan drwy'r muriau bregus. I'r gwrthwyneb yr oedd llonyddwch y silwêt a drywanai'r llychyn o oleuni yn y *manyatta* yn codi ofn arnaf. Wrth i mi syllu'n ansicr, mynnodd rhai o ofnau plentyndod wthio eu hunain i'r wyneb. Ond heddiw ofnau yn fy atgoffa fy mod wedi eu concro lawer gwaith oeddynt. Yr oeddynt yn gysur i mi y funud ryfeddol hon. Fe'u gorchfygais dros y blynyddoedd, a theimlwn fod ofn y munudau hyn yn cyflawni dyheadau blynyddoedd o obeithio a chynllunio. Yna fe ddihysbyddid yr ansicrwydd a greodd yr ofnau unwaith ac am byth. Yr oeddwn o hyd braich i ddatrys dirgelwch a rhin y ddwy gadwen.

Symudodd Malame yn ysgafndroed ar draws yr ystafell a thynnodd groen gafr ymaith oddi ar agoriad yn y mur. Alltudiwyd y mylldra a llanwyd y fan â gwawl binc. Datgelwyd mai hen ŵr oedd y silwêt, yn gorwedd ar wely o wiail a gorchudd lliwgar drosto. Yr oedd ei lygaid ynghau. Anadlai'n dawel a diymdrech. Ni allwn dynnu fy llygaid oddi ar ysgafnder ei brydliw. Ac er bod ei wyneb mor rhychiog â chroen hen fustach a welswn ar y *shamba*, yr oedd y wawl binc yn rhoi i'w arweddau dryloywder anghyffredin. Oddi allan nid oedd na siw na miw ymysg y tylwyth.

Gwyrodd Malame drosto a chyfarchodd ef yn ysgafn.

'Taid, mae o wedi cyrraedd.'

Gwelwn gryndod y gadwen yn ei amrannau. Yn araf agorodd ei lygaid ac edrychodd o'i gwmpas drwy lygaid pŵl. Llygaid gleision. Gwibiodd aderyn cynffon hir i mewn ac allan fel mellten. Estynnodd yr hen ŵr ei law allan, ond cyn i mi fedru ei gyfarch, collodd ei gryfder.

'Mae o ar fin marw—'

Er bod ei lais yn gryglyd, dechreuodd yr hen ŵr siarad yn dawel, gan gyfeirio ei fys at focs metel, rhydlyd a'r geiriau KENYA RAILWAYS mewn llythrennau pygddu arno. Cododd Malame becyn o'r bocs, wedi ei lapio mewn dail crin banana. Yn ofalus dadbaciodd ef. Deliais fy ngwynt. Estynnodd Malame lyfr i mi. Yr oedd trwch o lwydni drosto, a phan agorais ef, gwelais mai Beibl Saesneg oedd. Curai fy nghalon fel gordd. Chwythais y llwch oddi ar y dudalen flaen, felen. Prin y gallwn ddarllen yr ysgrifen. Dechreuodd yr hen ŵr lafarganu yn null y llwyth. Yr oedd yr inc wedi colli ei liw, ond yn araf dehonglais y geiriau. Rhythais arnynt.

Kaningo Bible Society Lamugo
Bwana Jaco re Nemoli Taragu

Rhwng chwerthin ac wylo gwaeddais dros y lle, 'Rydw i hefo'r teulu.' Sobrais, a throis at Malame,

'Pwy ydi Kaningo?'

Arweiniodd Malame fi at yr hen ŵr, 'Dyma fo.'

Lapiodd fysedd yr hen ŵr am y gadwen a roeswn iddi, a chlymodd fy mysedd innau amdani hefyd. Ar unwaith teimlwn y cryndod yn y gadwen yn ein closio at ein gilydd. Ymledodd gwên foddhaus dros ei wyneb crychiog.

*'Kwaheri, tutaonana.'*

Gollyngodd ei afael ar y gadwen a bu farw.

Prin y teimlwn fy nhraed yn cyffwrdd y pridd wrth gerdded at Malame,

'Cymerwch ofal ohonynt, Malame.'

Dychwelais y gadwen a'r Beibl iddi.

'Be ddeudodd o, Malame—?'

'Pan ddywedais wrtho eich bod wedi cyrraedd, fe gollodd yr ewyllys i fyw . . . Ffarwél, fe welwn ein gilydd cyn hir—oedd ei eiriau olaf.'

Am eiliad amharwyd ar bleser y profiad anhygoel. Oeddwn innau ar fin gadael y byd—heb weld Tina—heb—na—!

Dychwelasom i'r awyr agored wedi i Malame osod ei fysedd dros ei lygaid caeëdig. Yr oedd y merched yn eu cwman, yn siglo'n drist wrth hymian yn dawel. Arweiniwyd fi i *manyatta* arall, lle'r oedd platied o gacennau o inrawn a banana yn fy nisgwyl. Arhosodd Malame yn wylaidd ar y trothwy.

'Kupanya, mae'r freuddwyd wedi cael ei gwireddu. Ond nid yw'r stori yn gyflawn—gofyn iddynt be wyddon nhw am Kaningo.'

Dechreuodd Kupanya holi'r ddau *mzee* a'n dilynasant i'r bwth. Yn araf dadlennwyd yr hanes. Wel, yr oedd Mam yn llygad ei lle ar un pwynt. Fe fu Dewyrth Jaco yn gweithio ar y relwe, a phan ddarfu'r gwaith fe ddaeth yn ôl i'r pentref gyda nifer o'r gweithwyr. Yn ôl yr hanes, fe achubodd fywyd mab y *mzee* pan larpiwyd ef gan lew yn ystod y gwaith ar y relwe. Yr oedd yn boblogaidd, ac yn medru troi ei law at rywbeth. Ef oedd eu meddyg. (Oni ddywedodd Mam iddo fynd i'w fedd a chyfrinach ei ddawn i wella'r Ddafad Wyllt heb ei datgelu?) Pan ganfuwyd fod Nemoli yn feichiog, ac mai Jaco, nid un o'r *moran*, oedd y tad, fe'i diarddelwyd o'r llwyth. Chwarae teg i Jaco (wel, mae gwaed yn dewach na dŵr)—aeth Jaco gyda hi, ar waethaf apêl daer y *mzee* iddo aros gyda hwy. Yn annisgwyl, dychwelodd Jaco i'r pentref ymhen blwyddyn, a phlentyn yn ei freichiau. Yr oedd bachgen yn rhy werthfawr i fywyd y llwyth i'w wrthod. Ni soniwyd am Nemoli. Rhoddwyd Beibl i'r *mzee* gan Jaco.

'Ond pam y *Bible Society* fel rhan o'r enw?'

Wedi mwy o holi a stilio, dywedodd Kupanya fod Jaco wedi mynd i Swyddfa y Bwana yn y Dref Fawr i roi enw'r bachgen yn y Llyfr Mawr. Tybiodd y swyddog fod geiriau'r Argraffdy—*Bible Society*—yn rhan o'r enw!

Un cyfrwys a dipyn o dynnwr coes oedd Jaco! Nid arhosodd Jaco yno.

Yn y coedydd fe glywn regen ddu yn crawcian. Os nad crechwen Dewyrth Jaco a glywais!

Am ychydig o funudau, yr oeddwn yn ôl gyda theulu fy hynafiaid o fodolaeth gynharach. Cofiais am y freichled fechan a brynais yn Ismalia yn ystod y rhyfel, a rhoddais hi yn llaw y fam. Yna cerddais allan, yn llawn o hapusrwydd chwil, yn sŵn giglan y merched a chlebar parhaus y *cicadas*.

*Tachwedd 12*

Dyma fi yn ôl yn Nairobi. Y peth cyntaf a wnes oedd ffonio Tina. Fe wyddai yn barod, ac ar ôl gweithio allan y gwahaniaeth yn yr amser, fe gadarnhaodd i'r funud pryd y clywodd hithau guro tabyrddau fel yr eisteddai yn ei swyddfa. Giglan a wnaethom ninnau'n dau hefyd, fel y merched, a chytuno y byddwn ar fy ffordd adref mor fuan ag oedd bosibl. Ddoe, treuliais y diwrnod gyda goruchwyliwr MAFOD yn Nwyrain Affrica, a chytunwyd fy mod i baratoi adroddiad manwl o fewn y mis a'i anfon i'r swyddfa yng Nghaerloyw. Fe gytunem fod y sefyllfa yn dorcalonnus mewn rhannau, a bod angen llawer mwy o gefnogaeth gan lywodraeth y wlad i'r werin frodorol yng nghefn gwlad ac y byddai'n rhaid dibynnu ar gymorth y gorllewin am gyfnod hir.

Fe wneuthum yn glir iddo fy mod wedi cael mwynhad mawr yn Kenya. Ond ni soniais fy mod wedi cyfarfod â rhai o'r teulu.

*Tachwedd 13*

Byddaf ar yr awyren ymhen awr. Paciais y trywsus bach a'r crys haf, a theimlaf yn anghysurus iawn yn fy siwt lwyd. Nid oes dim i'w wneud ond eistedd yma i aros am yr alwad i'r awyren. Addewais un diwrnod i mi fy hun yn un o'r Parciau Cenedlaethol a deuthum oddi yno gyda dwy ffilm o ddarluniau lliw—gobeithio—a chowdel o argraffiadau o ryfeddodau natur. Cyrraedd yn gynnar yn y bore. Gwylio'r anifeiliaid yn llithro drwy darth y bore fel pe bai llaw gelfydd, anweledig, yn eu creu o flaen fy llygaid. Eu cerdded gwyliadwrus at y dŵr i ddisychedu eu hunain, ac i lyfu'r halen ar yr ymylon. Yr eliffant yn camu'n hamddenol a phendefigaidd, ac yn aros o dro i dro i sugno llwch i'w drwnc cyn ei chwistrellu dros ei groen gwydn gydag ysgafnder merch yn powdro ei hwyneb. Chwerthin wrth wylio'r babŵn a'i 'stumiau doniol yn defnyddio'i bawennau fel crib mân ar y teulu.

('Rhaid i mi olchi dy ben di â finiger rhag llau plant Llwyn Celyn 'ne!')

Byffalo dŵr, du fel huddug a'i gyrn yn ffyrnig o fygythiol yn ymosod ar yr *hyena* â'i grechwen sbeitlyd. Warthog hyll a chyfrwys yn chwilota ym mwd y pwll; yr estrys, ei ben yn y gwynt a'i adenydd ar chwâl fel codwr canu yn oedfa foreol byd natur. A'r *rhino*, fel bloc o ithfaen, mor wahanol i'r sebra, sy bob amser yn ffasiynol yn ei gôt streipog ddu a gwyn.

Caf dreulio'r gaeaf yn rhoi trefn ar y profiadau a'r darluniau rhyfeddol.

Rydym ymhell uwchben y cymylau. Cyn i mi adael cartref aeth Tina a minnau allan i'r wlad i edmygu lliwiau cyfareddol yr hydref cyn iddynt farw ac edwino, i atgyfodi ar ôl glaw tyner y gwanwyn. Edmygais liwiau a golygfeydd Kenya, yn eu hysblander ac yn eu tlodi. Y tristwch yw na fydd, yn ôl pob golwg, law tyner gwanwyn i'w denu i'r wyneb.

GAEAF

## 1978

*Rhagfyr 19*

Diolch byth, mae'r ysgol wedi cau heddiw. Dyma dymor prysuraf y flwyddyn, hwyl a miri'r Nadolig. Pantomeim llwyddiannus iawn, diolch i dalent Bill Sowerby gyda'i hiwmor a'i ddychan clyfar. Ar awgrym Mary James o'r Chweched Dosbarth, byddwn yn anfon yr arian a dderbyniwyd wrth y drws i MAFOD. Tua £300, mae'n debyg.

Nid fy mod i wedi bod yn stwffio MAFOD a'r Trydydd Byd i lawr gyddfau'r disgyblion. Gwelsant rai o'r sleidiau a chawsom fwy nag un cylch trafod am ein cyfrifoldeb yn y gymdeithas gyfoes. Fel yr af yn hŷn—yn hen, bellach—mae fy edmygedd o agwedd y to ifanc yn cynyddu. Nid nhw sy'n cael sylw'r cyfryngau, ond y *muggers* a'r ysmygwyr pot.

Nid yw crefydd gyfundrefnol yn apelio at lawer ohonynt, ond fe roddant lawer mwy o bwyslais ar wasanaeth, rhai fel amlygiad o'u ffydd yn Efengyl Crist, eraill am resymau dyngarol yn unig. Chwarae teg iddynt. Bydd Norah Jenkins a Stella Sanderson yn mynd allan i Uganda am ddeufis yr haf nesaf o dan adain V.S.O. Be rown i am fod yn ifanc unwaith eto! Mi fydda i'n cael ambell i bwl o euogrwydd wrth feddwl am y cyfle a gollais pan oeddwn yn ifanc.

Mae Tina'n hwyr yn cyrraedd heno—parti cyn Dolig, mae'n debyg. Y gyfeddach ddiderfyn sy'n ein gyrru fel y leming dros ddibyn hunan-ddinistriol ar yr union adeg o'r flwyddyn pan ddylem fod yn llawen, nid er ein mwyn ein hunain, ond er mwyn eraill.

Smỳg ar y diaw', Elwyn!

Dyma hi wedi cyrraedd—cawn eistedd ac ymlacio o flaen y tân.

*Rhagfyr 20*

Byd gwyn y bore yma, hyd yn oed yn y ddinas 'ma. Mae'n lân a phur nes i gymudwyr sathru eu ffordd i'r swyddfa a'r siop. Gair o MAFOD yn amgau eu hadroddiad blynyddol. O'r diwedd, mae rhai o'r awgrymiadau a wneuthum dros ddwy flynedd yn ôl wedi cael eu derbyn, a bydd cyfran dda o'r arian yn cael ei wario ar ysgol, a pheipiau dŵr o ffynhonnau dyfnion, a chlinig symudol. Teimlo'n ddiolchgar i mi gael y cyfle i estyn help llaw i—wel, i'r teulu.

Weithiau mae'r holl ddigwyddiad fel breuddwyd. Dyna pryd yr agoraf fy nrôr yn y *dressing table* i gael cip ar y gadwen, i wneud yn siŵr!

A chaiff Tina a minnau hwyl wrth edrych ar y sleidiau. Chwarae teg i Onogo, cafodd hwyl dda ar drin y camera. Pob sleid yn llwyddiant, er bod ansawdd y lluniau yn amrywio. Anfonais lythyr iddo ef a Kupanya drwy'r swyddfa yn Nairobi, a cherdyn Nadolig i'r ddau. Cyfarchiad Cymraeg a digon o eira ar y ddau gerdyn! Ni fydd y gaeaf yn nes atynt hwy na chopa Mount Kenya!

Well i mi bacio ychydig. Byddwn yn treulio'r Dolig gyda'n gilydd yn yr hen gartref, ein cartref ni'n dau, bellach. Cyn y Nadolig nesaf byddwn wedi setlo yno. Rydw i wedi penderfynu ymddeol, y Pasg nesaf. Mae cymaint i'w wneud—nid i blesio pobl eraill, ond i'm plesio fy hun. Peintio, darllen—ac mae rhyw ysfa ynof i droi fy llaw at sgwennu—erthygl i'r papur bro, neu stori fer.

Ac fe wn y byddwn ein dau yn awyddus i wneud ychydig o waith gwirfoddol. Amser a ddengys.

*Rhagfyr 21*

Pryderu dipyn y bore cyntaf, pan welais y lluwchfeydd yn y parc ar draws y ffordd. Ar ôl gwrando ar broffwydoliaeth dyn y tywydd ar y radio, penderfynodd Tina a minne y gallem gyrraedd y wlad cyn nos. Y ffordd yn llithrig mewn mannau, ond erbyn i ni gyrraedd yma yr oedd y gwynt wedi troi i'r de—gwynt meiriol, i ni, bobl y wlad. Rydw i'n mwynhau'r ddeuoliaeth newydd sy'n cosi fy isymwybod. Aeth hogyn y wlad i'r dref, a rŵan mae hogyn y ddinas yn dychwelyd i'w hen gynefin yng nghefn gwlad. Synnwn i ddim na fydda i yn mwynhau bod yn dipyn bach o sgweiar, a'i lordio hi yn yr ardd hefo'r robin goch.

*Rhagfyr 22*

Cysgu'n hwyr, loetran ym mreichiau ein gilydd cyn codi, sgwrs hamddenol dros y bwrdd brecwast, clopian o gwmpas y tŷ mewn slipars nos a Tina yn ei gŵn gwisgo, lolian o flaen y teli, a phendwmpian, os mai rhaglen wael fydd hi—dyna fel y bu hi yma tan amser te.

Mae'n debyg fod yna beth o anian y crwban a'r draenog a'r pathew ym mhob un ohonom.

Tynnu coes ein gilydd am aeafu yr oedd Tina a minne pan godwyd y glicied.

'Oes 'ma bobol i mewn?'

'Now!—dowch i mewn eich dau—syrpreis, syrpreis!'

'Clywed eich bod yma—helô Tina!—ninne i lawr dros y Dolig.'

Closio at y tân a dilyn hynt a helynt y ddau ohonom yn awchus.

'Wyt ti'n cofio'r *living pictures* o'dd gan 'Nhad erstalwm, Now?'

'Ydw, ac mae'r gegin yn llawn o ogle'r meths y munud 'ma.'

'Reit, *living pictures* amdani!'

Yr oeddwn innau yn syrthio i'r trap o flino pawb gyda'm sleidiau.

Crwydro o Nairobi i Mralal—o Kituo i Kabarnet—o safana sych i bwll dŵr yn y Parc Cenedlaethol, brodorion amheus o lens y camera, estrys chwilfrydig a mwnci chwareus.

'Helô, helô, be 'di hyn—Tina, be fuo fo yn neud yn y Kenya ene?'

Safai merch ifanc yn nrws *manyatta* a baban yn ei breichiau. Wrth ei hochr fe safwn inne a chadwen yn fy llaw.